LES
GRANDES JOURNÉES
RÉVOLUTIONNAIRES

OUVRAGES HISTORIQUES DU MÊME AUTEUR :

Un Complot sous la Terreur (Marie-Antoinette — Toulan — Jarjayes). 1 vol. in-18.
> (*Ouvrage couronné par l'Académie française.*)

Un ami de la Reine (Marie-Antoinette — M. de Fersen). 1 vol. in-18.

La Vérité sur l'Expédition du Mexique. 3 vol. in-18.
> (*Ouvrage couronné par l'Académie française
> et par la Société des Gens de Lettres.*)

PARIS. TYP. DE E. PLON, NOURRIT ET Cie, 8, RUE GARANCIÈRE. — 1884.

PAUL GAULOT

LES
GRANDES JOURNÉES
RÉVOLUTIONNAIRES

HISTOIRE ANECDOTIQUE DE LA CONVENTION NATIONALE

(21 SEPTEMBRE 1792 — 26 OCTOBRE 1795)

PARIS

LIBRAIRIE PLON

E. PLON, NOURRIT et Cⁱᵉ, IMPRIMEURS-ÉDITEURS

RUE GARANCIÈRE, 10

1897

Tous droits réservés

Jamais, à aucune époque de son existence, la
nation française n'a vécu avec une telle intensité
de vie, avec une telle fièvre que pendant les trois
années qui se sont écoulées du 21 septembre 1792
au 26 octobre 1795. Jamais événements plus terribles ne se sont succédé avec plus de rapidité;
jamais hommes plus extraordinaires et plus dissem-
blables n'ont été jetés en pleine lumière sur la
scène politique. Et les bras gigantesques de l'échafaud, qui se profilent dans un horizon sanglant sur
toute cette période, en faisant planer sur les per-
sonnages mêlés à ces agitations la grande terreur
qu'inspire la mort, donnent en quelque sorte aux
plus petits eux-mêmes une allure fantomatique de
héros : héros du courage, héros du patriotisme,
héros du fanatisme, héros du crime. Aucun ne reste
indifférent.

Le pouvoir est concentré dans la Convention
nationale, tour à tour dominée par quelques hommes.

a

Puissance terrible, effroyable tyrannie, mais combien éphémère! Ce ne sont point des années, ce sont à peine des mois qui séparent pour le parti triomphant l'heure de la victoire et l'instant de la chute.

Les Girondins semblent les maîtres au moment où la Convention nationale proclame l'abolition de la royauté (21 septembre 1792); en réalité, ils sont déjà dépassés. Les massacres de Septembre, accomplis sans résistance de leur part, ont montré que le vrai pouvoir est plus bas. On les laisse présider au procès et à l'exécution de Louis XVI; quatre mois plus tard, ils sont renversés (31 mai, 2 juin 1793).

Leurs vainqueurs se divisent : les hébertistes voudraient pousser plus encore la Révolution dans le sang et la boue; les dantonistes rêvent, trop tard, de la ramener en arrière. Robespierre les met d'accord en supprimant les uns (24 mars 1794) et les autres (8 avril 1794). Il reste seul, il domine tout; mais, vide d'idées, incapable de gouverner, il ne sait que perpétuer la Terreur. Par un juste et fatal retour, il en devient la victime (27 juillet 1794-9 thermidor.)

Les chefs disparus, les comparses s'agitent et cherchent une revanche; la journée du 1ᵉʳ prairial (20 mai 1795) voit la défaite du vieux parti jacobin extrême. La confiance renaît parmi ceux qui regrettent la monarchie ; les réactionnaires tentent un coup de main contre la Convention (5 octobre 1795) ; ils sont vaincus. Cette date est à retenir, c'est le 13 vendémiaire, jour où l'armée a dit son mot dans les discordes civiles. Voici Bonaparte. Encore quelques années de convulsions et de misères, et le génie de Napoléon assurera les conquêtes utiles de la Révolution.

Le récit de ces agitations a été fait souvent déjà, et nous ne prétendons point le refaire ici. Sur quelques-unes des grandes journées révolutionnaires, sur quelques-uns des événements de cette époque, nous croyons apporter des renseignements ou nouveaux ou plus complets. Et peut-être cette contribution à l'histoire générale de la Révolution française, pour modeste qu'elle soit, ne paraîtra pas sans intérêt à ceux qui sont curieux du détail et de la vérité historiques.

Paul Gaulot.

LA SALLE DES SÉANCES

DE LA

CONVENTION NATIONALE

Lorsque, après les journées d'Octobre, l'Assemblée constituante décréta qu'elle suivrait le Roi à Paris, il fallut trouver une salle capable de contenir ses douze cents membres, plus un nombreux public de spectateurs. On jeta les yeux sur une vaste construction qui avait jadis servi de manège pendant la jeunesse de Louis XV, et qui se trouvait sur l'emplacement actuel de la rue de Rivoli, au coin de la rue de Castiglione (1).

On y accédait par une vaste bande de terrain appelée cour du Manège, qui longeait la grille des Tuileries et communiquait avec la place du Carrousel, à peu près à la hauteur de la rue de l'Échelle. Du côté du jardin se trouvait également une entrée, vers le perron qui débouche aujourd'hui sur la rue de Castiglione. On pouvait y pénétrer encore par un passage assez étroit établi entre le couvent des Capucins et celui des Feuillants et reliant au manège la rue Saint-Honoré.

(1) En face du n° 230 de la rue de Rivoli. Une plaque commémora- a été placée sur un des piliers de la grille qui longe le jardin des Tuileries (terrasse des Feuillants).

Cette salle « était à peu près dix fois plus longue que large : les banquettes réservées aux députés y étaient disposées en six rangs de gradins en ellipse, laissant, au milieu, un espace vide qu'on appelait plaisamment *la piste* (1) ».

C'est dans ce local que la Convention nationale prit séance le 21 septembre 1792, et là que se déroulèrent les longs débats du procès de Louis XVI.

La monarchie disparue, le Roi décapité, le palais des Tuileries restait vide ; on y transporta le nouveau souverain, c'est-à-dire la Convention nationale et les innombrables comités créés par elle pour l'administration des des affaires publiques.

Leur énumération seule inspire une haute idée de l'activité de cette assemblée qui s'était donné la mission de transformer et de régénérer la France.

Un député, J.-A. Dulaure, qui rédigeait le *Thermomètre du jour*, portant pour devise ces trois mots : *Variété, Vérité, Célérité*, a décrit cette occupation du château, à cette époque, avec une exactitude telle qu'on ne saurait mieux faire que de lui emprunter cette description :

« La Convention nationale siège aujourd'hui vendredi (2), pour la première fois, dans le nouveau local, préparé au *palais National*, ci-devant dit *Tuileries*. Le pavillon du Nord, du côté de la rue Saint-Honoré, portera le nom de *pavillon de la Liberté*, celui du milieu, *pavillon de l'Unité*, et celui qui est du côté de la rivière, *pavillon de l'Égalité*.

« Dans le *pavillon de la Liberté*, au *rez-de-chaussée*,

---

(1) *Paris révolutionnaire,* par G. LENÔTRE.
(2) 10 mai 1793.

sont le comité des décrets, le bureau des procès-verbaux ; *au premier étage*, le comité d'inspection, le bureau de l'inspecteur de la salle et des fournitures, le bureau des mandats ; *au second étage*, les comités d'agriculture, de commerce ; *au troisième étage*, le comité de législation.

« Dans l'*extrémité de la salle, du côté du pavillon de la Liberté, sur le jardin*, sont les bureaux de la poste, des distributions et du contre-seing.

« *Entre le pavillon de la Liberté et celui de l'Unité*, sont la salle d'assemblée de la Convention, l'antisalle, le salon de la Liberté, l'antisalle au haut de l'escalier principal ; *au rez-de-chaussée*, sous la salle de la Convention et sous le salon de la Liberté, sont les corps de garde des vétérans, des pompiers, des grenadiers, de la gendarmerie nationale, de la garde nationale.

« *Sous l'antisalle de la Liberté, au rez-de-chaussée*, sont le comité des pétitions, correspondance et renvois, et la commission centrale.

« *Sous le pavillon de l'Unité*, sont le vestibule servant de passage public, l'escalier principal pour les députés, la galerie adjacente du côté du pavillon de la Liberté qui conduit aux amphithéâtres publics et à la galerie des pétitionnaires.

« L'autre partie de la galerie, qui se dirige du côté du pavillon de l'Égalité, conduit aux archives nationales, qui sont au premier étage, aux salles du comptable des assignats, attenant les archives, au conseil exécutif provisoire qui est au rez-de-chaussée.

« *Entre le pavillon de l'Unité et celui de l'Égalité*, se trouvent les comités de la guerre, de la marine, la commission de l'examen des marchés des fournisseurs de l'armée, le comité colonial, et, à l'extrémité du pavillon de l'Égalité, au bas du grand escalier, au rez-de-chaussée, sur la cour, sont un corps de garde, le garde-meuble, la lingerie, le comité de salut public; au premier étage est le comité de division, sur le jardin.

« Dans le *pavillon de l'Égalité*, sont, au rez-de-chaussée, le comité des assignats et monnaies; au premier étage, le comité de liquidation; au second étage, sur le jardin, le comité des finances, du côté de la rivière, celui des contributions; au troisième étage, sur le jardin, le comité de l'examen des comptes, et, du côté de la rivière, le comité des ponts et chaussées.

« L'hôtel dit de *Brienne*, petite place du Carrousel, contient, au rez-de-chaussée, le comité d'instruction publique; au premier étage, ceux de sûreté générale et de secours publics; au second étage, les comités d'aliénation, des domaines, diplomatique, la commission des douze et celle des six pour l'argenterie du château.

« L'Imprimerie nationale et les bureaux de l'imprimeur sont sur la place du Petit Carrousel, à côté de l'hôtel de Brienne. »

Dans le numéro du 13 mai, Dulaure complétait ces détails par une description minutieuse de la nouvelle salle de la Convention nationale.

« Sous le *pavillon de l'Unité*, placé au centre du palais National, et à la cime duquel flotte un grand drapeau tricolore, on voit, à gauche, trois portiques qui mènent à l'escalier principal. En face et au-dessus de la première rampe, est la porte d'entrée, décorée avec une noble simplicité, couronnée d'ornements antiques et bronzés, qui caractérise la destination du lieu. Les deux battants de cette porte sont en bois bronzé, et les ornements d'un bon style. On entre dans une première salle très vaste, très élevée, éclairée de chaque côté par six fenêtres. C'était l'ancienne chapelle du château.

« La voûte et les parois sont peintes en manière de granit, jusqu'à la hauteur des fenêtres ; depuis là jusqu'au pavé la couleur imite celle du porphyre. Sur ce fond, tout au tour, sont en reliefs, et en couleur de bronze, une rangée de couronnes de chêne. Quatre grands lustres sont suspendus à la voûte ; quatre grands poêles de faïence sont aux angles de la salle ; elle est pavée en marbre et bordée de banquettes de velours cramoisi. De cette salle on arrive par une porte très vaste, dans la même direction, dans un antisalon, peint comme la pièce précédente, et de là dans le salon de la Liberté.

« *Le salon de la Liberté*, peint de la même manière que la grande salle, offre, dans la couleur de son granit, une teinte différente. L'objet qui frappe d'abord les yeux, et qu'on aperçoit même de l'escalier du vestibule, c'est la figure colossale et bronzée de la Liberté, représentée assise, au milieu du salon. Elle appuie une main sur le globe du monde, élève de l'autre le bonnet qui la caractérise, et foule à ses pieds le joug des tyrans. Le piédestal sur lequel elle s'élève est en couleur de porphyre. On y voit le mot *Liberté* et des ornements caractéristiques bronzés.

« Ce salon, bordé de banquettes et orné de quatre lustres, se termine par une arcade soutenue, de deux côtés, par des colonnes isolées et des pilastres. De là on arrive dans un vestibule où se trouve la porte de la salle des séances.

« Une porte, en couleur, de différents bois précieux, décorée d'ornements bronzés, et accompagnée d'une vaste draperie en drap vert, retroussée avec des cordons et glands rouges, sert d'entrée à cette salle.

« La salle des séances, qui occupe le local de l'ancienne salle de spectacle des Tuileries, offre un carré long de cent trente pieds (1), sur quarante-cinq pieds (2) de largeur. La hauteur est d'environ soixante pieds (3). Elle est éclairée par un ciel ouvert. Des vitraux à la hauteur du comble laissent pénétrer le jour, qui est tempéré, à la hauteur du plancher de la salle, par un tissu transparent.

« L'amphithéâtre où siègent les députés occupe toute la partie qui est à gauche en entrant et présente dix rangs de banquettes qui s'élèvent en gradins et se multiplient aux deux angles qui sont de ce côté de la salle. Son plan ne forme ni un demi-cintre, ni une demi-ellipse, mais une figure mixte, composée au centre de lignes droites qui se courbent aux extrémités.

« Le local était trop étroit pour donner à cet amphithéâtre une figure plus régulière et plus commode. Quatre piliers butants qui s'avancent de chaque côté, dans l'intérieur de l'édifice, ont infiniment resserré le local de cette salle; l'architecte Gisors, sur les dessins duquel elle a été construite, les a crus nécessaires pour soutenir le comble immense du bâtiment. L'architecte Vignon avait cru les piliers inutiles et se proposait, en les supprimant, de donner à cette salle une forme plus majestueuse et plus commode, mais ces plans n'ont pas été adoptés.

« En face de ce vaste et long amphithéâtre et au milieu du mur latéral de la salle, s'élève une construction en bois qui comprend le bureau du président, la tribune des orateurs, les bureaux des secrétaires et des commis, de

(1) 42^m,12.
(2) 14^m,58.
(3) 19^m,44.

manière que le président, placé sur la partie élevée, domine la tribune qui est en avant de son bureau, où l'on monte par deux rampes qui sont aux deux côtés. Deux autres rampes parallèles aux premières, mais plus éloignées, mènent aux deux bureaux des secrétaires, placés aux deux côtés du président. La forme de cette construction est du meilleur goût; la décoration présente des fonds vert antique, ornés de pilastres jaune antique, avec des chapiteaux bronzés et trois ronds en porphyre feint. De toutes les parties de la salle on voit sans peine l'orateur et le président.

« Les deux parties latérales de la salle présentent cinq portiques très élevés, dans les renfoncements desquels sont ménagés deux rangs de tribunes pour le public; entre ces rangs sont des loges pour les journalistes.

« Aux deux extrémités de la salle, deux vastes arcades s'ouvrent et laissent voir sous chacune deux étages d'amphithéâtres, formés d'un grand nombre de gradins destinés pour le peuple. Plus de quatorze cents spectateurs peuvent être assis, tant dans les quatre amphithéâtres des extrémités que dans les tribunes latérales.

« La décoration de cette salle présente un fond en marbre jaune, relevé par divers ornements d'architecture de couleurs différentes.

« Au pourtour de la salle et à la hauteur des plus hautes banquettes de l'amphithéâtre, règne un entablement couleur de porphyre avec ornements en bronze. Au-dessous de cet entablement est une draperie de couleur verte bordée en rouge, ornée de couronnes et retroussée avec des cordons de la même couleur.

« Au-dessous de l'entablement, on voit sur des socles en porphyre et entre les cinq portiques qui sont de

chaque côté, des statues des hommes illustres de l'anti-
quité; du côté du président, on voit, peints en manière
de bronze et en grande proportion, *Démosthène*,
Lycurgue, *Solon*, *Platon*; du côté opposé, *Camillus*,
V. Publicola, *J. Brutus*, *Cincinnatus*; au-dessus de
leurs têtes sont suspendues des couronnes.

« La décoration générale de cette salle est dans le style
du bel antique; il est pur et d'une noble simplicité.
Cette salle trop longue et trop étroite n'a pas ce seul
défaut; elle présente un grand nombre de renfoncements
et de percées où la voix s'étouffe et se perd. Si l'on ne
parle pas assez haut, on n'entend pas; si on parle haut,
les murs étant lisses et sans draperies, la voix alors
devient trop éclatante et fait écho.

« Il paraît aussi qu'on y a négligé les moyens employés
dans l'autre salle pour renouveler l'air; cet objet de
salubrité, plus important qu'on ne pense, au physique
comme au moral, a été aussi négligé que la partie acous-
tique.

« Le talent du décorateur brille plus dans cet édifice que
celui du physicien, et peut-être le premier était moins
utile que le second.

« Dans le fond, cette construction présente plus d'éclat
que de solidité; presque tout y est en plâtre, en toile, en
papier, en peinture, et il n'y a presque rien en réalité. Il
faut pourtant à la République une salle pour ses représentants qui soit solide et durable. »

LA MORT DE LOUIS XVI

(LUNDI 21 JANVIER 1793)

LE DIMANCHE 20 JANVIER.

Après le premier vote par lequel la Convention, à la date du 15 janvier, a déclaré à l'unanimité la culpabilité de Louis, d'autres votes ont successivement repoussé l'appel à la Nation, prononcé contre le Roi la peine de mort et rejeté tout sursis pour l'exécution.

C'est dans la séance du samedi 19 janvier, qui a duré jusqu'à trois heures du matin, que la Convention nationale a rendu son arrêt définitif et sans appel :

Article premier. — La Convention nationale déclare Louis Capet, dernier roi des Français, coupable de conspiration contre la liberté de la nation, et d'attentat contre la sûreté générale de l'État.

Art. 2. — La Convention nationale déclare que Louis Capet subira la peine de mort.

Art. 3. — La Convention nationale déclare nul l'acte de Louis Capet, apporté à la barre par ses conseils, qualifié d'*Appel à la Nation* du jugement contre lui rendu par la Convention; défend à qui que ce soit d'y donner aucune suite, sous peine d'être poursuivi et puni comme coupable d'attentat contre la sûreté générale de la République.

Art. 4. — Le Conseil exécutif provisoire notifiera dans le jour le présent à Louis Capet, et prendra les mesures de police et de sûreté nécessaires pour en assurer l'exécution dans les vingt-quatre heures, à compter de la notification, et rendra compte du tout à la Convention nationale, immédiatement après qu'il aura été exécuté.

C'est Cambacérès qui a rédigé le projet de décret.

Le dimanche 20, à deux heures précises, le président du Conseil, qui se trouve être en ce moment Garat, ministre de la Justice, son collègue des Affaires étrangères Lebrun, et Grouvelle, secrétaire du Conseil, se sont transportés au Temple. Ils sont accompagnés de deux membres du département et du maire de Paris, Chambon de Montaux, qui a remplacé Pétion le 3 décembre précédent.

Très ému en présence du Roi, Garat dit :

— Louis, le Conseil exécutif a été chargé de vous notifier l'extrait du procès-verbal des séances de la Convention des 15, 19 et 20 janvier.

Le secrétaire du Conseil en donne lecture.

Louis tire alors de sa poche un papier qui contient ces mots :

Je demande un délai de trois jours pour pouvoir me préparer à paraître en présence de Dieu ; je demande pour cela de pouvoir voir librement la personne que j'indiquerai aux commissaires de la Commune, et que cette personne soit à l'abri de toute crainte et de toute inquiétude, pour cet acte de charité qu'elle remplira auprès de moi.

Je demande d'être délivré de la surveillance perpétuelle que le Conseil général a établie depuis quelques jours.

Je demande, dans cet intervalle, à pouvoir voir ma famille quand je le demanderai, et sans témoins.

Je désirerais bien que la Convention nationale s'occupât tout de suite du sort de ma famille et qu'elle lui permît de se retirer librement et convenablement où elle le jugerait à propos.

Je recommande à la bienfaisance de la Nation toutes les personnes qui m'étaient attachées ; il y en a beaucoup qui avaient mis toutes leurs fortunes dans leurs charges, et qui, n'ayant plus d'appointements, doivent être dans le besoin, et même de celles qui ne vivaient que de leurs appointements. Dans les pensionnaires, il y a beaucoup de vieillards, de femmes et d'enfants qui n'avaient que cela pour vivre.

Fait à la tour du Temple, le 20 janvier 1793.

Louis.

Après avoir remis ce papier, le Roi tend à l'un des commissaires de la Commune une note d'une autre écriture que la sienne, qui porte le nom du prêtre choisi par lui : c'est M. Edgeworth de Firmont, demeurant rue du Bac, n° 483.

Les ministres se retirent et retournent aussitôt à la Convention, où Garat rend compte de sa mission.

La Convention nationale décrète alors « qu'il est libre à Louis d'appeler tel ministre du culte qu'il jugera à propos, et de voir sa famille sans témoins ».

Elle autorise le Conseil exécutif à lui répondre « que la Nation, toujours grande et toujours juste, s'occupera du sort de sa famille ».

Sur la réclamation relative aux créanciers de sa maison, elle passe à l'ordre du jour, motivé sur ce qu'ils ont le droit de se présenter pour demander leur payement ou de justes indemnités.

Enfin elle passe à l'ordre du jour sur la demande faite par Louis qu'il fût sursis pendant trois jours à l'exécution du jugement.

Le Conseil exécutif a immédiatement rédigé une affiche destinée à apprendre au peuple de Paris les résolutions prises et à régler certains détails de l'exécution.

Cette affiche est placardée dans la soirée du 20.

PROCLAMATION

DU

CONSEIL EXÉCUTIF

PROVISOIRE

EXTRAIT des Regiſtres du Conſeil du 20 Janvier 1793, l'an ſecond de la République.

Le Conſeil exécutif provi-ſoire délibérant ſur les me-ſures à prendre pour l'exé-cution du décret de la Con-vention nationale, des 15, 17, 19 & 20 janvier 1791, arrête les diſpoſitions ſui-vantes :

1ᵉ L'exécution du juge-ment de Louis Capet ſe fera demain lundi 21.

2° Le lieu de l'exécution ſera la *Place de la Révolu-tion,* ci-devant *Louis XV,* entre le pied-d'eſtal & les Champs-élyſées.

3° Louis Capet partira du Temple à huit heures du ma-tin, de manière que l'exécu-tion puiſſe être faite à midi.

4° Des Commiſſaires du Département de Paris, des Commiſſaires de la Muni-cipalité, deux membres du Tribunal criminel aſſiſteront à l'exécution; le Secrétaire-greffier de ce Tribunal en dreſſera le procès-verbal, & leſdits Commiſſaires & Mem-bres du Tribunal, auſſitôt après l'exécution conſom-mée, viendront en rendre compte au Conſeil, lequel reſtera en ſéance permanente pendant toute cette journée.

*Le Conſeil exécutif pro-
viſoire,*

ROLAND, CLAVIÈRE, MONGE, LEBRUN, GARAT, PASCHE.

Par le Conſeil,

GROUVILLE.

A PARIS, DE L'IMPRIMERIE NATIONALE EXÉCUTIVE DU LOUVRE. 1793

(Reproduction de l'affiche placardée sur les murs de Paris, le 20 janvier 1793.)

Par le même procédé, le Conseil général du département fait également connaître au peuple son arrêté, en date du même jour :

Le Conseil général, le suppléant du procureur-syndic entendu, arrête que le commandant général fera placer demain matin 21, à sept heures, à toutes les barrières, une force suffisante pour empêcher qu'aucun rassemblement, de quelque nature qu'il soit, armé ou non armé, n'entre dans Paris ni n'en sorte.

Que les sections feront mettre sous les armes et sur pied, demain matin, à sept heures, tous les citoyens, excepté les fonctionnaires publics et tous les employés à l'administration, qui tous devront être à leur poste; que tous les comités de section seront en état de permanence non interrompue.

Invite tous les citoyens à veiller à ce que les ennemis de la liberté et de l'égalité ne puissent rien tenter.

Arrête que le présent sera à l'instant envoyé à la municipalité de Paris pour qu'elle le fasse mettre à exécution, imprimer et afficher.

Après le départ des deux ministres, Louis est resté seul pendant quelques heures.

Il a d'abord semblé réfléchir, debout et immobile. Puis, rompant le silence et frappant du pied contre le plancher, il s'est promené dans la chambre, agité, et donnant des signes d'impatience.

Mercereau, tailleur de pierres de son état et grossier personnage qui affecte de venir au Temple dans la tenue la plus sale, est un des municipaux de service ce jour-là. Louis entre d'un pas lent dans la pièce où se tiennent ses surveillants, et, après s'y être promené en divers sens quelques instants, il s'approche de la muraille sur laquelle se trouve collé un exemplaire de la Déclaration des droits de l'homme. Du doigt, il indique l'art. 8 :

La loi ne doit établir que des peines strictement et évidemment nécessaires : nul ne peut être puni qu'en vertu d'une loi établie et promulguée antérieurement au délit, et légalement appliquée.

— Si on avait suivi cet article, on aurait bien évité du désordre, dit-il à Mercereau.

— Il est vrai, répond celui-ci machinalement.

Quelques instants après, Louis manifeste le désir de se rendre auprès de sa femme.

Mercereau s'y oppose. Louis insiste, déclarant qu'on l'y a autorisé.

Mercereau ne cède pas et lui refuse absolument cette permission.

La prison.

Louis est, en effet, séparé de sa femme, de ses enfants et de sa sœur.

Le 13 août, lorsque tous ont été amenés au Temple, ils ont d'abord vécu en commun dans la petite tour; mais, vers la fin de septembre, la Commune de Paris a ordonné la translation dans la grande tour.

Ce monument, édifié vers l'an 1200, par les soins d'un trésorier de l'ordre des Templiers, Frère Hubert, est situé au milieu d'un enclos de cent vingt à cent trente hectares, qui comprend une infinité de constructions de toutes dates, notamment le palais du Grand Prieuré, élevé en 1667. C'est là que demeurait le comte d'Artois lorsqu'il venait à Paris, et où il a souvent reçu Marie-Antoinette, sa belle-sœur, qui ne manquait jamais de s'y arrêter après ses relevailles dans l'église Notre-Dame de Paris.

Ce qu'on appelait la Grande Tour du Temple se compose d'un bâtiment flanqué de tourelles aux quatre coins. Sa hauteur est de cent cinquante pieds (quarante-huit mètres soixante) et les murs ont une épaisseur de neuf pieds. Elle est divisée en quatre étages, voûtés et soutenus au milieu par un gros pilier qui va du sol jusqu'au faîte. L'intérieur est d'environ trente pieds carrés.

Le rez-de-chaussée est réservé aux municipaux ; le premier étage sert de corps de garde. Le second étage a été divisé en quatre pièces : une antichambre, une salle à manger séparée de l'antichambre par une cloison vitrée, une chambre où couche Louis, et une autre pour Cléry, son valet de chambre.

Les quatre pièces ont un faux plafond en toile ; les cloisons sont recouvertes d'un papier peint ; celui de l'antichambre représente l'intérieur d'une prison. Sur l'un des panneaux est affichée la Déclaration des droits de l'homme, entourée d'une bordure tricolore.

Les meubles ont été pris dans le palais du Temple : une commode, un petit bureau, quatre chaises garnies, un fauteuil, quelques chaises de paille, une table. Il y a une glace sur la cheminée. Le lit de damas vert est celui qui servait au capitaine des gardes du comte d'Artois.

Le troisième étage est occupé par Marie-Antoinette, sa belle-sœur et ses enfants.

Une des tourelles renferme l'escalier, fermé de distance en distance par des guichets, et barré à chaque étage par deux portes, l'une en chêne fort épais et garnie de clous, l'autre en fer.

La tourelle qui donne dans la chambre du Roi lui sert de cabinet ou d'oratoire ; la troisième contient une garde-robe ; la quatrième renferme le bois de chauffage.

La soirée.

Vers les six heures du soir, le ministre de la justice, Garat, accompagné de Santerre, est revenu annoncer à Louis les résolutions de la Convention en réponse à la note remise le matin : le refus du sursis, la permission de voir sa famille sans témoins, et de recevoir un prêtre.

Il a même amené dans sa voiture celui que Louis a désigné.

Sa mission accomplie, il se retire. Louis reste seul avec le prêtre. L'abbé Edgeworth de Firmont est d'origine irlandaise. Attaché au diocèse de Paris, il a été nommé vicaire général par l'archevêque Mgr de Juigné. Depuis plusieurs années déjà, il est le directeur de Madame Élisabeth. C'est cette princesse qui, en prévision des malheurs qui menacent son frère, le lui a recommandé.

M. de Firmont, après les massacres de Septembre, s'était retiré à Choisy-le-Roi, et là, caché sous le nom d'Essex, il a vécu chez un sieur Boulachin, homme de confiance du baron de Lézardière. Dès que le procès du Roi a été annoncé, Louis a fait prévenir M. de Firmont, par l'entremise de M. de Malesherbes, l'un de ses trois conseils et ami de M. de Lézardière, de son désir de l'avoir auprès de lui dans ces circonstances suprêmes. Le prêtre a accepté cette mission et est venu loger à Paris, rue du Bac.

Mis en présence de son pénitent, l'abbé s'est enfermé avec lui dans la tourelle qui sert d'oratoire, et il est resté seul avec lui jusqu'à huit heures.

PLACE DE LA RÉVOLUTION (CI-DEVANT PLACE LOUIS XV — AUJOURD'HUI PLACE DE LA CONCORDE)

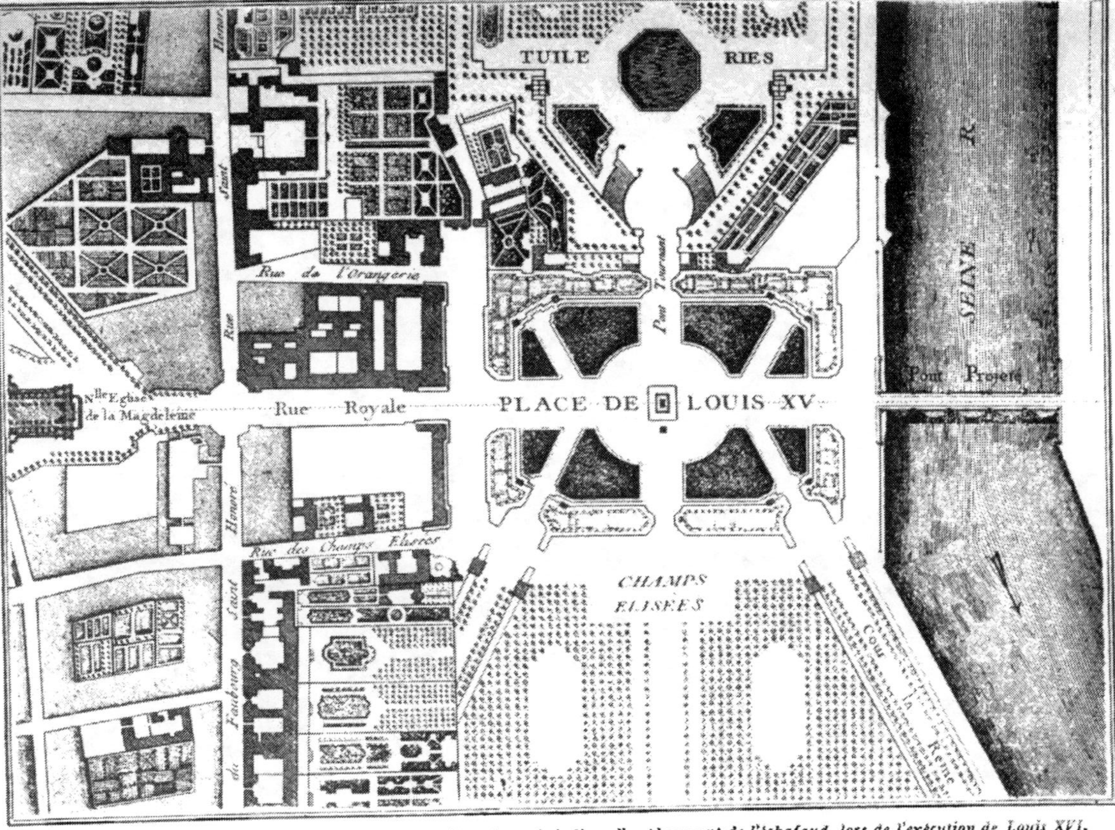

(D'après un plan de 1775.)

Le point noir indique l'emplacement de l'échafaud, lors de l'exécution de Louis XVI.

Vers huit heures et demie, l'entrevue de Louis et de sa .mille a lieu. Pour concilier les termes de l'autorisation ɔonnée par la Convention, qui portent que l'entrevue aura lieu « librement, sans témoins », avec l'arrêté de la Commune qui enjoint aux municipaux de ne perdre le Roi *de vue* ni le jour ni la nuit, on décide qu'elle aura lieu dans la salle à manger, dont la porte sera fermée, mais dont la cloison vitrée permettra aux municipaux de continuer leur surveillance.

Marie-Antoinette descend la première : elle entre, tenant son fils par la main ; viennent ensuite Marie-Thérèse et Madame Élisabeth. Louis les tient étroitement embrassés ; il leur parle par instants : les princesses sanglotent... A dix heures un quart, elles remontent, après avoir fait promettre au Roi qu'il les reverra le lendemain matin à sept heures.

Louis se retire dans la tourelle avec son confesseur. A minuit et demi, il en sort ; Cléry le déshabille.

— Cléry, vous me réveillerez à cinq heures, dit-il. Puis il se couche et s'endort.

LE LUNDI 21 JANVIER.

La journée.

Paris s'éveille au son du tambour : dans tous les quariers on bat la générale. Les gardes nationaux se rendent leurs sections. Les plus grandes précautions sont prises. Cent cinquante mille hommes sous les armes formeront la naie, depuis le Temple jusqu'au lieu de l'exécution. Il est enjoint aux habitants des maisons situées sur le parcours de tenir les croisées fermées.

Le nouvel instrument de supplice inventé par le docteur Guillotin, membre de la Constituante, et qui a déjà fonctionné place du Carrousel, est dressé sur la place de la Révolution, ci-devant place Louis XV, à quinze pas du socle sur lequel s'élevait la statue de ce roi, statue abattue par le peuple dans la journée du 10 août 1792, et dont la main de bronze a été donnée au chevalier de Latude, célèbre par sa longue captivité à la Bastille.

La guillotine est placée sur une plate-forme entourée d'une balustrade et assez élevée ; on y accède par plusieurs marches. La lunette fait face aux Tuileries.

L'affiche du Conseil exécutif provisoire annonce que l'exécution aura lieu entre huit heures et midi. La foule est déjà considérable, malgré le mauvais temps. La nuit, en effet, a été froide et pluvieuse; au matin la pluie continue.

Une nouvelle commence à se répandre, qui impressionne diversement mais vivement tous les Parisiens. La veille au soir, un ci-devant garde du corps, nommé Pâris, a tué un conventionnel, Lepeletier de Saint-Fargeau, qui a voté la mort du Roi. .

On distribue une petite brochure de douze pages environ, intitulée *Bréviaire des Dames parisiennes pour la défense de Louis XVI*. Elle est signée du nom *de Salignac*, qu'on croit être un ci-devant chanoine du chapitre de Péronne. L'auteur exhorte les femmes de Paris « à tirer leur prince de captivité ». Pour cela il leur conseille de se vêtir de vêtements des plus simples, de se mêler aux Dames de la Halle et de crier *Grâce !* sur le parcours du cortège. Leurs cris et leur présence peuvent faciliter un mouvement en faveur du Roi. Mais les Dames de la Halle, prévenues, déclarent qu'elles resteront chez elles.

Au Temple.

Louis dort encore profondément lorsqu'à cinq heures Cléry se prépare à allumer le feu. Le bruit qu'il fait éveille le Roi, qui tire son rideau.

— Cinq heures sont-elles sonnées? demande-t-il.

— Sire, elles le sont à plusieurs horloges, mais pas encore à la pendule.

Le feu allumé, Cléry s'approche du lit.

— J'ai bien dormi, dit le Roi; j'en avais besoin, la journée d'hier m'avait fatigué.

Le Roi se lève. Aidé par Cléry, il change de chemise, passe une culotte grise, un gilet blanc et met un habit de drap de couleur violette. Il retire des poches son portefeuille, sa lorgnette, sa tabatière et quelques menus objets qu'il dépose, avec sa bourse, sur la cheminée.

La toilette achevée, M. Edgeworth de Firmont, qui a passé la nuit sans dormir, étendu sur le lit de Cléry, paraît. Il est simplement vêtu d'un habit noir. Cléry roule une commode au milieu de la chambre et la dispose en autel. On a apporté la veille, de l'église des Capucins du Marais, les choses nécessaires. La messe commence à six heures; Cléry la sert avec le livre de son maître.

A genoux sur un petit coussin de crin, Louis suit l'office avec recueillement et communie, puis, la messe finie, rentre dans son cabinet.

A sept heures, il en sort et donne à Cléry son cachet, son anneau de mariage et un petit paquet de cheveux. Il charge Cléry de remettre le tout à la Reine, et de lui faire ses adieux.

Quelques instants après, il fait demander aux municipaux de service des ciseaux.

Les municipaux hésitent :

— Il faut savoir ce qu'il en veut faire, disent-ils.

— C'est pour que Cléry me coupe les cheveux, répond Louis.

Les municipaux se retirent, délibèrent pendant une demi-heure et refusent les ciseaux.

Le Roi paraît contrarié et insiste : il s'adresse à l'un d'eux :

— Je n'aurais pas touché aux ciseaux ; j'aurais désiré que Cléry me coupât les cheveux en votre présence. Voyez encore, monsieur; je vous prie de faire part de ma demande.

Les municipaux consultés de nouveau persistent dans leur refus.

Le jour commence à paraître. On entend très distinctement dans la tour la générale qu'on bat dans toutes les sections de Paris.

— C'est probablement la garde nationale qu'on commence à rassembler, dit le Roi à l'abbé de Firmont.

Et, le bruit augmentant, le pas des chevaux et la voix des officiers se faisant entendre dans la cour du Temple, il ajoute :

— Il y a apparence qu'ils approchent.

La veille au soir, en quittant Marie-Antoinette, sa sœur et ses enfants, il a promis de les revoir, mais l'abbé lui fait observer que ce serait les soumettre à une nouvelle émotion plus terrible encore et qu'il vaut mieux qu'il se prive du plaisir de les embrasser une dernière fois. Le Roi approuve et se soumet.

De sept à huit heures, c'est un va-et-vient continuel dans la tour. Le Roi est dérangé plusieurs fois sous différents prétextes ; il est même traité grossièrement par quelques-uns des municipaux de service. Il ne paraît pas en être blessé, et dit simplement à son confesseur :

— Voyez comme ces gens-là me traitent! Mais il faut savoir tout souffrir.

Vers huit heures, les portes s'ouvrent avec fracas : Santerre se présente. Le commandant de la garde nationale, entouré de son état-major et de dix gendarmes, est accompagné de deux commissaires de la Commune de Paris ; ce sont deux prêtres défroqués, Bernard et Jacques Roux.

Louis sort de son cabinet :

— Vous venez me chercher? dit-il à Santerre.

— Oui.

— Je vous demande une minute.

Il rentre dans la tourelle, en ressort presque aussitôt, suivi de son confesseur. Il tient à la main un papier : c'est son testament rédigé quelques jours auparavant, le 25 décembre, fête de la Noël. Il s'adresse à Jacques Roux et lui dit :

— Monsieur, je vous prie de remettre ce paquet au président du Conseil général de la Commune.

Jacques Roux lui répond brutalement :

— Nous ne sommes pas venus pour prendre tes commissions, mais pour te conduire à l'échafaud.

— C'est juste, fait Louis simplement.

Il se retourne alors vers le citoyen Baudrais, commissaire de la garde au Temple, et lui renouvelle sa demande : celui-ci veut bien se charger du testament.

A ce moment, remarquant que tous les assistants sont couverts, Louis demande son chapeau, que Cléry lui apporte; c'est un chapeau à trois cornes, l'unique qu'il possède. Il se couvre, et, s'adressant alors aux personnes présentes, il leur recommande sa famille. Il ajoute :

— Je recommande aussi à la Commune Cléry, mon valet de chambre, dont je n'ai eu qu'à me louer... Je désire qu'on le fasse passer au service de la Reine... de ma femme, reprend-il précipitamment.

Personne ne répond.

Santerre dit alors :

— Monsieur, l'heure approche, il est temps de partir.

Louis se retire une dernière fois dans son oratoire, pour se recueillir. Il en sort au bout de quelques minutes. De nouveau pressé de partir par Santerre, il frappe du pied droit le plancher et dit :

— Marchons.

Le cortège se met en route.

A l'entrée de l'escalier, Louis aperçoit Mathey, concierge de la tour; il lui dit :

— J'ai eu un peu de vivacité avant-hier envers vous, ne m'en veuillez pas.

Mathey détourne la tête sans répondre et affecte de s'éloigner.

Louis traverse à pied la première cour; il se retourne et lance un regard d'adieu vers la tour du Temple.

Dans la seconde cour, une voiture attend, une voiture verte, dont deux gendarmes tiennent la portière. C'est celle de Clavière, ministre des contributions publiques. On l'a prise au dernier moment, parce que la Commune s'est opposée à ce que Louis fût conduit à la place de la Révolution dans la voiture du maire, ainsi que l'avait ordonné le Conseil exécutif.

A l'approche du Roi, un des gendarmes, un maréchal des logis, saute dans la voiture et s'assied sur la banquette de devant. Louis monte ensuite, puis l'abbé de Firmont; tous les deux se placent au fond. L'autre gendarme pénètre à son tour et occupe la quatrième place; c'est le lieutenant Lebrasse.

Plus de dix mille hommes armés sont massés autour du Temple, sur une double haie. Le cortège, précédé de tambours battant et de trompettes sonnant, se met en marche; il est un peu plus de huit heures.

Au moment où la voiture sort de l'enclos du Temple, quelques cris de *Grâce!* sont proférés par des femmes.

Le trajet.

La pluie a cessé, mais un brouillard intense et glacé couvre la ville.

Le cortège gagne la ligne des grands boulevards par la rue du Temple. De lourds canons, roulant sur le pavé gras, marchent en tête et en queue, encadrant une dizaine de mille hommes. L'aspect est lugubre : sur tout le parcours, partout des gardes nationaux en armes. La foule est silencieuse.

Les rues qui débouchent sur le boulevard sont barrées par la force armée. On a redoublé de précautions.

On ne sait rien de précis, mais le bruit court que les royalistes tenteront de délivrer le Roi. L'abbé de Firmont a eu communication d'un projet de ce genre. Louis espère peut-être encore que le dévouement de quelques fidèles ne le laissera point aller jusqu'à l'échafaud.

De fait, ces prévisions semblent se réaliser. Le cortège a à peine atteint le boulevard Bonne-Nouvelle que, vers la porte Saint-Denis, un homme fend la haie, se précipite au milieu de la chaussée, suivi de trois individus plus jeunes que lui. Tous quatre brandissent leurs sabres et s'écrient à plusieurs reprises :

— A nous, Français! A nous ceux qui veulent sauver leur Roi!

Leurs cris restent sans échos : dans la foule personne ne répond. Les amis sur lesquels on comptait n'ont pu venir au rendez-vous. La petite troupe, qui se voit abandonnée, cherche à profiter du désarroi que son coup imprévu a jeté parmi les assistants pour s'enfuir, mais un des corps de réserve, averti par une vedette, fond sur eux. Ils se divisent; deux parviennent à s'échapper : c'est le baron de Batz et son secrétaire Devaux; les deux autres, serrés de près, se jettent dans la rue de Cléry. On les poursuit, on les accule dans une maison, on les massacre à coups de sabre...

Les tambours et les trompettes ont couvert le bruit de cette échauffourée. On ne s'est aperçu de rien dans le carrosse qui emmène Louis, et qui continue son chemin vers la place de la Révolution par les boulevards du Temple, Saint-Martin et Saint-Honoré.

Louis d'abord essaye de parler à l'abbé de Firmont, mais le vacarme est tel qu'il ne peut ni se faire entendre, ni entendre. L'abbé lui tend son bréviaire, dans lequel il lit les psaumes que le prêtre lui indique.

Les chevaux vont au pas, et leur marche est si lente

qu'il faut près de deux heures pour faire les trois ou quatre kilomètres qui séparent le Temple du lieu de l'exécution. Il est dix heures passées lorsque la voiture s'arrête sur la place de la Révolution.

— Nous voilà arrivés, si je ne me trompe, dit alors Louis à l'oreille de son confesseur.

Les bourreaux s'approchent de la voiture. Ils sont cinq : c'est Charles-Henry Sanson, bourreau en titre, ses deux frères Charlemagne et Louis-Martin et ses deux aides, Gros et Barré.

Sanson est prêt à remplir sa terrible fonction : c'est son devoir, mais au fond du cœur il en gémit. Il a même espéré longtemps que le cortège n'arriverait pas jusqu'à l'échafaud, et que la victime lui serait dérobée par un soulèvement royaliste et populaire. Il ne sait ce qui peut se passer, et, à tout hasard, lui, ses frères et ses aides se sont armés. Sous leurs larges houppelandes, ils cachent des couteaux-poignards, des pistolets : leurs poches sont remplies de munitions.

Le temps s'écoulant sans qu'il voie apparaître la voiture, Sanson a quelque espoir de n'avoir pas à exercer son terrible ministère. Mais bientôt une rumeur s'élève vers l'entrée de la rue de la Révolution, ci-devant rue Royale, et la victime paraît. Le bourreau n'a plus qu'à faire son devoir d'exécuteur public.

Un des aides ouvre la portière de la voiture.

Avant de descendre, Louis, appuyant la main sur le genou de l'abbé Edgeworth, dit d'un ton ferme aux gendarmes qui l'accompagnent :

— Messieurs, je vous recommande monsieur que voilà; ayez soin qu'après ma mort il ne lui soit fait aucune insulte. Je vous charge d'y veiller.

Ils se taisent. Louis répète sa recommandation.

— Oui, oui, nous en aurons soin ; laissez-nous faire, murmure l'un d'eux.

Louis descend alors de la voiture. Il est exactement, à ce moment, dix heures vingt minutes.

L'échafaud.

L'échafaud, élevé à quelques mètres du socle de la statue de Louis XV, est dressé face au palais des Tuileries. Il est entouré d'une balustrade : on y accède par une sizaine de marches très raides. Un grand espace vide a été ménagé tout autour, espace bordé de canons. A l'intérieur, soixante à cent tambours ; des dragons à cheval, avec le casque à chenille, forment le demi-cercle. Sur la place sont massés les bataillons de la section des Gravilliers, des Arcis et des Lombards. Les fédérés d'Aix et de Marseille sont à l'entrée des Champs-Élysées. Le comédien Dugazon, à cheval comme Santerre, dont il est l'aide de camp, est près d'eux ; il s'agite avec importance, si bien que la foule, dont il attire l'attention, est toute disposée à lui prêter un rôle actif dans l'exécution du Roi, rôle qu'il n'a pas joué.

Cependant Louis a mis pied à terre, en bas de l'échafaud.

Sans mot dire, il quitte lui-même sa redingote, délie ses cheveux, ôte sa cravate et ouvre sa chemise pour découvrir son col et ses épaules, puis il se met à genoux pour recevoir la dernière bénédiction de son confesseur. Au moment où il se relève, les bourreaux s'approchent de lui avec des cordes :

— Que prétendez-vous? leur dit-il.

— Vous lier, répond l'un d'eux, Martin Sanson.

— Me lier! Non, je n'y consentirai jamais. Faites ce qui vous est commandé, mais vous ne me lierez pas. Renoncez à ce projet!

Martin cherche à lier Louis, Charlemagne vient à son aide; au besoin, on voit qu'ils emploieront la force.

Une lutte est sur le point de s'engager. Sanson invoque du regard l'abbé de Firmont, lequel, très ému, s'écrie alors :

— Sire, dans ce nouvel outrage, je ne vois qu'un dernier trait de ressemblance entre Votre Majesté et le Dieu qui va être sa récompense.

Cette intervention met fin à une scène pénible. Louis se résigne.

— Assurément, dit-il à l'abbé, il ne faut rien moins que son exemple pour que je me soumette à un pareil affront.

Il se retourne vers les bourreaux :

— Faites ce que vous voudrez. Je boirai le calice jusqu'à la lie.

Les deux aides lui lient les mains derrière le dos et lui coupent les cheveux.

Les marches de l'échafaud sont malaisées à monter : le brouillard et l'humidité les ont rendues fort glissantes. Louis s'appuie sur le bras de M. de Firmont pour les gravir. Il est dix heures vingt-deux minutes.

A peine arrivé sur la plate-forme, Louis, très rouge, s'élance avec vivacité, parcourt tout l'échafaud, et, se plaçant contre la balustrade, sur le côté gauche, côté qui fait face au Garde-Meuble, il s'écrie :

— Paix, tambours. Je demande la parole!

Les tambours obéissent : ils se taisent.

Alors, d'une voix si forte qu'elle traverse la place et porte jusqu'au pont Tournant, Louis prononce ces paroles :

— Je meurs parfaitement innocent de tous les prétendus crimes dont on m'a chargé... Je pardonne à ceux qui sont la cause de mes infortunes... Je souhaite que mon sang puisse cimenter le bonheur de la France...

Pendant qu'il parle, une certaine agitation se manifeste parmi les gardes nationaux les plus rapprochés de l'échafaud ; les uns, qui trouvent que les apprêts du supplice n'ont déjà que trop duré, s'opposent à ce qu'il soit entendu ; les autres demandent qu'on le laisse parler. Des mouvements en sens contraires se dessinent parmi les assistants. L'instant est critique.

Promptement, Santerre y met fin. Aux premiers mots prononcés par Louis, il s'est avancé, le sabre levé :

— Je vous ai amené ici non pour haranguer, mais pour mourir, dit-il.

Aux exécuteurs il crie :

— Faites votre devoir !

Et de son sabre il fait signe aux tambours de battre. Ceux-ci obéissent aussitôt, et leurs roulements couvrent la voix de Louis.

Sans doute, il avait conservé la secrète espérance d'émouvoir le peuple, car, à ce moment, une vive déception se peint sur son visage. Un nommé Bouvard, acteur du théâtre de la République, qui se trouve avec son bataillon placé en première ligne, et qui n'a pas perdu de vue le Roi, a rapporté qu'à l'instant même où le roulement des tambours lui a coupé la parole, il est devenu « jaune comme un coing ».

Il a même ajouté que le Roi, resté sur le bord de l'écha-

JOURNÉE DU 21 JANVIER 1793

faud, a eu l'air de vouloir attendre que le roulement cessât
pour parler encore, et que, lorsque les bourreaux sont
venus le saisir, il lui a semblé qu'il leur opposait quelque
résistance.

En tout cas, cette scène a peu duré. Louis, désespé-
rant de se faire plus entendre, cède et s'abandonne aux
mains des bourreaux.

Ceux-ci lui mettent les sangles, le poussent sur la bascule. On entend un grand cri : le couteau tombe et la tête
roule dans le panier.

Un des aides, le plus jeune, nommé Gros, la saisit et
fait deux fois le tour de l'échafaud en la présentant au
peuple. Il est dix heures vingt-quatre minutes.

La foule répond par les cris de : *Vive la Nation! Vive
la République!*

L'abbé Edgeworth de Firmont, qui, pendant les derniers instants de Louis, s'est agenouillé et a récité les
prières des agonisants, se retire alors, descend de la plate-
forme, traverse les rangs des soldats qui s'ouvrent devant
lui, s'éloigne en hâte et court chez M. de Malesherbes.

Après l'exécution.

On avait parlé de tirer le canon du pont Neuf au
moment où la tête de *Louis le Dernier* serait tranchée,
mais on y a renoncé, sous le prétexte que « la tête d'un
roi en tombant ne doit pas faire plus de bruit que celle
de tout autre scélérat ». Ce sont les cris, se répétant de
distance en distance, qui apprennent l'événement à ceux
qui n'ont pu approcher de l'échafaud.

La grande masse de ceux qui occupent la place de la Révolution et ses alentours manifeste sa joie. On crie : *Vive la Liberté! Vive la République! Vive l'Égalité! Périssent ainsi tous les tyrans!* On chante des hymnes à la Liberté. On s'embrasse, on se prend par la main, on danse des rondes autour de la guillotine, sur la place, jusque sur le pont ci-devant Louis XVI.

Ceux qui sont les plus proches se précipitent sous l'échafaud ou en escaladent les marches : ils trempent dans le sang, qui s'est répandu un peu partout, leurs piques, leurs baïonnettes ou leurs sabres. D'autres cherchent à en imbiber leurs mouchoirs. Un homme monte sur la guillotine même, retrousse sa manche, et, remplissant sa main des caillots qui se sont formés, il en asperge par trois fois les assistants, accompagnant cette façon de bénédiction sanglante de ces paroles :

— Frères, on nous a menacés que le sang de Louis Capet retomberait sur nos têtes : eh bien, qu'il y retombe! Louis Capet a lavé tant de fois ses mains dans le nôtre! Républicains, le sang d'un roi porte bonheur!

En vain un citoyen plus calme, s'écrie :

— Mes amis, que faisons-nous? Tout ceci va être rapporté; on va nous peindre à l'étranger comme une populace féroce et qui a soif de sang!

On lui répond :

— Oui, soif du sang d'un despote! Qu'on aille le redire si l'on veut à toute la terre... Nous n'en serions pas là aujourd'hui si, sur cette place, au lieu d'une statue, nous avions dressé un échafaud à Louis XV!...

Autour de la guillotine, on continue à s'agiter. Le chapeau et la redingote du Roi sont pris et déchirés en mille morceaux qu'on se dispute, que chacun veut emporter.

Ces débris se payent fort cher. Un des valets du bourreau vend des cheveux de la victime. Un jeune homme, qui désire en avoir quelques-uns avec le ruban de queue, les obtient pour un louis. Un autre, qui a l'air d'un étranger, d'un Anglais, donne quinze livres à un enfant et le prie de tremper un très beau mouchoir blanc dans les traces de sang qui restent.

Un sans-culotte en prend sur son doigt quelques gouttes et le porte à ses lèvres :

— Il est bougrement salé! s'écrie-t-il.

Des fédérés en imbibent des enveloppes, des carrés de papier, les fixent à leurs baïonnettes, à la pointe de leurs épées, et défilent en disant : « Voici du sang d'un tyran. »

Le cadavre.

Le corps du supplicié a été rapidement enlevé. Un long panier d'osier était préparé : on l'y a jeté aussitôt l'exécution faite, et une charrette l'a emmené au cimetière de la Magdeleine (sur l'emplacement duquel a été élevée la chapelle expiatoire), abandonné depuis 1720 et rouvert quelques années auparavant pour l'ensevelissement des malheureux écrasés ou étouffés à la fête donnée sur cette même place pour le mariage de Louis, alors Dauphin, avec Marie-Antoinette. Cent dragons à cheval servaient d'escorte.

On avait creusé un trou de douze pieds de profondeur sur six de largeur, auprès duquel deux prêtres attendaient, sans ornements, sans cierges. On y a enfoui le cadavre avec deux pleins tonneaux de chaux vive, et on a recomblé le trou sans autre cérémonie.

La charrette, en s'en retournant, a laissé choir le panier d'osier. Aussitôt la foule environnante s'est précipitée, et les scènes de la place de la Révolution se sont alors renouvelées. Les uns ont frotté le fond du panier avec des linges, ceux-ci avec leurs mouchoirs, ceux-là avec des morceaux de papier, et un entre autres avec deux dés à jouer.

Procès-verbal de la mort de Louis XVI.

Les commissaires désignés par le Conseil exécutif provisoire, par le Conseil général du département et par la municipalité de Paris ont rédigé le présent procès-verbal :

L'an 1793, deuxième de la République française, et le 21 janvier, nous, soussignés, Jean-Antoine Lefebvre, suppléant du procureur général-syndic du département de Paris, et Antoine-François Momoro, tous deux membres du Directoire dudit département, nommés aux effets ci-après par le Conseil général du département; et François-Pierre Sallais, François-Germain Isabeau, tous deux commissaires nommés par le Conseil exécutif provisoire, aux effets également ci-après énoncés, nous nous sommes transportés à l'hôtel de la Marine, rue et place de la Révolution, lieu à nous indiqué par nos commissaires, à neuf heures du matin de ce jour, où étant, nous avons attendu jusqu'à dix heures précises les commissaires nommés par la municipalité de Paris, ainsi que les juges et le greffier du tribunal criminel du département de Paris, en l'absence desquels l'un de nous a dressé le présent procès-verbal.

Nous nous sommes assemblés à l'effet d'assister, du lieu où

nous sommes, à l'exécution des décrets de la Convention nationale, des 15, 17, 19 et 20 janvier présent mois, dont les dispositions
sont jointes au présent procès-verbal.

Et à dix heures un quart précis du matin, sont arrivés les
citoyens Jacques-Claude Bernard et Jacques Roux, tous deux
officiers municipaux et commissaires de la municipalité, munis de
leurs pouvoirs, lesquels ont, conjointement avec nous, assisté aux
opérations constatées par le présent procès-verbal.

Et à la même heure est arrivé, dans la rue et place de la Révolution, le cortège commandé par Santerre, commandant général,
conduisant Louis dans une voiture à quatre roues, et approchant
de l'échafaud dressé dans ladite place de la Révolution, entre le
piédestal de la statue du ci-devant Louis XV et l'avenue des
Champs-Élysées.

A dix heures vingt minutes, Louis, arrivé auprès de l'échafaud, est descendu de la voiture.

Et à dix heures vingt-deux minutes, il a monté sur l'échafaud.
L'exécution a été à l'instant consommée, et la tête a été montrée
au peuple; nous avons signé : *Lefebvre, Momoro, Sallais, Bernard, Isabeau, Jacques Roux.*

A l'Hôtel de ville.

Pendant que les événements s'accomplissent, le Conseil général de la Commune est en permanence. Dès
l'instant que le cortège quitte le Temple, toutes les six
minutes à peu près, des hoquetons viennent annoncer ce
qui se passe et à quel endroit se trouve Louis.

Quelques-uns des membres du Conseil sont émus. On
raconte même qu'Hébert a paru verser des larmes. Un de
ses voisins s'en étonnant :

— Le tyran, a-t-il dit, aimait beaucoup mon chien, et
il l'a bien souvent caressé : j'y pense en ce moment.

Le Conseil est présidé par le ci-devant marquis Duroure. Au moment où l'on annonce que l'exécution a eu lieu, Duroure part d'un éclat de rire et, jetant les bras en avant, en signe de joie, s'écrie :

— Mes amis, l'affaire est faite!... L'affaire est faite! Tout s'est passé à merveille!

Quelques instants après, Santerre se présente, accompagné des commissaires, et Jacques Roux fait de vive voix le récit des événements auxquels il a assisté.

A la Convention. — Chez Robespierre.

La séance de la Convention a lieu comme de coutume. Elle commence à huit heures du matin et se termine à quatre heures et demie. Vergniaud préside.

Soit que les députés aient quelque répugnance à parler de l'exécution qui s'accomplit dans le même instant, en vertu des votes qu'ils ont émis, soit qu'ils subissent l'influence de craintes personnelles, ils ne s'occupent que du meurtre de la veille. Un député raconte longuement la mort de Lepeletier de Saint-Fargeau et rapporte ses dernières paroles, qui ont été simplement : *J'ai froid.*

D'autres députés montent à la tribune et déclarent qu'ils ont été menacés, eux aussi, par le poignard des assassins. Ils ne précisent pas lesquels, mais on sent qu'ils éprouvent le besoin de prendre contre des attentats possibles des mesures exceptionnelles. Barrère propose de faire des visites domiciliaires pour s'assurer des royalistes qui peuvent rester cachés à Paris. On se contente de décréter la peine de six années de fers contre quiconque ne dénoncerait pas un émigré qu'il aurait chez lui.

L'Assemblée est saisie ensuite d'une demande touchante. Un vieux serviteur du père de Louis XVI, l'abbé Leduc, sollicite l'autorisation d'emporter à Sens, dans le tombeau de sa famille, la dépouille mortelle du fils de son ancien maître. La Convention repousse cette demande.

Quant à Robespierre, il est resté chez lui. La veille au soir, il a recommandé à Duplay, le menuisier dans le logis duquel il occupe une petite chambre, de tenir soigneusement fermée la porte de la maison qui donne sur la rue Saint-Honoré. Le matin du 21, l'ordre est fidèlement exécuté. Éléonore, la fille de Duplay, celle qui passe pour la fiancée de Robespierre, s'en étonne et en demande le motif.

— Votre père a raison, répond le conventionnel, d'un air concentré : il va se passer une chose que vous ne devez pas voir.

La journée au Temple.

Le dimanche soir, Marie-Antoinette est remontée dans sa chambre fort émue, fort troublée de son entrevue avec le Roi. Elle s'est jetée sur son lit tout habillée. Elle a passé la nuit « à trembler de froid et de douleur ». Madame Élisabeth et Marie-Thérèse se sont assoupies; le petit Dauphin seul a dormi.

A six heures du matin, le 21, les trois femmes se lèvent. Le Roi a promis de les revoir une dernière fois avant de partir, et elles attendent.

A six heures un quart, la porte s'ouvre. On vient les

chercher sans doute? Non : c'est un livre de prières dont on a besoin pour la messe du Roi et qu'on vient querir. On donne celui de la femme Tison.

Elles attendent toujours. Les fenêtres de la Tour ont été obstruées par des planches qui ne laissent apercevoir que le ciel. Elles ne peuvent rien voir de ce qui se passe au dehors.

A sept heures, Marie-Antoinette demande la permission de descendre dans la chambre de son mari. Les municipaux embarrassés éludent sa demande, disant que Louis est très occupé. Elle insiste de nouveau : alors l'un d'eux se détache et se dispose à aller demander si Louis veut voir sa femme, mais il ne remonte pas.

Pendant ce temps, le Dauphin, levé et habillé, et qui comprend l'horrible situation, s'échappe des bras de sa mère, se précipite aux genoux des gardes et, joignant ses petites mains, s'écrie :

— Laissez-moi passer, messieurs, laissez-moi passer!

— Où voulez-vous aller?

— Parler au peuple, le supplier de ne pas faire mourir papa-roi!... Au nom de Dieu, laissez-moi passer!

Les gardes repoussent l'enfant, qui retourne lentement sur ses pas et ne cesse de crier : « Mon père, ô mon père!... »

Marie-Antoinette le serre dans ses bras avec sa sœur; elle leur adresse de tendres exhortations; elle leur recommande d'imiter le courage de leur père et de ne tirer aucune vengeance de sa mort. Elle veut les faire déjeuner; ils s'y refusent.

Les prisonnières ont entendu les bruits des chevaux, les roulements des tambours, mais sans savoir ce qui se passe exactement.

Marie-Antoinette semble le deviner.

— C'en est fait, dit-elle tout en larmes, nous ne le verrons plus.

La matinée s'achève dans l'anxiété.

Tout à coup des cris, des hurlements, mêlés au bruit des armes à feu, parviennent jusqu'à la tour.

— Les monstres! Ils sont contents, à présent! murmure Madame Élisabeth, levant les yeux au ciel.

Le petit prince fond en larmes, Marie-Thérèse jette des cris perçants, Marie-Antoinette étouffe de douleur.

Vers une heure, on sert le dîner. Marie-Antoinette n'y touche pas. Une autre inquiétude la tourmente : elle voudrait savoir comment le Roi s'est comporté, comment il est mort! Elle voudrait avoir des détails... Elle demande qu'on permette à Cléry de monter près d'elle. Cette faveur lui est refusée, et la journée s'achève pour elle et les siens comme elle a commencé, dans l'incertitude et la douleur.

Physionomie de Paris.

Pendant toute la matinée, Paris a un aspect lugubre.

Le meurtre de Lepeletier de Saint-Fargeau fait craindre aux révolutionnaires un mouvement royaliste. Les visites domiciliaires dont on a parlé, et qui rappellent celles qui ont précédé les massacres de Septembre, font redouter aux royalistes de nouveaux dangers pour leur existence.

Mais, vers midi, quand on voit que l'exécution a eu lieu sans empêchement, et que les mesures prises par les autorités se bornent à maintenir des postes armés sur différents points, et à faire circuler des patrouilles dans les rues, la ville reprend peu à peu son aspect moins morne et moins farouche.

Les riches magasins, les boutiques, les ateliers ne sont qu'entr'ouverts, comme les jours de petite fête.

La population semble se diviser en deux parties bien tranchées : tous ceux qui gémissent sur l'événement et ceux qui en redoutent tout au moins les conséquences restent chez eux ; les femmes surtout témoignent d'une grande tristesse. Ceux, au contraire, qui, entraînés par les passions politiques, s'applaudissent de l'exécution, font montre d'une joie bruyante.

Les cafés regorgent de sans-culottes qui boivent, pérorent, chantent et dansent.

Des marchands crient les gâteaux et les petits pâtés sur le lieu même du supplice.

Les citoyens causent entre eux des incidents du jour : les uns se plaignent que Santerre ait étouffé les dernières paroles de Louis, d'autres l'approuvent. Des discussions s'engagent.

Puis, peu à peu, des bruits circulent. L'on se raconte que Philippe-Égalité a assisté à l'exécution de son cousin. On l'a vu au moment où le bourreau montrait à la foule la tête ensanglantée ; mais il s'est éloigné en hâte sur un cheval qu'on lui tenait tout prêt.

Un militaire, anciennement décoré de la croix de Saint-Louis, est mort de douleur en apprenant le supplice de son roi ; un libraire nommé Vente, ci-devant attaché aux Menus-Plaisirs, est devenu fou ; un perruquier de la rue Culture-Sainte-Catherine, connu comme zélé royaliste, a été pris d'un tel accès de désespoir qu'il s'est coupé le cou avec un rasoir.

Certains font la remarque que le chiffre 21 a joué un grand rôle dans la vie de Louis, et citent diverses dates à l'appui de leur dire :

21 avril 1770. — Mariage de Louis à Vienne. Envoi de l'anneau.

21 juin 1770. — Fête pour son mariage.

21 janvier 1782. — Fête pour la naissance du Dauphin.

21 août 1789. — Déclaration des droits de l'homme.

21 octobre 1789. — Établissement de la loi martiale.

21 juin 1790. — Lepeletier de Saint-Fargeau est nommé président de la Constituante.

21 décembre 1790. — Décret pour ériger une statue à J.-J. Rousseau.

21 juin 1791. — Fuite à Varennes.

21 septembre 1792. — Abolition de la royauté.

21 janvier 1793. — Exécution de Louis.

Les fausses nouvelles se répandent également : on fait courir le bruit qu'en apprenant la mort de son père Marie-Thérèse est morte subitement ; que Marie-Antoinette a été enlevée du Temple et conduite à l'hôtel de la Force, à la Conciergerie.

LA SOIRÉE.

Les clubs. — Les théâtres.

Dans la soirée, les sans-culottes se sont, à peu près seuls, montrés par la ville.

Aussi les citoyens, excités par une journée passée à boire ou à crier, fraternisent plus encore qu'auparavant.

— Les autres rois, se dit-on, ne nous en eussent pas

moins fait la guerre, mais nous n'en serons que plus disposés à les battre : le même sang impur coule dans leurs veines. Il faut en purger la terre.

Les clubs sont ouverts, mais la séance la plus intéressante a lieu à la *Société des Jacobins*.

Imitant en cela les Conventionnels, les Jacobins ne s'occupent que du meurtre de Lepeletier de Saint-Fargeau. Le citoyen Saint-André fait en termes emphatiques un éloge du mort. Le frère de Lepeletier vient aussi discourir, et l'on commence peu à peu à fabriquer la légende de cette victime. On rappelle qu'il a dit, quatre mois auparavant : « Heureux les fondateurs de la République, dussent-ils payer ce bonheur au prix de leur sang. » Et on lui fabrique un « mot historique » à la place du vulgaire : « J'ai froid! »

Puis l'assemblée vote qu'elle assistera en masse à ses funérailles.

De l'exécution de Louis, il n'est pas question.

Les théâtres sont ouverts comme d'habitude, sauf l'Opéra, qui fait relâche, ainsi que cela a lieu tous les lundis.

La veille, on y a donné *Iphigénie en Tauride* et le *Navigateur*. La recette a été de 1,092 livres 18 sous. On avait distribué 196 billets gratis.

La Comédie-Française, qui a joué, le dimanche 20, *Brutus*, tragédie, et l'*Apothéose de Beaurepaire*, avec une recette de 1,178 livres 12 sous, donne, le lundi 21, l'*Enfant prodigue*, de Voltaire, et l'*Esprit de contradiction*, de Dufresny.

Aucune loge n'est louée. On vend :

1 place de première à 6 liv. . . .	6 liv.	
8 places de galeries et secondes à 3 liv.	24 —	
68 places de parquet à 1 liv. 16 s.	122 —	8 s.
4 — de troisièmes à 2 liv. . . .	8 —	
25 — de paradis à 1 liv. 10 s. .	37 —	10 —
TOTAL.	197 liv. 17 s.	

La Comédie-Italienne (Opéra-Comique) a joué le dimanche les *Dettes* et *Fanfan et Colas*, avec une recette de 949 livres 4 sous.

Le lundi 21, le spectacle se compose de l'*Amant jaloux* (Grétry) et de l'*Ami de la maison*.

Voici sa feuille de recettes :

Loges.		
11 premières.	66 liv.	
53 secondes.	159 —	
29 quatrièmes.	52 —	4 s.
331 parterres	277 —	4 s.
Supplément.	3 —	
TOTAL.	557 liv. 8 s.	

Les journaux.

Les récits des journaux se ressemblent presque tous, et leur reproduction n'offrirait pas grand intérêt. Il en est un toutefois dont l'impression est curieuse à reproduire.

C'est le *Journal de la République française*, par Marat, *numéro du 23 janvier :*

La tête du tyran vient de tomber sous le glaive de la loi ; le même coup a renversé les fondements de la monarchie parmi nous ; je crois enfin à la République.

Qu'elles étaient vaines les craintes que les suppôts du despote détrôné cherchaient à nous inspirer sur les suites de sa mort, dans la vue de l'arracher au supplice !...

... Le reste de la journée a été parfaitement calme. Pour la première fois depuis la Fédération, le peuple paraissait animé d'une joie sereine ; on eût dit qu'il venait d'assister à une fête religieuse. Délivrés du poids de l'oppression qui a si longtemps pesé sur eux et pénétrés du sentiment de la fraternité, tous les cœurs se livraient à l'espoir d'un avenir plus heureux.

Dans le *Récit d'un témoin oculaire* (cité dans les *Illustres victimes vengées des injustices de leurs contemporains*) on trouve cette phrase :

« ... Je n'ai point entendu celles (les paroles) de M. de Firmont : *Fils de saint Louis, montes au ciel;* mais elles circulèrent dans les rangs. comme ayant été dites.

Ces paroles, que l'abbé Edgeworth de Firmont a déclaré lui-même ne pas se rappeler avoir ou non prononcées, paraissent pour la première fois dans le numéro du 28 janvier 1793 des *Annales de la République française*. Mais on n'y trouve citées ni la personne qui les aurait entendues ni celle qui les aurait répétées.

L'impression à l'étranger.

Tous les membres du corps diplomatique avaient quitté Paris après la chute de Louis XVI. Seul, Gouverneur Morris, chargé d'une mission par Washington, n'avait point abandonné ses fonctions ; mais il habitait à dix lieues de Paris, à Seine-Port, et ne venait dans la capitale que fort rarement.

Aucun des représentants des nations étrangères n'assista donc à l'exécution du 21 janvier.

C'est la cour d'Angleterre qui fut la première instruite de la mort de Louis XVI. Le jour où la nouvelle parvint à Londres, la consternation fut générale : le Théâtre Royal, où l'on devait représenter deux pièces demandées par le Roi et la Reine, fut fermé, et le marquis de Chauvelin, ambassadeur de France, devenu le citoyen Chauvelin, reçut aussitôt l'ordre de quitter le royaume : il partit le lendemain pour Paris.

En Sardaigne, le roi régnant était Victor-Amédée III, qui avait épousé la sœur de Louis XVI, surnommée Gros-Madame, et qui avait marié ses deux sœurs au comte de Provence et au comte d'Artois. Dès qu'il apprit la mort du roi de France, il donna les marques de la plus grande douleur : levant les mains au ciel et s'écriant que, si son peuple voulait adopter les lois françaises, il était prêt à descendre du trône. Et, dans sa tristesse, il abdiqua sur-le-champ. Son peuple fut touché d'un si triste spectacle et refusa l'abdication de Victor-Amédée. On le supplia de recevoir un nouveau serment de fidélité. Il y consentit et fut ramené en triomphe à son palais.

L'empereur d'Allemagne était chez le prince de Colloredo, lorsque le duc de Richelieu lui annonça la mort de son beau-frère.

— Sire, dit-il en montrant un crêpe qu'il avait au bras, la mesure du crime est comblée, et je suis chargé de la triste mission de vous l'apprendre.

— Ces monstres! s'écrie l'Empereur; il n'y a donc plus rien de sacré pour eux?

Et, comme il achevait ces mots, ses yeux se remplirent de larmes.

Aux cours de Madrid, de Berlin et de Saint-Pétersbourg, on témoigna les mêmes regrets et la même indignation. Ce fut encore le duc de Richelieu qui apporta la nouvelle à l'impératrice Catherine II.

A Rome, l'indignation pouvait croître, mais non |l'hostilité d'un gouvernement qui avait laissé quelques jours auparavant, le 13 janvier, la populace assassiner en pleine rue le citoyen Basseville, secrétaire de la légation, parce qu'il avait arboré les couleurs de la République française.

Le comte de Provence, frère du Roi, était alors à Hamm, en Westphalie. La nouvelle lui parvint le 28 janvier. Il prit aussitôt le titre de régent du royaume et adressa une proclamation aux Français réfugiés à l'étranger.

Le prince de Condé fit célébrer, le 30 janvier, dans la forêt Noire, un service pour Louis XVI.

Un inconnu a composé cette épitaphe :

> CI-GIT LOUIS QUI, MALGRÉ SES BIENFAITS,
> FUT IMMOLÉ PAR SES PROPRES SUJETS,
> ET QUI, PAR UN COURAGE INCONNU DANS L'HISTOIRE,
> FIT DE SON ÉCHAFAUD LE TRONE DE SA GLOIRE.

Ainsi périt Louis XVI, roi de France et de Navarre, âgé de trente-neuf ans cinq mois moins trois jours, après avoir régné dix-huit ans et avoir été en prison cinq mois et huit jours.

CHARLOTTE CORDAY

ET

JEAN-PAUL MARAT

(13 Juillet 1793)

————

I

LA VILLE DE CAEN EN 1793

Le parti girondin avait été tué politiquement par les journées du 31 mai et du 2 juin. La plupart de ses membres étaient restés à Paris ; quelques-uns avaient fui en province.

Dix-huit de ceux-ci, parmi lesquels Barbaroux, Buzot, Gorsas, Pétion, s'étaient réfugiés à Caen.

Cette ville était alors un centre d'agitation. Républicaine, mais ennemie des excès, elle avait résolu de s'opposer à la tyrannie de la Convention. Un comité, installé à l'Hôtel de ville, avait réuni une petite armée sous le commandement des généraux de Wimpffen et de Puisaye.

Les Girondins croyaient trouver là un terrain préparé pour la résistance. Les événements devaient déjouer leurs espérances. Au lieu des hommes en qui ils avaient placé leur confiance, ce fut une femme qui se leva.

En ce temps-là vivait à Caen une jeune fille de vingt-quatre ans qui cachait, sous les dehors d'une douceur angélique, l'imagination la plus vive, l'esprit le plus exalté.

Elle avait vécu jusqu'à ce jour dans une obscurité profonde, bien qu'elle eût la plus illustre origine. Petite nièce du grand Corneille, elle avait dans l'âme les sentiments des héroïnes chantées par le poète ; mais, plus vaillante que l'Émilie de *Cinna*, elle fut à la fois la tête qui conçoit et le bras qui exécute.

Au physique, elle était belle. Un contemporain en a laissé le portrait suivant :

« Mlle Corday était d'une taille moyenne, plutôt fortement que faiblement constituée, le visage ovale, les traits beaux, grands, mais un peu forts ; l'œil bleu et pénétrant et tenant un peu de la sévérité de ses traits, le nez bien fait, la bouche belle et bien garnie, les cheveux châtains, les mains et les bras dignes de servir de modèle ; ses mouvements et son maintien respiraient la décence et la grâce..... »

Marie-Anne-Charlotte de Corday d'Armont était née en 1768 à Saint-Saturnin, dans l'Orne. Son père vivait sur son petit fief de Ligneries. Bien que de noblesse authentique, il n'en était pas moins partisan des idées nouvelles. Peut-être avait-il été converti par sa pauvreté. Il vivait, en effet, dans une situation voisine de la misère, et sa femme était morte à la peine, après lui avoir donné cinq enfants, deux garçons et trois filles.

Quand les enfants grandissant exigèrent pour leur éducation des soins plus coûteux, force lui fut de se séparer d'eux. Il fut heureux de placer sa fille Charlotte dans un couvent de Caen, à l'Abbaye aux Dames.

CHARLOTTE CORDAY

PAR HAUËR

(Musée de Versailles)

La supérieure, Mme de Belsunce, et sa coadjutrice, Mme Doulcet de Pontécoulant, s'intéressèrent à la jeune fille et la reçurent dans leur intimité. C'est ainsi que Charlotte connut M. de Belsunce, jeune colonel de cavalerie, et Gustave Doulcet de Pontécoulant, tous deux parents de ces dames.

Mais l'orage révolutionnaire détruisit le paisible asile où Charlotte avait passé son enfance; les couvents furent supprimés, et la jeune fille, qui ne pouvait rentrer chez son père, toujours plus misérable, fut recueillie par une vieille tante, Mme de Bretteville. Celle-ci habitait à Caen une antique et triste maison appelée le Grand-Manoir, qui n'avait de grand que le nom, et ne se composait que de deux étages à trois fenêtres. Elle était isolée de la rue par une petite cour pavée en grès. Une porte cintrée, étroite et basse, servait d'entrée : on suivait une allée obscure, et un escalier en spirale conduisait à l'étage supérieur.

La chambre de Charlotte se trouvait à l'extrémité de la maison. Carrelée en briques, avec son plafond à la française et sa vaste cheminée, elle avait un aspect sévère et froid. Meublée sans aucun luxe, elle était pauvrement éclairée par deux fenêtres : l'une en croisillon, qui donnait sur la cour, l'autre qui prenait jour sur une cour voisine plus triste encore.

Mais qu'importait à Charlotte? Elle vivait dans ses pensées, et ses pensées étaient loin de ce logis sombre et mesquin.

La jeune fille, en effet, aidait un peu, dans les soins du ménage, une unique vieille servante, mais le reste du temps, elle le passait à lire et à rêver.

Jouissant de la plus grande liberté, elle dévorait tout

ce qui lui tombait sous la main : les *Aventures de Faublas* et la *Nouvelle Héloïse,* des romans et des livres philosophiques. Ses auteurs de prédilection étaient Jean-Jacques Rousseau, Plutarque et l'abbé Raynal, dont l'*Histoire philosophique des établissements et du commerce dans les Deux-Indes* excitait tout particulièrement son admiration.

Les mots de République et de Liberté l'enthousiasmaient : elle portait aux choses de la politique un vif intérêt. Elle se procurait toutes les brochures qui paraissaient ; elle en lut plus de cinq cents. Elle était en outre abonnée au *Journal de Perlet,* au *Courrier français,* au *Courrier universel,* au *Courrier des départements,* du girondin Gorsas, et au *Patriote français,* rédigé par Brissot et Girey-Dupré.

Ces lectures eurent sur cette âme solitaire une profonde influence.

Plutarque, en retraçant à ses yeux la vie des grands hommes, lui en inspira l'admiration tout d'abord ; puis, à force d'admirer, elle se sentit prise du désir d'imiter.

Son imagination surexcitée, qui ne trouvait personne avec qui s'épancher, lui fit en quelque sorte revivre la vie de ces héros. Elle s'identifia sinon avec eux, du moins avec les hautes pensées, les actes généreux ou sublimes qui les avaient élevés au-dessus du reste des mortels ; l'idée lui vint qu'elle aussi pouvait accomplir de grandes choses...

Dans les longues rêveries qui suivaient ses longues lectures, elle dut plus d'une fois assister à la transformation qu'elle ambitionnait pour elle-même. Et le feu intérieur qui la brûlait s'activait par l'atmosphère ambiante qu'elle respirait autour d'elle. Les circonstances étaient propices ; les esprits s'exaltaient, les âmes s'enflammaient à ces mots de *régénération*, de *patrie* et de *liberté*, qui soulevaient alors la vieille France et semblaient lui promettre un avenir de grandeur et de félicité.

Comme ses modèles des temps passés, elle était républicaine. Elle avait embrassé cette cause avec ardeur, mais elle la voulait pure comme elle la rêvait grande. Elle crut que le parti de la Gironde était seul capable de lui réaliser son idéal.

Elle attendait, elle espérait tout de lui.

Et voilà que, brusquement, la face des choses change : ceux que politiquement elle aime sont renversés du pouvoir, vaincus, traqués! Elle voit apparaître à leur place des hommes de sang : ils lui souillent l'image qu'elle s'est faite du gouvernement qu'elle chérit.

Toutes ses espérances, toutes ses aspirations sombreraient-elles dans cette tourmente? Elle se révolte à cette idée. Non, il est impossible qu'un tel avortement suive un tel effort!

Elle se souvient que les grands hommes se sacrifient pour la patrie : elle souhaitait les imiter; elle veut maintenant les égaler. Ce qu'elle a rêvé, elle le vivra. Elle se dévouera, elle dévouera sa vie au salut de son pays, au triomphe de sa foi.

Un homme se trouve qui, par ses déclamations, attire l'attention sur lui : il demande des têtes, il réclame des supplices, et c'est précisément contre ceux en qui elle a placé ses espérances. De loin, Marat inspire plus d'horreur, cause plus d'effroi : c'est lui le monstre qu'il faut abattre!

Personne ne l'ose; elle l'osera. C'est son sang qu'elle donne en échange de celui qu'elle va répandre ! Qu'importe? La gloire l'attend, la gloire et les bénédictions de ceux qu'elle aura sauvés!

Dès ce moment, la pensée du meurtre est en elle : elle grandit, s'empare de son âme tout entière. Charlotte tuera Marat.

Sa résolution prise, reste à l'exécuter : pour ce faire, elle n'a besoin ni de confident, ni de complice. Elle veut être la vengeresse unique; seule, elle accomplira l'immolation, et, comme d'autres vont à la vertu, elle marche au crime.

Les légendes amoureuses.

Ses contemporains, qui ne comprirent pas les mobiles de son action, se sont plu à l'attribuer aux causes les plus vulgaires, et de l'héroïne ont cherché à faire une amante irritée dont la vengeance aurait armé le bras. Mais rien ne doit subsister de ces légendes amoureuses.

C'est Fouquier-Tinville qui, le premier, a émis l'opinion que « cet assassin femelle était l'amie de Belsunce, colonel tué à Caen dans une insurrection, et que, depuis cette époque, elle avait conçu une haine implacable contre Marat ». Elle connaissait à peine Belsunce; d'ailleurs, il avait été tué le 12 août 1792, et le premier numéro de l'*Ami du peuple* n'a paru que le 12 septembre suivant.

Quant à Barbaroux, elle ne l'a vu que trois fois à Caen, et Barbaroux vivait alors avec une femme nommée Zélia, qui ne le quittait point.

On a nommé aussi un M. de Franquelin, un M. Boisjugan de Mingré; on ne sait même pas si Charlotte Corday les a jamais vus.

Depuis, on a cru découvrir cet amoureux dans Bougon-Longrais, procureur-syndic du département du Calvados. Il est certain qu'il a eu pour Charlotte une affection qu'on peut qualifier d'amour, mais il est non moins certain qu'il n'existe aucun indice qui autorise à la croire partagée. La jeune fille témoigna beaucoup d'amitié à cet homme jeune et aimable dont elle appréciait les mérites, et avec qui elle se trouvait en conformité d'opinions et d'idées ; mais il serait difficile de voir dans le souvenir qu'elle lui adresse, à la fin de sa lettre à Barbaroux, autre chose que de la sympathie et de l'estime.

Charlotte Corday n'a pas tué un homme pour un homme, et elle est morte sans avoir aimé d'amour, vierge de cœur comme elle l'était de corps.

L'hôtel de l'Intendance.

Les Girondins fugitifs s'étaient établis à l'hôtel de l'Intendance. Elle ne les connaissait point : elle forma le projet de les aller voir et d'entrer en relation avec eux.

Elle avait besoin d'un prétexte ; elle le trouva dans l'intérêt qu'elle portait à une amie de couvent, Mme de Forbin, dont la pension de chanoinesse avait été supprimée parce qu'elle avait émigré depuis six mois. Elle imagina de s'adresser aux députés proscrits pour intercéder en sa faveur.

A cet effet elle se rendit, le 20 juin 1793, à l'hôtel de l'Intendance. Elle vit Barbaroux et lui exposa sa requête. Le Girondin lui fit observer que sa recommandation serait assurément plus nuisible qu'utile. Mais elle avait son idée : elle insista, et Barbaroux, prenant un moyen terme, écrivit à son collègue des Bouches-du-Rhône, Lauze Duperret, resté à Paris, et le pria de s'occuper de l'affaire de Mme de Forbin.

Barbaroux ne reçut aucune réponse ; la lettre n'était point parvenue à destination. Loin de s'en attrister, Charlotte s'en réjouit. Cet incident lui permettait de mettre à exécution son projet ; elle parla d'aller à Paris solliciter directement le ministre de l'intérieur.

Le départ.

Bientôt ce projet prit corps, et Charlotte fit ses préparatifs. Le départ fut fixé aux premiers jours du mois de juillet.

Avant de partir, elle assista, le dimanche 7 juillet, à une revue passée par le général de Wimpffen. Sous les yeux de la population, on devait faire appel aux volontaires pour former une troupe d'élite destinée à marcher contre les soldats de la Convention.

Dix-sept volontaires seulement sortirent des rangs.

Charlotte admira leur courage, et, loin d'être déconcertée par leur petit nombre, elle s'enflamma à leur exemple.

Elle demanda à Barbaroux une lettre d'introduction auprès de Lauze Duperret.

Barbaroux, qui ne se doutait de rien, la lui donna ; elle contenait ces passages :

... Je t'ai écrit par la voie de Rouen pour t'intéresser à une affaire qui regarde une de nos concitoyennes ; il s'agit seulement

de retirer du ministère de l'intérieur des pièces que tu renverras
à Caen...

... Ici tout va bien ; nous ne tarderons pas à être sous les murs
de Paris...

Charlotte continuait à cacher à tous son projet. Avant
le départ, elle vit l'abbesse de la Trinité, Mme de Pontécoulant, qui avait succédé à Mme de Belsunce : elle
répéta qu'elle allait à Paris dans l'intérêt de son amie
Mme de Forbin. Rien dans ses paroles, ni dans son attitude, ne donna le moindre soupçon.

Une seule fois, elle prononça quelques mots qui auraient
pu donner l'éveil sur ses intentions, mais on n'y attacha
nulle importance. Comme Pétion complimentait ironiquement « la belle aristocrate qui venait voir des républicains » :

— Vous me jugez aujourd'hui sans me connaître,
citoyen Pétion, répondit-elle ; un jour, vous saurez qui
je suis.

Le matin même du départ, elle adressa à son père une
lettre d'adieu :

Je vous dois obéissance, mon cher papa, cependant je pars
sans votre permission ; je pars sans vous voir, parce que j'en
aurais trop de douleur. Je vais en Angleterre, parce que je ne
crois pas qu'on puisse vivre en France heureux et tranquille de
bien longtemps. En partant, je mets cette lettre à la poste pour
vous, et quand vous la recevrez, je ne serai plus en ce pays.
Le ciel nous refuse le bonheur de vivre ensemble comme il nous
en a refusé d'autres. Il sera peut-être plus clément pour notre
patrie.

Adieu, mon cher papa, embrassez ma sœur pour moi et ne
m'oubliez pas.

9 juillet.

CORDAY.

A deux heures, ce mardi 9 juillet, elle prenait le coche pour Paris.

A Paris.

Le voyage dura deux jours. Le jeudi 11, elle arrivait à Paris et allait loger chez Mme Grollier, à l'hôtel de la Providence, n° 19, rue des Vieux-Augustins, devenue depuis rue d'Argout et détruite en partie aujourd'hui.

Le jour même, elle se rend chez Lauze Duperret, rue Saint-Thomas du Louvre (située sur l'emplacement actuel de la place du Carrousel). Elle ne le trouve pas : il est à la Convention.

Elle revient dans la soirée, et lui expose le but apparent de sa visite. Ils prennent rendez-vous pour le lendemain matin : Lauze Duperret l'accompagnera au ministère de l'intérieur.

Après son départ, Duperret dit à ses filles :

— La plaisante aventure! Cette femme m'a paru une intrigante. J'ai vu dans son attitude, dans sa contenance, quelque chose qui m'a semblé singulier. Demain, je saurai ce qui en est.

Le lendemain, vendredi 12, à dix heures du matin, il va prendre Charlotte et la conduit vers le ministre de l'intérieur. Ils ne sont pas reçus et conviennent de revenir vers le soir.

L'impression de Duperret s'est modifiée.

— Je n'aperçus dans ses discours que les propos d'une bonne citoyenne.

A ce moment, un incident se passe qui renverse tous

leurs projets. Le député, suspect d'être en relation avec ses collègues proscrits, est l'objet d'une mesure de surveillance. On fait une perquisition chez lui, on met les scellés sur ses papiers.

Il va aussitôt prévenir Charlotte, et il lui déclare que la suspicion dont il est l'objet rend fort compromettante sa recommandation.

Charlotte le remercie et lui dit d'en rester là. Le prétexte avait servi, et elle ne comptait pas poursuivre de vaines démarches.

Duperret l'interroge sur ses projets, s'informe si elle retournera bientôt en Normandie. La jeune fille répond qu'elle n'en sait rien encore, mais qu'elle lui donnera de ses nouvelles, et qu'il est inutile qu'il revienne la voir.

Ils vont se séparer. A ce moment, Charlotte comprend son imprudence : elle a le sentiment d'avoir compromis terriblement cet honnête homme, qui s'est mis si obligeamment à sa disposition.

— J'ai un conseil à vous donner, lui dit-elle alors. Quittez la Convention, vous ne pouvez plus y faire de bien. Allez à Caen rejoindre vos collègues, vos frères.

— Mon poste est à Paris : je ne dois pas l'abandonner.

— Vous faites une sottise... Encore une fois, partez. Croyez-moi, fuyez avant demain soir.

Il persiste dans sa résolution courageuse. Elle en a déjà trop dit : elle se tait, et il s'éloigne, sans avoir compris l'avis, sans se douter quels arguments on tirera contre lui de ces rapides entrevues.

Entre temps, Charlotte s'est informée de Marat auprès de lui, auprès du garçon de l'hôtel. Elle a appris que Marat, malade, ne va plus à la Convention. Il lui faut renoncer au projet de l'immoler à son banc, au sommet de la Montagne ; elle se résout à l'aller frapper chez lui.

Elle emploie la soirée du vendredi à rédiger une *Adresse aux Français amis des Lois et de la Paix.*

> Jusqu'à quand, ô malheureux Français, vous plairez-vous dans le trouble et les divisions?...
>
> ... O France! ton repos dépend de l'exécution de la loi; je n'y porte point atteinte en tuant Marat : condamné par l'univers, il est hors la loi... Quel tribunal me jugera? Si je suis coupable, Alcide l'était donc lorsqu'il détruisit les monstres? Mais en rencontra-t-il de si odieux?
>
> ... O ma Patrie, tes infortunes déchirent mon cœur. Je ne puis t'offrir que ma vie, et je rends grâces au ciel de la liberté que j'ai d'en disposer...

Puis viennent quelques vers tirés de la *Mort de César*. La petite-nièce de Corneille fait à Voltaire ce grand honneur :

> Qu'à l'univers surpris, cette grande action
> Soit un objet d'horreur ou d'admiration,
> Mon esprit, peu jaloux de vivre en la mémoire,
> Ne considère point le reproche ou la gloire :
> Toujours indépendant et toujours citoyen,
> Mon devoir me suffit; tout le reste n'est rien.
> Allez! ne songez plus qu'à sortir d'esclavage!...

Elle termine par cette courte phrase :

> Mes amis et mes parents ne doivent point être inquiétés : personne ne savait mes projets.

La matinée du 13 juillet.

Le samedi 13, Charlotte se lève de bon matin. Dès six heures, elle se rend au Palais-Royal. On crie par les rues le jugement des neuf Orléanais condamnés la veille comme assassins de Léonard Bourdon, qui se porte le mieux du monde : elle en prend un exemplaire, puis elle entre chez un coutelier et achète, pour quarante sols, un couteau à manche en bois d'ébène, avec une gaine en chagrin.

Elle rentre à l'hôtel ; à onze heures et demie, elle redescend, prend un fiacre sur la place des Victoires, et se fait conduire au domicile de Marat, rue des Cordeliers (depuis rue de l'École de Médecine), n° 20.

Mais on ne pénètre pas facilement près de l'Ami du peuple : la femme Pain, portière, la cuisinière, Jeannette Maréchal, Simone Evrard, la femme qui vit avec lui, et la sœur de Simone font bonne garde. Marat est malade, on ne sait quand il pourra recevoir, et l'on éconduit la visiteuse inconnue.

Charlotte revient à l'hôtel, et elle écrit par la petite poste à Marat :

CITOYEN,

J'arrive de Caen ; votre amour pour la patrie me fait supposer que vous connaîtrez avec plaisir les malheureux événements de cette partie de la République. Je me présenterai chez vous vers une heure ; ayez la bonté de me recevoir et de m'accorder un moment d'entretien. Je vous mettrai à même de rendre un grand service à la patrie.

Ceci fait, elle remet au soir l'exécution de son projet.

II

JEAN-PAUL MARAT.

Au physique, un homme petit, mal fait, au teint bilieux ; vêtu avec une négligence voisine de la malpropreté, affublé en tout temps d'une méchante lévite verte bordée de fourrure, une espèce de mouchoir sur la tête, ressemblant, dans ce costume, au dire d'Harmand de la Meuse, à un cocher de fiacre malaisé ; alliant au cynisme de sa mise le cynisme du langage, traitant tout le monde de cochon, de bête, d'animal...

Au moral, un fou sanguinaire ne rêvant que mort et extermination, attaquant tous les honnêtes gens dans son journal, le pourvoyeur de la guillotine, la honte de la Révolution...

Telle était l'image que se faisait Charlotte Corday de l'homme qu'elle allait immoler, image conforme à l'opinion généralement répandue, conforme aussi à l'idée que Marat voulait donner de lui-même.

Si elle était exacte pour les derniers temps de sa vie, elle donnait une impression très fausse de ce qu'il avait été antérieurement. Le lettré et le savant disparaissaient sous le sectaire farouche, l'homme élégant et distingué sous le sans-culotte débraillé et malpropre.

Né le 24 mai 1743, à Boudry (canton de Neuchâtel), d'un père originaire de Cagliari (Sardaigne), Jean-Paul Marat avait reçu une bonne éducation, et terminé à Genève ses études littéraires.

Puis il avait beaucoup voyagé, apprenant la plupart des langues de l'Europe et s'intitulant, suivant la phraséologie de l'époque, étudiant en humanité.

Durant un séjour en Angleterre, il se fit recevoir médecin. Vers 1777, à son retour en France, il fut nommé médecin des gardes du comte d'Artois, et il avait, dès lors, une assez grande célébrité pour qu'on payât *trente-six livres* sa visite.

Une cure qui parut merveilleuse lui valut un surcroît de

renommée, une bonne fortune et la jalousie d'un grand nombre de ses confrères.

La marquise de Laubespine, nièce d'un des plus illustres ministres de la monarchie, était atteinte d'un mal que Bouvard, un médecin fort célèbre, avait déclaré inguérissable. Marat vint, promit une guérison complète et tint parole.

La pauvre femme, pleine de reconnaissance pour son sauveur, la lui témoigna de toutes les manières, et Marat, devenu l'amant d'une marquise, affecta dès lors, pour lui plaire, le goût de la parure, et se montra aussi recherché dans ses propos que dans ses habits.

L'exercice de la médecine, avec ses obligations diverses, ne l'occupait pas pourtant au point de lui faire abandonner ses recherches sur le feu, la lumière, l'électricité, etc. Il publia sur ces matières plusieurs ouvrages qui lui valurent, non sans raison, une certaine réputation de savant.

Il se jeta dans le mouvement révolutionnaire, mais il ne le comprenait point comme tant d'autres. Les querelles des trois ordres lui paraissaient aussi vaines que futiles : l'abolition des privilèges au profit du tiers ne lui semblait qu'une concession dérisoire. Il ne voyait dans la société que des riches et des pauvres, et il considérait comme insignifiant le don de la liberté au malheureux qui crève de faim.

Il s'établit l'avocat des déshérités, le champion des misérables, et il en prit le titre : il s'appela et se fit appeler l'Ami du peuple.

Ceux à qui allait toute sa sympathie l'en récompensèrent en lui donnant leur affection : de là son immense popularité.

Peu à peu les excitations de la lutte, les exagérations d'un patriotisme exacerbé l'entraînèrent chaque jour plus loin. Les obstacles l'irritèrent, les résistances l'exaspérèrent : les persécutions achevèrent de transformer l'humanitaire qui était en lui en un sectaire violent et farouche. Une maladie de peau, qui lui causait, sans répit, d'insupportables douleurs, aggrava encore cet état.

Toutefois, bien que devenu le personnage cynique et grossier dont l'image est restée, il n'en conservait pas moins des côtés séduisants, et le portrait qu'a tracé de lui Fabre d'Eglantine mérite d'être retenu :

Il était de la plus petite stature ; à peine avait-il cinq pieds de haut. Il était néanmoins taillé en force, sans être gros ni gras ; il avait les épaules et l'estomac larges, le ventre mince, les cuisses courtes et écartées, les jambes cambrées, les bras forts, et il les agitait avec vigueur et grâce. Sur un col assez court, il portait une tête d'un caractère très prononcé ; il avait le visage large et osseux, le nez aquilin, épaté et même écrasé, le dessous du nez proéminent et avancé, la bouche moyenne et souvent crispée, dans l'un des coins, par une contraction fréquente ; les lèvres minces, le front grand, les yeux de couleur gris jaune, spirituels, vifs, perçants, sereins, naturellement doux, même gracieux et d'un regard assuré ; le sourcil rare, le teint plombé et flétri ; la barbe noire, les cheveux bruns et négligés ; il marchait la tête haute, droite et en arrière, et avec une rapidité cadencée qui s'ondulait par un balancement des hanches ; son maintien le plus ordinaire était de croiser fortement ses deux bras sur la poitrine. En parlant en société, il s'agitait avec véhémence et terminait presque toujours son expression par un mouvement du pied, qu'il tournait en avant et dont il frappait la terre, en se relevant subitement sur la pointe, comme pour élever sa petite taille à la hauteur de son opinion. Le son de sa voix était mâle, sonore, un peu gras et d'un timbre éclatant ; un défaut de langue lui rendait difficile à exprimer nettement le *c* et l'*s*, dont il mêlait la prononciation à la consonance du *g*, sans autre désagrément sensible que d'avoir le débit un peu lourd ; mais le sentiment de sa pensée, la plénitude de sa phrase, la simplicité de son élocution et la brièveté de son discours effaçaient absolument cette pesanteur maxillaire.

Au plus fort de ses embarras, vers 1790, Marat avait trouvé chez une femme l'appui moral et même l'aide pécuniaire dont il avait besoin. Cette femme, Simone Evrard, s'était dévouée à lui, et était devenue sa compagne inséparable. Elle veillait sur lui avec un soin jaloux.

Depuis dix-huit mois, Marat habitait avec elle un petit appartement situé au premier étage d'une maison de la rue des Cordeliers. (Cette maison a été récemment démolie lors de l'agrandissement de l'École de médecine.)

Une large voûte conduisait à la cage de l'escalier. Près de la porte pendait une chaîne de fer, à laquelle était attachée la sonnette. On pénétrait dans une antichambre fort sombre, puis à droite se trouvait la salle à manger, séparée par une pièce de l'étroit cabinet dans lequel Marat avait coutume de prendre son bain.

III

L'ASSASSINAT.

Vers sept heures et demie, Charlotte Corday, munie d'une autre lettre pour le cas où Marat n'aurait pas reçu la première, se présente de nouveau rue des Cordeliers.

Comme précédemment, on fait bonne garde autour de l'Ami du peuple : elle se heurte à un nouveau refus. Elle insiste : une discussion s'engage, dont le bruit parvient jusqu'à Marat. Il appelle Simone Evrard, s'informe de la personne qui le demande, et, comme il a reçu la lettre de

Charlotte écrite le matin, il est curieux d'avoir de sa bouche des renseignements sur la ville de Caen ; il donne l'ordre qu'on l'introduise.

Marat est dans sa baignoire en forme de sabot, vêtu d'un drap qui laisse découverts les épaules et les bras : il écrit sur une planchette posée en travers, devant lui.

Il fait asseoir la visiteuse sur un siège placé à sa gauche : ils se trouvent sur la même ligne, tous deux tournant le dos à la petite fenêtre qui donne sur la cour.

On les laisse seuls.

Marat aussitôt l'interroge sur les troubles de Caen. Elle lui répond que dix-huit députés de la Convention, d'accord avec le Département, y règnent ; que tout le monde s'enrôle pour marcher sur Paris et le délivrer des anarchistes ; que quatre membres du Département dirigent une partie des armées sur Evreux.

Il lui demande les noms de ces députés et de ces administrateurs.

Elle cite Gorsas, Larivière, Buzot, Barbaroux, Louvet, Bergoing, Pétion, Cussy, Salles, Lesage, Valady, Kervélégan, Guadet, etc. Elle nomme les quatre administrateurs : Lévêque, président, Bougon-Longrais, procureur général, Ménil et Lenormant.

Pendant qu'elle parle, il écrit. Quand elle a fini :

— Je les ferai bientôt tous guillotiner à Paris, dit-il.

Comme si elle n'attendait que cette dernière preuve de la fureur sanguinaire de Marat, elle se lève, saisit le couteau qu'elle a caché dans son corsage et, d'un coup, le lui plonge dans la poitrine.

— A moi, ma chère amie ! à moi ! s'écrie-t-il.

Un commissionnaire, Laurent Bas, occupé à plier le journal de Marat, entend l'appel et accourt. Il rencontre

Charlotte Corday dans la pièce voisine, la renverse et la maintient en lui écrasant les seins...

Le bruit a attiré Simone Evrard : elle se précipite, passe par-dessus Charlotte étendue à terre, et va droit à Marat. Le sang coule à gros bouillons de la plaie : elle applique sa main pour l'arrêter, mais en vain; l'eau en est toute rougie.

Vers ce moment, survient un chirurgien-dentiste, Michon-Delafondée, locataire dans la maison. Il travaillait chez lui; par la fenêtre, ouverte derrière Marat, il a aperçu la scène sanglante. Il met une compresse sur la plaie; on tire Marat de sa baignoire, et on le porte sur son lit. Là, il s'assure que le pouls ne bat plus. L'Ami du peuple a vécu.

Le docteur Pelletan, prévenu par la rumeur publique qui se propage rapidement, arrive à son tour : il n'a plus qu'à constater la mort.

IV

L'ARRESTATION.

Cependant les hommes du poste du Théâtre-Français (Odéon) sont accourus : ils ont enlevé Charlotte à Laurent Bas, Simone Evrard, Jeannette Maréchal, la femme Pain et la sœur de Simone; ils lui ont lié les poignets et ils la gardent.

Le commissaire de police arrive et l'interroge. Elle répond nettement, simplement, avec sang-froid. Elle avoue le mobile du crime : « elle a vu la guerre civile sur le point de s'allumer dans toute la France, et, persuadée que Marat était le principal auteur des désastres, elle a préféré faire le sacrifice de sa vie pour sauver son pays ».

Elle a prémédité le meurtre : « elle n'aurait pas quitté Caen, si elle n'eût eu envie de l'effectuer ».

On lui demande si elle n'a pas cherché à s'évader par la fenêtre.

— Non, répond-elle ; je me serais évadée par la porte si on ne s'y était pas opposé.

Le commissaire fait fouiller la prisonnière. On trouve dans ses poches :

Cent cinquante livres en vingt-cinq écus de six livres ; un dé d'argent ; cent quarante livres en un assignat de cent livres et quatre autres de dix livres chacun ; un passeport à son signalement ; une montre d'or faite par Dubosq, de Caen ; une clef de malle et un peloton de fil blanc.

La gaine du couteau qui a servi au crime est restée dans le corsage.

Sur ces entrefaites, arrivent Maure aîné, Legendre, Chabot et Drouet, envoyés par le Comité de sûreté générale, Marino et Louvet, administrateurs de police.

Chabot, le capucin-dindon, comme l'appelait Mme Roland, couve des yeux la belle prisonnière. Il croit apercevoir un papier plié dans son sein, et il avance la main.

Charlotte Corday, qui apparemment a oublié sa lettre à Marat, se méprend sur les intentions de Chabot, et, craignant à ses regards lubriques quelque outrage à sa pudeur, elle rejette vivement les épaules en arrière, mais avec tant de force que les cordons qui retiennent son corsage se rompent, et sa gorge est découverte.

Elle se baisse aussitôt, courbant la tête et la poitrine contre ses genoux, et supplie qu'on veuille bien lui délier les mains, pour qu'elle puisse se rhabiller. Un assistant lui rend ce service : elle se tourne contre le mur et répare hâtivement le désordre de sa toilette.

Ceci fait, elle montre ses poignets meurtris par les liens.

— S'il vous était indifférent, messieurs, de me faire moins souffrir avant de me faire mourir, dit-elle, je vous prierais de me permettre que je rabatte mes manches ou que je mette des gants sous les liens que vous me préparez.

On accède à sa demande : elle fait l'un et l'autre.

Elle a recouvré sa sérénité habituelle et toute sa présence d'esprit. A un moment, voyant Chabot tendre la main vers sa montre, elle feint de croire qu'il la veut prendre.

— Oubliez-vous que les Capucins font vœu de pauvreté? dit-elle.

On lui demande encore si elle est fille. Elle répond que oui.

La soirée entière a été prise par ces diverses formalités. Une dernière, la plus terrible, reste : la confrontation avec le cadavre. Vers minuit, on conduit Charlotte devant le lit où repose Marat.

— Eh bien, oui, c'est moi qui l'ai tué ! s'écrie-t-elle d'une voix tremblante d'émotion.

Malgré l'heure avancée, une foule grouillante et hurlante stationne devant la maison. Il faut faire sortir Charlotte et la conduire en prison. Les administrateurs de police Marino et Louvet la réclament. Les délégués du Comité de sûreté générale décident qu'elle sera menée à l'Abbaye.

Dès qu'elle paraît dans la rue, les vociférations, les cris, les menaces éclatent de toutes parts. Elle va être écharpée...

Brisée par les émotions de cette journée et de cette nuit, Charlotte perd connaissance.

Elle revient promptement à elle; elle s'étonne, elle s'attriste d'être encore en vie : elle eût été heureuse de mourir ainsi. Mais sa défaillance dure peu :

— J'ai rempli ma tâche, dit-elle. D'autres feront le reste.

Tandis qu'on l'enferme à l'Abbaye, on perquisitionne chez elle, à l'hôtel de la Providence. On trouve sur un papier l'adresse du « citoien Duperret ». Cela suffira pour le rendre suspect tout à fait, et, le lendemain, il sera décrété d'accusation.

V

LA POMPE FUNÈBRE DE MARAT.

La nouvelle du meurtre s'est rapidement propagée dans Paris et y cause un étonnement profond, une grande émotion. Comme après l'assassinat de Lepeletier de Saint-Fargeau, le 20 janvier, tous les patriotes se croient menacés : « cet acte accompli par une femme a été inspiré par un parti puissant; c'est la contre-révolution qui a armé son bras. »

Le lendemain, le peuple envahit la Convention. Le président se lève, très ému : c'est Jean-Bon-Saint-André.

— Citoyens, dit-il, un grand crime a été commis sur la personne d'un représentant du peuple : Marat a été assassiné chez lui.

Ces paroles sont écoutées dans le silence et la stupeur.

Plusieurs sections se présentent alors avec des adresses. L'orateur de la section du Contrat social s'écrie :

— Où es-tu, David? Tu as transmis à la postérité l'image de Lepeletier mourant pour la patrie; il te reste encore un tableau à faire.

— Aussi le ferai-je ! répond David.

A la Commune, c'est Hébert qui prononce l'éloge funèbre et qui demande l'apothéose de Marat.

Le lendemain, la Convention décrète qu'elle assistera en corps aux obsèques, dont la date est fixée au mardi 16.

On a embaumé le corps de Marat : non sans peine, car il s'était presque immédiatement décomposé; on lui prépare de magnifiques funérailles. Le tombeau seul coûte 2,400 livres; la fourniture des « flambeaux, lampions et rats-de-cave » monte à 1,904 livres 16 deniers. — Le mémoire total s'élève à la somme de 5,608 livres 2 sous 8 deniers.

Vers les cinq heures du soir, le convoi quitte la maison mortuaire, et, afin qu'il puisse déployer toute sa pompe, il fait un large détour. De la rue des Cordeliers, il passe dans la rue de Thionville (rue Dauphine); il traverse la Seine sur le pont Neuf, suit le quai de la Ferraille, revient par le pont au Change, vers les Cordeliers. L'inhumation a lieu dans le jardin ; le tombeau est formé d'un amas de blocs de pierre.

Le *Journal de la Montagne* rend compte ainsi de cette cérémonie :

Arrivé dans le jardin des Cordeliers, le corps de Marat a été déposé sous les arbres, dont les feuilles légèrement agitées réfléchissaient et multipliaient une lumière douce et tendre. Le peuple environnait le cercueil en silence. Le président de la Convention a d'abord fait un discours éloquent, dans lequel il a annoncé que le temps arriverait bientôt où Marat serait vengé, mais qu'il ne fallait pas, par des démarches hâtées et inconsidérées, s'attirer des reproches des ennemis de la patrie. Il ajouta que la liberté ne pouvait périr, et que la mort de Marat ne ferait que la consolider.

Sur le tombeau s'élève une pyramide quadrangulaire surmontée d'une urne. On y a gravé cette inscription :

Ici repose Marat, l'Ami du peuple assassiné par les ennemis du peuple, le 13 juillet 1793.

VI

CHARLOTTE CORDAY A L'ABBAYE.

Pendant ce temps, Charlotte Corday n'était point oubliée, et son procès se préparait activement.

On l'avait enfermée à l'Abbaye, dans la petite chambre occupée auparavant par Mme Roland, puis par Brissot. Et la surveillance était si rigoureuse que deux gendarmes ne la quittaient ni le jour ni la nuit. A peine installée, elle demanda de l'encre et du papier, et écrivit cette lettre, qui témoigne d'un singulier état d'esprit :

Citoyens composant le Comité de sûreté générale,

Puisque j'ai encore quelques instants à vivre, pourrais-je espérer, Citoyens, que vous me permettrez de me faire peindre ; je voudrais laisser cette marque de mon souvenir à mes amis. D'ailleurs, comme on chérit l'image des bons citoyens, la curiosité fait quelquefois rechercher ceux des grands criminels, ce qui sert à perpétuer l'horreur de leurs crimes ; si vous daignez faire attention à ma demande, je vous prie de m'envoyer demain un peintre en miniature. Je vous renouvelle celle de me laisser dormir seule. Croyez, je vous prie, à toute ma reconnaissance.

Marie CORDAY.

Ce même jour, Charlotte Corday commença une longue lettre pour Barbaroux, à qui elle avait promis de donner des nouvelles de son voyage, et qui ne s'attendait assurément point à celles qu'il allait recevoir.

Cette lettre sert plus qu'une longue dissertation à faire connaître l'état d'âme de Charlotte. On y verra avec quelle sérénité, quel enjouement même elle parle d'elle, de son crime, à cette heure terrible. Elle a de la morale une conception toute païenne ; elle a agi comme Brutus, et elle mérite les mêmes éloges et la même récompense : le repos dans les Champs-Élysées.

Aux prisons de l'Abbaye, dans la ci-devant chambre de Brissot, le second jour de la préparation à la paix.

Vous avez désiré, Citoyen, le détail de mon voyage. Je ne vous ferai point grâce de la moindre anecdote. J'étais avec de bons montagnards que je laissai parler tout leur content, et leurs propos, aussi sots que leurs personnes étaient désagréables, ne servirent pas peu à m'endormir ; je ne me réveillai pour ainsi dire qu'à Paris. Un de nos voyageurs, qui aime sans doute les femmes dormantes, me prit pour la fille d'un de ses amis, me supposa une fortune que je n'ai pas, me donna un nom que je n'avais jamais entendu, et enfin m'offrit sa fortune et sa main. Quand je fus ennuyée de ses propos : « Nous jouons parfaitement la comédie, lui dis-je; il est malheureux, avec autant de talent, de n'avoir point de spectateur; je vais chercher nos compagnons de voyage pour qu'ils prennent leur part du divertissement. » Je le laissai de bien mauvaise humeur. La nuit, il chanta des chansons plaintives, propres à exciter le sommeil. Je le quittai enfin à Paris, refusant de lui donner mon adresse ni celle de mon père, à qui il voulait me demander; il me quitta de bien mauvaise humeur. J'ignorais que ces messieurs eussent interrogé les voyageurs, et je soutins ne les connaître aucun, pour ne point leur donner le désagrément de s'expliquer; je suivais en cela mon oracle Raynal, qui dit qu'on ne doit pas la vérité à ses tyrans. C'est par la voyageuse qui était avec moi qu'ils ont su que je vous connaissais et que j'avais parlé à Duperret. Vous connaissez l'âme ferme de Duperret; il leur a répondu l'exacte vérité. J'ai confirmé sa déposition par la mienne; il n'y a rien contre lui, mais sa fermeté est un crime. Je craignais, je l'avoue, qu'on ne découvrît que je lui avais parlé; je m'en repentis trop tard; je voulus le réparer en l'engageant à vous aller retrouver : il est trop décidé pour se laisser engager. Sûre de son innocence et de celle de tout le monde, je me décidai à l'exécution de mon projet. Le croiriez-vous? Fauchet est en prison comme mon complice, lui qui ignorait mon existence; mais on n'est guère content de n'avoir qu'une femme sans conséquence à offrir aux mânes de ce grand homme.

Pardon, ô humains, ce mot déshonore votre espèce; c'était une bête féroce qui allait dévorer le reste de la France par le feu de la guerre civile. Maintenant, vive la paix! Grâce au ciel, il n'était pas né Français. Quatre membres se trouvèrent à mon premier interrogatoire. Chabot avait l'air d'un fou, Legendre voulait m'avoir vue le matin chez lui, moi qui n'ai jamais songé à cet homme, et je ne prétendais pas punir tant de monde. Tous ceux qui me voyaient pour la première fois prétendaient me connaître de longtemps. Je crois que l'on a imprimé les dernières paroles de Marat; je doute qu'il en ait proféré, mais voilà les dernières qu'il m'a dites : après avoir écrit vos noms à tous et ceux des administrateurs du Calvados qui sont à Évreux, il me dit pour me consoler que, dans peu de jours, il vous ferait tous guillotiner à Paris. Ces derniers mots décidèrent de son sort. Si le Département met sa figure vis-à-vis de celle de Saint-Fargeau, il pourra faire graver ces paroles en lettres d'or. Je ne vous ferai aucun détail sur ce grand événement; les journaux vous en parleront. J'avoue que ce qui m'a décidée tout à fait, c'est le courage avec lequel nos volontaires se sont enrôlés dimanche 7 juillet. Vous vous souvenez comme j'en étais charmée, et je me promettais bien de faire repentir Pétion des soupçons qu'il manifesta sur mes sentiments. « Est-ce que vous seriez fâchée s'ils ne partaient pas? » me dit-il. Enfin donc, j'ai considéré que, tant de braves gens venant pour avoir la tête d'un seul homme qu'ils auraient manqué, ou qui auraient entraîné dans sa perte beaucoup de bons citoyens, il ne méritait pas tant d'honneur : suffisait de la main d'une femme. J'avoue que j'ai employé un artifice perfide pour l'attirer à me recevoir; tous les moyens sont bons dans une telle circonstance. Je comptais, en partant de Caen, le sacrifier sur la cime de la Montagne, mais il n'allait plus à la Convention. Je voudrais avoir conservé votre lettre, on aurait mieux connu que je n'avais pas de complice; enfin cela s'éclaircira. Nous sommes si bons républicains à Paris que l'on ne conçoit pas comment une femme inutile, dont la plus longue vie ne serait bonne à rien, peut se sacrifier de sang-froid pour sauver tout son pays. Je m'attendais bien à mourir dans l'instant : des hommes courageux et vraiment au-dessus de tout éloge m'ont préservée de la fureur bien excusable des malheureux que j'avais faits. Comme j'étais vraiment de sang-froid, je souffris des cris de quelques femmes; mais qui sauve la patrie ne s'aperçoit point de ce qu'il en coûte. Puisse la paix s'établir aussitôt que je la désire! Voilà un grand préliminaire; sans cela nous ne l'aurions jamais eue.

Je jouis délicieusement de la paix depuis deux jours, le bonheur de mon pays fait le mien; il n'est point de dévouement dont on ne retire plus de jouissance qu'il n'en coûte à se décider. Je ne doute pas que l'on ne tourmente un peu mon père, qui a déjà bien **assez de ma perte pour l'affliger**. Si l'on y trouve mes lettres, la plupart sont vos portraits ; s'il s'y trouvait quelque plaisanterie sur votre compte, je vous prie de me la passer, je suivais la légèreté de mon caractère. Dans ma dernière lettre, je lui faisais croire que, redoutant les horreurs de la guerre civile, je me retirais en Angleterre ; alors mon projet était de garder l'incognito, de tuer Marat publiquement, et, mourant aussitôt, laisser les Parisiens chercher inutilement mon nom. Je vous prie, Citoyen, vous et vos collègues, de prendre la défense de mes parents et amis si on les inquiète. Je ne dis rien à mes chers amis aristocrates, je conserve leur souvenir dans mon cœur. Je n'ai jamais haï qu'un seul être, et j'ai fait voir avec quelle violence, mais il en est mille que j'aime encore plus que je ne le haïssais. Une imagination vive, un cœur sensible promettent une vie bien orageuse ; je prie ceux qui me regretteraient de le considérer, et ils se réjouiront de me voir jouir du repos dans les Champs-Élysées avec Brutus et quelques anciens ; pour les modernes, il est peu de vrais patriotes qui sachent mourir pour leur pays ; presque tout est égoïsme. Quel triste peuple pour fonder une république ! Il faut du moins fonder la paix, et le gouvernement viendra comme il pourra ; du moins ce ne sera pas la Montagne qui régnera, si l'on m'en croit. Je suis on ne peut pas mieux dans ma prison, les concierges sont les meilleures gens possibles ; on m'a donné des gendarmes pour me préserver de l'ennui ; j'ai trouvé cela fort bien pour le jour et fort mal pour la nuit ; je me suis plainte de cette indécence, le Comité n'a pas jugé à propos d'y faire attention ; je crois que c'est de l'invention de Chabot : il n'y a qu'un Capucin qui puisse avoir ces idées. Je passe mon temps à écrire des chansons ; je donne le dernier couplet de celle de Valady à tous ceux qui le veulent ; je promets à tous les Parisiens que nous ne prenons les armes que contre l'anarchie, ce qui est exactement vrai.

Ici, la lettre est interrompue. La procédure est vivement poussée et, dès le 16 au matin, un arrêt du tribunal ordonne que Charlotte Corday soit transférée de l'Abbaye à la Conciergerie. L'arrêt est aussitôt exécuté, et le président du tribunal, Montané, procède à son interrogatoire.

Le souci de lui trouver des complices et d'arriver à la découverte d'un complot est la grande préoccupation ; aussi lui pose-t-on une série de questions, auxquelles elle répond avec une netteté, une franchise imperturbables.

Comme on lui demande pourquoi elle est venue à Paris :

— Je n'avais d'autre intention, répond-elle, et je n'y suis venue que pour tuer Marat.

— Quels sont les motifs qui ont pu vous déterminer à une action si horrible ?

— Ses crimes.

— Quels crimes lui reprochez-vous ?

— La désolation de la France, la guerre civile qu'il a allumée dans tout le royaume.

— Sur quoi vous fondez-vous pour cette imputation ?

— Ses crimes passés sont un indice de ses crimes présents. C'est lui qui a fait massacrer au mois de septembre ; c'est lui qui entretient le feu de la guerre civile pour se faire nommer dictateur ou autre chose, et c'est encore lui qui a attenté à la souveraineté du peuple, en faisant arrêter et enfermer des députés à la Convention, le 31 mai dernier...

— ...En lui portant le coup, croyiez-vous le tuer ?

— J'en avais bien l'intention.

— Une action si atroce ne peut avoir été commise par une femme de votre âge sans y avoir été excitée par quelqu'un.

— Je n'ai dit mes projets à personne ; je n'ai pas cru tuer un homme, mais une bête féroce qui dévorait tous les Français...

Montané insiste : il l'interroge sur ses relations avec Barbaroux, Duperret, etc. Il lui dit qu'elle ne fera croire à personne qu'elle ait pu exécuter une pareille action sans y être poussée par quelqu'un.

— C'est bien mal connaître le cœur humain, répond-elle avec un grand sens. C'est plus facile d'exécuter un tel projet d'après sa propre haine que d'après celle des autres.

En terminant, le président lui demande si elle a un défenseur. Elle déclare choisir le citoyen Doulcet de Pontécoulant, député de Caen à la Convention.

Puis elle est emmenée à la Conciergerie. Le procès est indiqué pour le lendemain. Elle profite de sa dernière soirée pour terminer sa lettre à Barbaroux.

Ici l'on m'a transférée à la Conciergerie, et ces messieurs du grand jury m'ont promis de vous envoyer ma lettre; je continue donc. J'ai prêté un long interrogatoire, je vous prie de vous le procurer s'il est rendu public. J'avais une adresse sur moi, lors de mon arrestation, aux Amis de la paix; je ne puis vous l'envoyer; j'en demanderai la publication, je crois bien en vain. J'avais eu une idée hier soir de faire hommage de mon portrait au département du Calvados; mais le Comité de salut public, à qui je l'avais demandé, ne m'a point répondu, et maintenant il est trop tard. Je vous prie, citoyen, de faire part de ma lettre au citoyen Bougon, procureur général syndic du département; je ne la lui adresse pas pour plusieurs raisons : d'abord, je ne suis pas sûre que dans ce moment il soit à Évreux; je crains de plus qu'étant naturellement sensible il ne soit affligé de ma mort. Je le crois cependant assez bon citoyen pour se consoler par l'espoir de la paix. Je sais combien il la désire et j'espère qu'en la facilitant j'ai rempli ses vœux. Si quelques amis demandaient communication de cette lettre, je vous prie de ne la refuser à personne.

Il faut un défenseur, c'est la règle; j'ai pris le mien sur la Montagne : c'est Gustave Doulcet; j'imagine qu'il refusera cet honneur, cela ne lui donnerait cependant guère d'ouvrage. J'ai pensé demander Robespierre ou Chabot. Je demanderai à disposer du reste de mon argent, et alors je l'offre aux femmes et enfants des braves habitants de Caen partis pour délivrer Paris.

Il est bien étonnant que le peuple m'ait laissé conduire de l'Abbaye à la Conciergerie. C'est une preuve nouvelle de sa modération. Dites-le à nos bons habitants de Caen : ils se permettent quelquefois de petites insurrections que l'on ne contient pas si facilement.

C'est demain à huit heures que l'on me juge : probablement à midi j'aurai vécu, pour parler le langage romain. On doit croire à la valeur des habitants du Calvados, puisque les femmes mêmes de ce pays sont capables de fermeté. Au reste, j'ignore comment se passeront les derniers moments, et c'est la fin qui couronne l'œuvre. Je n'ai point besoin d'affecter d'insensibilité sur mon sort, car jusqu'à cet instant je n'ai point la moindre crainte de la mort; je n'estimai jamais la vie que par l'utilité dont elle devait être. J'espère que demain Duperret et Fauchet seront mis en liberté. On prétend que ce dernier m'a conduite à la Convention dans une tribune. De quoi se mêle-t-il d'y conduire des femmes? Comme député, il ne devait point être aux tribunes, et, comme évêque, il ne devait point être avec des femmes; ainsi c'est une petite correction; mais Duperret n'a aucun reproche à se faire.

Marat n'ira point au Panthéon; il le méritait pourtant bien. Je vous charge de recueillir les pièces propres à faire son oraison funèbre. J'espère que vous n'abandonnerez point l'affaire de Mme de Forbin; voici son adresse, s'il est besoin de lui écrire : Alexandrine Forbin, à Mendresie, par Zurich, en Suisse. Je vous prie de lui dire que je l'aime de tout mon cœur. Je vais écrire un mot à papa; je ne dis rien à mes autres amis, je ne leur demande qu'un prompt oubli. Leur affliction déshonorerait ma mémoire. Dites au général Wimpffen que je crois lui avoir aidé à gagner plus d'une bataille, en lui facilitant la paix. Adieu, citoyen, je me recommande au souvenir des vrais amis de la paix.

Les prisonniers de la Conciergerie, loin de m'injurier comme ceux des rues, avaient l'air de me plaindre; le malheur rend toujours compatissant; c'est ma dernière réflexion.

>   Mardi 16, à huit heures du soir.

Au citoyen Barbaroux, député à la Convention nationale, réfugié à Caen, rue des Carmes, hôtel de l'Intendance.

>   CORDAY.

Elle écrit ensuite à son père, M. de Corday d'Armont, rue du Bègle, à Argentan :

Pardonnez-moi, mon cher papa, d'avoir disposé de mon existence sans votre permission. J'ai vengé bien d'innocentes victimes, j'ai prévenu bien d'autres désastres : le peuple, un jour désabusé, se réjouira d'être délivré d'un tyran. Si j'ai cherché à vous persuader que je passais en Angleterre, c'est que j'espérais garder l'incognito, mais j'en ai reconnu l'impossibilité. J'espère que vous ne serez point tourmenté ; en tous cas, je crois que vous auriez des défenseurs à Caen. J'ai pris pour défenseur Gustave Doulcet. Un tel attentat ne permet nulle défense ; c'est pour la forme. Adieu, mon cher papa, je vous prie de m'oublier, ou plutôt de vous réjouir de mon sort ; la cause en est belle. J'embrasse ma sœur, que j'aime de tout mon cœur, ainsi que tous mes parents ; n'oubliez pas ce vers de Corneille :

> Le crime fait la honte et non pas l'échafaud.

C'est demain à huit heures que l'on me juge. Ce 16 juillet.

CORDAY.

VII

CHARLOTTE CORDAY DEVANT LE TRIBUNAL RÉVOLUTIONNAIRE.

Le lendemain 17, mercredi, à huit heures du matin, Charlotte est amenée devant le tribunal révolutionnaire. Montané préside, assisté des juges Foucault, Roussillon et Ardouin. Fouquier-Tinville occupe son siège d'accusateur public.

Les douze jurés prennent place, en face de l'accusée. Ce sont des inconnus, sauf Leroy, ex-marquis de Montflabert, qui a troqué son nom monarchique contre l'appellation de Dix-Août, et Fualdès, qu'une fin tragique devait, vingt-quatre ans plus tard, rendre célèbre.

Après les questions d'usage, le président lui demande si elle a un défenseur.

— J'avais choisi un ami, mais je n'en ai point entendu parler depuis. Apparemment il n'a pas eu le courage d'accepter ma défense.

Le motif de l'absence de Doulcet de Pontécoulant était simplement qu'il n'avait pas reçu la lettre de Charlotte : il ne devait être informé du désir de la jeune fille que quelques jours plus tard.

Le président lui nomme alors d'office pour défenseur Chauveau-Lagarde, avec le citoyen Grenier pour conseil adjoint.

L'acte d'accusation lu, on entend les témoins. La vue de Simone Évrard impressionne vivement Charlotte : la douleur de cette femme lui fait mal.

— C'est moi qui l'ai tué, s'écrie-t-elle, espérant par cet aveu mettre fin à une scène cruelle.

D'ailleurs, elle ne nie rien : bien plus, elle affirme hautement que seule elle a conçu le crime; elle se déclare républicaine, et elle a été poussée par son amour de la patrie et de la République.

— Qui vous a engagée à commettre cet assassinat?
— Ses crimes... C'est moi seule qui en ai conçu l'idée...
... J'aurais voulu l'immoler sur la cime de la Montagne. Si j'avais cru pouvoir réussir de cette manière, je l'aurais préférée à toute autre. J'étais bien sûre alors de devenir à l'instant victime de la fureur du peuple, et c'est ce que je désirais. On me croyait à Londres; mon nom eût été ignoré...
— Y avait-il longtemps que vous aviez formé ce projet?
— Depuis l'affaire du 31 mai, jour de l'arrestation des députés du peuple...
... J'ai tué un homme pour en sauver cent mille... J'étais républicaine bien avant la Révolution et n'ai jamais manqué d'énergie.
— Qu'entendez-vous par énergie?

— Ceux qui mettent l'intérêt particulier de côté et savent se sacrifier pour leur patrie.

On fait venir comme témoins, avant qu'ils deviennent des accusés, Duperret et Fauchet, qu'on voudrait trouver ses complices. Elle rejette nettement ces insinuations.

— Comment pouvez-vous faire croire que vous n'avez pas été conseillée, lorsque vous dites que vous regardez Marat comme la cause de tous les maux qui désolent la France, lui qui n'a cessé de démasquer les traîtres et les conspirateurs?

— Il n'y a qu'à Paris que l'on a les yeux fascinés sur le compte de Marat; dans les autres départements, on le regarde comme un monstre.

— Comment avez-vous pu regarder Marat comme un monstre, lui qui ne vous a laissé introduire chez lui que par un acte d'humanité, parce que vous lui avez écrit que vous étiez persécutée?

— Que m'importe qu'il se montre humain envers moi, si c'est un monstre envers les autres?

— Croyez-vous avoir tué tous les Marat?

— Celui-là mort, les autres auront peur.

Tout en répondant, l'accusée, avec un étonnant sang-froid, ne perd rien de ce qui se passe dans la salle d'audience. A un moment, elle s'aperçoit qu'un des auditeurs est occupé à dessiner son portrait : elle tourne la tête de son côté, heureuse du hasard qui lui donne la satisfaction qu'elle a vainement demandée aux membres du Comité de sûreté générale.

Singulière contradiction chez cette femme, qui a déclaré vouloir mourir ignorée, qui recommande à ses parents et à ses amis de l'oublier, et qui prend un si grand souci de laisser ses traits à la postérité.

L'interrogatoire terminé, on lui présente les pièces à

conviction. A la vue du couteau, elle détourne les yeux.

— Oui, je le reconnais, je le reconnais.

Fouquier-Tinville intervient alors, rappelant que le coup a été donné avec une grande habileté.

— Il faut que vous vous soyez bien exercée à ce crime? dit-il.

Elle répond par un cri qui rend bien à la fois la conscience qu'elle a d'avoir accompli une haute mission et son inconscience de l'acte :

— Oh! le monstre! il me prend pour un assassin!

A part ces quelques traits qui la montrent émue pendant un instant, il semble qu'elle assiste en spectatrice à son procès. Quand on lit à l'audience sa lettre à Barbaroux, elle témoigne visiblement sa satisfaction, lorsqu'elle entend cette phrase : « Il me dit, pour me consoler, que dans peu de jours il vous ferait tous guillotiner à Paris. » C'est la justification de son crime.

Par contre, elle ne peut s'empêcher de rire à cette réflexion de sa lettre au sujet des gendarmes qui la veillent jour et nuit : « Je crois que c'est de l'invention de Chabot : il n'y a qu'un capucin qui puisse avoir de ces idées. »

La lecture achevée, elle insiste pour que cette lettre et celle qu'elle a adressée à son père soient envoyées à leur destination.

Fouquier-Tinville se lève alors et prononce un réquisitoire modéré dans la forme : les faits reconnus, avoués, parlent plus haut que lui.

Le rôle du défenseur est autrement difficile. A vrai dire, en l'état, aucune défense n'est possible. Tout ce qui explique l'acte de Charlotte et peut l'excuser ne doit point être dit : Marat est inattaquable.

Chauveau-Lagarde a raconté lui-même son embarras et l'émotion qu'il ressentit lorsque le moment vint pour lui de remplir son devoir :

... Quand je me fus levé pour parler, on entendit d'abord dans l'assemblée un bruit sourd et confus, comme de stupeur, et puis ensuite, si l'on peut s'exprimer de la sorte, comme un silence de mort qui me glaça jusqu'au fond des entrailles.

Pendant que l'accusateur public parlait, les jurés me faisaient dire de garder le silence, et le président, de me borner à soutenir que l'accusée était folle. Ils désiraient tous que je l'humiliasse.

Quant à elle, son visage était toujours le même. Seulement, elle me regardait de manière à m'annoncer qu'elle ne voulait pas être justifiée. Je ne pouvais d'ailleurs en douter d'après les débats, et cela était impossible, puisqu'il y avait, indépendamment de ses aveux, la preuve légale d'un homicide avec préméditation. Cependant, bien décidé à remplir mon devoir, je ne voulais rien dire que ma conscience et l'accusée pussent désavouer, et tout à coup l'idée me vint de me borner à une seule observation qui, dans une assemblée du peuple ou de législateurs, aurait pu servir d'élément à une défense complète, et je dis :

« L'accusée avoue avec sang-froid l'horrible attentat qu'elle a commis ; elle en avoue les circonstances les plus affreuses ; en un mot, elle avoue tout et ne cherche pas même à se justifier. Voilà, citoyens jurés, sa défense tout entière. Ce calme imperturbable et cette entière abnégation de soi-même, qui n'annoncent aucun remords, et pour ainsi dire en présence de la mort même ; ce calme et cette abnégation sublimes sous un rapport ne sont pas dans la nature : ils ne peuvent s'expliquer que par l'exaltation du fanatisme politique qui lui a mis le poignard à la main. Et c'est à vous, citoyens jurés, à juger de quel poids doit être cette considération morale dans la balance de la justice. Je m'en rapporte à votre prudence. »

A mesure que je parlais ainsi, un air de satisfaction brillait sur son visage.

La réponse des jurés n'est pas douteuse : Oui, à l'unanimité. L'accusateur public requiert la peine capitale. Charlotte Corday entend avec une muette impassibilité prononcer sa condamnation à mort et la confiscation de ses biens.

Elle s'adresse à Chauveau-Lagarde :

— Monsieur, je vous remercie du courage avec lequel vous m'avez défendue d'une manière digne de vous et de moi. Ces messieurs me confisquent mon bien, mais je veux vous donner un plus grand témoignage de ma reconnaissance : je vous prie de payer pour moi ce que je dois à la prison, et je compte sur votre générosité.

Chauveau-Lagarde accepta ce singulier legs et paya la dette, qui se montait à trente-six livres.

VIII

A LA CONCIERGERIE.

— J'avais espéré que nous déjeunerions ensemble, dit Charlotte Corday au concierge Richard et à sa femme, lorsqu'elle fut ramenée à la Conciergerie ; mais les juges m'ont retenue là-haut si longtemps qu'il faut m'excuser de vous avoir manqué de parole.

Elle refusa les secours de la religion que lui apportait un prêtre assermenté, l'abbé Lothringer.

— Remerciez ceux qui ont eu l'attention de vous envoyer ; je leur en sais gré, mais je n'ai pas besoin de votre ministère.

Les dernières heures de son existence furent employées par elle d'une manière qui lui tenait bien plus au cœur. Le jeune peintre Hauer, qui avait commencé à dessiner son portrait pendant l'audience, put pénétrer dans la prison et achever son œuvre (1).

D'ordinaire, on ne laissait point tant d'intervalle entre la condamnation et l'exécution, mais, cette fois, un incident avait retardé le supplice.

Le président du tribunal avait modifié de son chef la troisième question posée au jury, en substituant aux mots « intentions criminelles et contre-révolutionnaires » les mots « intentions criminelles et préméditées ». Fouquier-Tinville lui en avait adressé de vifs reproches, disant que, grâce à cette modification, on avait risqué de permettre au jury d'acquitter l'accusée, en la considérant comme folle.

Cette discussion avait occupé l'attention de Fouquier-Tinville, et il avait oublié de signer l'ordre d'exécution. Ce ne fut que quelques heures plus tard que, trouvant, à la porte de son cabinet, Sanson qui attendait cet ordre, il répara son oubli.

Tout le temps que posa Charlotte, elle fit preuve de tant de sérénité, de tant de liberté d'esprit, qu'on eût pu croire qu'elle avait elle-même perdu le souvenir de sa condamnation.

— Quoi! déjà? s'écria-t-elle quand elle vit entrer le bourreau.

Elle prit un livre, en arracha un feuillet, et écrivit ces quelques lignes, où elle manifestait de nouveau son injuste ressentiment contre le défenseur qu'elle avait désigné tout d'abord.

(1) Ce portrait se trouve actuellement au Musée de Versailles.

Le citoyen Doulcet de Pontécoulant est un lâche d'avoir refusé de me défendre, lorsque la chose était si facile. Celui qui l'a fait s'en est acquitté avec toute la dignité possible; je lui en conserve ma reconnaissance jusqu'au dernier moment.

Marie DE CORDAY.

Elle coupa elle-même deux mèches de ses beaux cheveux, qu'elle donna, l'une au peintre, l'autre au concierge Richard pour sa femme, puis elle se livra au bourreau.

— Voilà la toilette de la mort faite par des mains un peu rudes, dit-elle, mais elle conduit à l'immortalité.

Elle revêtit alors la chemise rouge des assassins.

IX

LE TRAJET. — L'EXÉCUTION.

La charrette attendait devant le guichet de la Conciergerie. Une foule énorme l'entourait. A la vue de Charlotte, c'est un déchaînement de cris et d'injures qui se fait entendre même au milieu des grondements du tonnerre; un orage d'été, d'une grande violence, éclate en ce moment sur Paris.

La pluie, les éclairs, le bruit de la foudre, rien n'arrête la curiosité du peuple. L'empressement est tel que le cortège n'avance qu'avec une extrême lenteur. Charlotte reste debout sur la charrette, bien que Sanson lui ait offert une chaise. Impassible, elle assiste à cette explosion de haine qu'excite sa vue.

Toutefois, dans la foule, elle peut observer quelques

marques de sympathie, d'admiration même. On oublie le crime, on ne voit que le courage et la sérénité dont elle fait preuve.

Parmi ces amis inconnus, un homme se signale tout particulièrement. C'est un jeune député de Mayence, Adam Lux, que la Révolution française a enthousiasmé et que la Convention a admis dans son sein.

Adam Lux s'attache à la charrette : il témoigne de son admiration passionnée pour la victime avec une franchise et une insistance sans pareilles. Il la proclame « plus grande que Brutus », et il rêve de mourir comme elle. Son désir se réalisera quelques mois plus tard...

D'autres spectateurs veulent contempler l'héroïne, mais ceux-là se dissimulent derrière une fenêtre de la rue Saint-Honoré : c'est Robespierre, Danton et Camille Desmoulins.

Quelles réflexions leur suggère un tel spectacle? Quelles réflexions leur suggérerait l'avenir, si le voile qui le couvre se déchirait à leurs yeux?...

Cependant la charrette continue à avancer lentement : il y a près de deux heures qu'on a quitté la Conciergerie.

— Vous trouvez que c'est bien long? dit Sanson.

— Bah! nous sommes toujours sûrs d'arriver, répond-elle.

Au moment de déboucher sur la place de la Révolution, Sanson veut lui dérober la vue de la guillotine, et se met devant elle.

Elle se penche en avant :

— J'ai bien le droit d'être curieuse. Je n'en avais jamais vu.

Toutefois, malgré sa force d'âme, elle pâlit, mais cette altération de ses traits se dissipe promptement.

Elle descend de la charrette et monte sur l'échafaud. Elle salue le peuple. Veut-elle lui adresser quelques paroles? On l'entraîne. Le bourreau lui enlève le fichu qui recouvre ses épaules; un léger incarnat colore ses joues :

Dernier trait de pudeur à ses derniers moments!

Puis elle se couche sur la bascule, le couteau tombe, et sa tête roule dans le panier.

Un aide du bourreau, Legros, prend alors cette tête sanglante, la montre au peuple et la soufflette. La légende dit qu'elle rougit sous l'outrage.

C'est au bruit du tonnerre, au milieu des éclairs, et parfois à la lumière éclatante d'un soleil d'été perçant dans une éclaircie de nuages, que s'est accomplie l'exécution. Le corps est emporté au cimetière de la Madeleine, où il est inhumé sans aucune cérémonie.

Ce n'est qu'en 1804 qu'une croix s'élèvera sur la tombe de Charlotte. Ses restes, d'ailleurs, ne resteront pas là et seront transportés, en 1815, au cimetière Montparnasse.

X

LE CULTE DE MARAT.

Jamais citoyen mort ne reçut tant d'honneurs que Marat. Sans aller presque aussi loin que l'orateur qui, le comparant au Christ, a entonné une sorte de *O cor Jesu! O cor Marat!* tout le monde semble lutter à qui se signalera dans cette course à l'apothéose.

On place le cœur de Marat dans un vase en agate trouvé au Garde Meuble.

On décrète l'érection d'un monument commémoratif sur la place de la Réunion (place du Carrousel), et on l'inaugure avec pompe le 19 août.

David accomplit sa promesse et peint Marat dans sa baignoire.

Un buste de l'Ami du peuple est envoyé à toutes les sections.

De Paris, sa gloire s'étend sur la province. Plus de trente villes ou villages veulent s'appeler Marat, à commencer par le Havre. Il devient de mode, dans les baptêmes civils, de donner aux enfants le prénom de Marat. Dans les écoles, une image populaire représente ses traits. Le commerce met en circulation des bagues, des broches, des épingles de cravate, des montres avec son portrait.

Le théâtre s'occupe de lui : on joue la *Mort de Marat*, la *Mort de l'infortuné Marat, Marat dans le souterrain des Cordeliers, Marat dans l'Olympe,* comédie mêlée d'ariettes, l'*Arrivée de Marat aux Champs-Élysées*, etc.

Nombre de pièces de vers, plutôt mauvais que bons, sont composés sur le tragique événement. Voici deux couplets de la complainte : *La mort du patriote Marat, l'une des plus fermes colonnes de la Constitution, assassiné par une femme du Calvados.*

AIR : Cœurs sensibles, cœurs fidèles de Figaro.

> Amis, que notre complainte
> Retentisse avec éclat;
> Ne formons tous qu'une plainte
> Sur la perte de Marat.
> Chacun est saisi de crainte
> En voyant cet attentat,
> Fruit d'un complot scélérat (*bis*).

> Le coup qui perce notre âme
> A jamais d'un vif regret
> Part de la main d'une femme
> Abandonnée au forfait.
> Satan créa cette femme :
> On y voit en chaque trait
> Du tentateur le portrait (*bis*).

Bientôt des hommages plus considérables sont décernés à l'Ami du peuple. Le 19 novembre 1793, la Convention vote à Marat les honneurs du Panthéon.

Le 21 septembre 1794, la cérémonie a lieu avec un éclat extraordinaire.

Mais déjà le culte de l'Ami du peuple commence à faiblir. Quelques mois ne sont pas écoulés, que la Convention, sans oser revenir sur son vote, décrète que les honneurs du Panthéon ne seront décernés à un citoyen que dix ans après sa mort (8 février 1795).

C'est le prélude de la dépanthéonisation. Le 9 janvier, on a commencé à démolir le monument de la place de la Réunion. Le 26 février, Marat est expulsé du Panthéon : ses restes sont portés au cimetière ci-devant Sainte-Geneviève.

C'en est fait du culte officiel et même populaire de Marat. Depuis, sa mémoire semble vouée à l'exécration, et son sang répandu par le couteau de Charlotte Corday n'a point effacé celui qu'il a fait répandre.

Mais n'est-il pas curieux de constater que c'est au nom de la Patrie et de la République que Marat réclamait des supplices, et que Charlotte l'a frappé au nom de la République et de la Patrie?

L'une et l'autre assurément n'en demandaient pas tant.

PROCÈS ET EXÉCUTION

DE MARIE-ANTOINETTE

(12-16 OCTOBRE 1793)

———

I

L'INTERROGATOIRE.

Le 21 vendémiaire an II (samedi 12 octobre 1793), malgré l'heure tardive, — il est six heures du soir, — la salle du tribunal révolutionnaire est ouverte.

Deux bougies éclairent seules la vaste pièce, et l'éclairent mal, si bien que, dans la presque obscurité, on distingue à peine, à sa table chargée de papiers, le greffier du tribunal, Pâris, qui se fait aujourd'hui appeler Fabricius depuis qu'un homonyme a tué le régicide Lepeletier de Saint-Fargeau.

Près de lui se tiennent Herman, le président du tribunal, et Fouquier-Tinville, l'accusateur public. Quelques individus se sont glissés dans le fond de la salle, poussés par la curiosité : ils se dissimulent dans l'ombre.

Une femme est alors introduite. Vêtue d'une robe noire, d'un caraco de même couleur, coiffée d'un méchant bonnet d'où s'échappent quelques mèches de cheveux blancs, elle s'avance entre deux officiers de gendarmerie.

Elle est tellement amaigrie que ses vêtements semblent flotter autour de son corps, et si faible qu'à peine elle peut se tenir sur ses jambes. Son visage est d'une pâleur mate, et l'expression de sa physionomie trahit une fatigue, une lassitude infinies.

Elle promène autour d'elle des regards inquiets. Que signifie cet appareil? Que veut dire cette comparution à une heure aussi tardive, devant ces gens qu'elle voit à peine? Elle cherche à distinguer dans l'obscurité quelles personnes sont là, mais elle n'y parvient guère. On la fait asseoir sur une banquette placée en face de Fouquier-Tinville.

L'interrogatoire commence. Le président lui demande ses noms, âge, profession, pays et demeure.

— Marie-Antoinette de Lorraine d'Autriche, âgée de trente-huit ans, veuve du roi de France, répond-elle.

Cette femme, en effet, n'est autre que la veuve de Louis XVI, cette fille d'Autriche devenue reine de France.

Pendant les quelques mois qui ont suivi le supplice du Roi, on a pu croire que les révolutionnaires respecteraient l'existence d'une femme. Les événements ont démenti ces espérances. La Vendée soulevée, Lyon révolté, Toulon livré aux Anglais, les frontières menacées ou envahies ont excité et exaspéré les âmes farouches des représentants que la France s'est donnés. Obéissant aux clameurs de la foule qui leur dénoncent l'*Autrichienne*, ils ont résolu de lui faire partager jusqu'au bout le sort de son époux.

Dans la séance du 3 octobre, Billaud-Varennes a

demandé le procès, on pourrait plutôt dire le supplice de la prisonnière :

Une femme, la honte de l'humanité et de son sexe, la veuve Capet, doit enfin expier ses forfaits sur l'échaufaud. Déjà on publie partout qu'elle a été transférée au Temple (1), qu'elle a été jugée secrètement et que le tribunal révolutionnaire l'a blanchie ; comme si une femme qui a fait couler le sang de plusieurs milliers de Français *pouvait être absoute par un jury français !* Je demande que le tribunal révolutionnaire prononce cette semaine sur son sort.

La proposition a été décrétée séance tenante.

La mise en jugement, c'est la condamnation : personne ne s'y est trompé. Toutefois, on a voulu garder un semblant de justice et réunir contre Marie-Antoinette des preuves, ou tout au moins des pièces et des témoignages qui en tiendraient lieu.

L'accusateur public a réclamé le dossier dès le 5 octobre. « Quelque désir que le tribunal ait d'exécuter les décrets de la Convention, il se trouve dans l'impossibilité d'exécuter ce décret, tant qu'il n'aura pas les pièces. »

On s'est mis en campagne aussitôt. Dès le lendemain 6, le maire de Paris, Pache, Chaumette, procureur de la Commune, et quelques commissaires, sous l'inspiration d'Hébert, « le patriote et bougrement patriote père Duchesne », aux dires du cordonnier Simon, se sont rendus au Temple et ont arraché au pauvre petit Louis XVII quelques confidences insignifiantes et d'abominables calomnies contre sa mère.

De son côté, Gohier, le ministre de la justice, a réuni quelques pièces ; enfin les membres du Comité de salut public ont autorisé Fouquier-Tinville à se faire commu-

____

(1) Depuis le 2 août, Marie-Antoinette était à la Conciergerie.

niquer les documents, déposés aux Archives, qui ont servi dans le procès de Louis XVI.

Le dossier ainsi constitué, on a pu commencer le procès, et l'interrogatoire du 12 octobre est le premier et le dernier acte de l'instruction préparatoire, avant les débats.

Trouver Marie-Antoinette coupable d'intrigues avec les princes étrangers et de résistance au mouvement révolutionnaire est la grande préoccupation d'Herman. Toutefois, comme Louis XVI a déjà été condamné sur ces mêmes chefs d'accusation, il cherche à faire d'elle, non pas seulement la complice, mais l'instigatrice de la politique du feu roi.

D. — Depuis la Révolution vous n'avez cessé un instant de manœuvrer chez les puissances étrangères et dans l'intérieur contre la liberté, lors même que nous n'avions encore que le simulacre de cette liberté que veut absolument le peuple français?

A répondu que, depuis la Révolution, elle s'est interdit personnellement toute correspondance au dehors et qu'elle ne s'est jamais mêlée de l'intérieur...

D. — C'est vous qui avez appris à Louis Capet cet art d'une profonde dissimulation, avec laquelle il a trompé trop longtemps le bon peuple français, qui ne se doutait pas qu'on pût porter à un tel point la scélératesse et la perfidie.

R. — Oui, le peuple a été trompé; il l'a été cruellement, mais ce n'est ni par mon mari, ni par moi.

D. — Par qui donc le peuple a-t-il été trompé?

R. — Par ceux qui y avaient intérêt; et ce n'était pas le nôtre de le tromper...

On l'interroge au sujet du voyage de Varennes. N'a-t-elle pas eu pour complices Lafayette, Bailly et Renard, l'architecte?

Elle repousse l'accusation avec vivacité; mais, comme elle a ajouté, à l'égard du dernier, que ce n'est pas lui qui dirigeait la marche, car « elle seule a ouvert la porte et fait sortir tout le monde », Herman en veut aussitôt tirer un aveu favorable à sa thèse.

D. — A elle observé que, de cet aveu, qu'elle a ouvert la porte et fait sortir tout le monde, il ne reste aucun doute que c'est elle qui dirigeait Louis Capet dans ses actions, et qui l'a déterminé à fuir.

Elle répond avec un grand sens « qu'elle ne croyait pas qu'une porte ouverte prouvât qu'on dirige les actions, en général, de quelqu'un; que son époux désirait et croyait devoir sortir d'ici avec ses enfants, qu'elle devait le suivre; c'était son devoir, son sentiment. Elle devait tout employer pour rendre sa sortie sûre. »

Repoussé sur les questions de fait, le président cherche à l'amener à des réponses compromettantes par des interrogations insidieuses sur des questions de principe.

D. — Quel intérêt mettez-vous aux armes de la République?

R. — Le bonheur de la France est celui que je désire par-dessus tout.

D. — Pensez-vous que les rois soient nécessaires au bonheur du peuple?

R. — Un individu ne peut pas décider de cette chose.

D. — Vous regrettez sans doute que votre fils ait perdu un trône sur lequel il eût pu monter si le peuple, enfin éclairé sur ses droits, n'eût pas brisé ce trône?

R. — Je ne regretterai jamais rien pour mon fils quand son pays sera heureux.

Herman l'interroge ensuite sur la tentative de Rougeville, sur les officiers municipaux qui lui ont témoigné de l'intérêt, etc. Elle répond avec habileté, s'efforçant de ne découvrir personne, tout en se défendant de son mieux.

Le président arrête l'interrogatoire, et lui demande « si elle a un conseil ».

R. — Non, attendu que je ne connais personne.
D. — Voulez-vous que le tribunal vous en donne un ou deux d'office?
R. — Je le veux bien.

Il désigne alors, pour remplir cette tâche, Tronson-Ducoudray et Chauveau-Lagarde.

Elle signe l'interrogatoire avec Herman, Fouquier et Fabricius, et elle est ramenée dans sa cellule, à la Conciergerie.

II

LES ÉTAPES DOULOUREUSES.

Ainsi, c'en est fait. De malheurs en malheurs, la reine de France est tombée des Tuileries au Temple, du Temple à la Conciergerie, et la voici à la veille de paraître devant le tribunal révolutionnaire. Dans trente-six heures son procès commencera, et quel procès! Il ne reste à la pauvre femme d'autres chances de salut que la justice d'un tribunal qui exécute des ordres et qui ignore la pitié!

Quel sort que celui de cette reine! Née en un jour de deuil pour toute la chrétienté, le 2 novembre, jour des Morts, en un jour d'épouvantable calamité pour une des plus belles cités du monde, le jour du tremblement de terre de Lisbonne, il semble que sa vie ait porté la peine de ce hasard de mauvais augure et que la fatalité se soit, de tout temps, acharnée contre elle.

Ce n'est pas le lieu de retracer, même à grands traits, l'existence d'une princesse qui ne connut guère les vraies joies, et qui devait payer si cher des fautes inévitables dans sa situation; tout au plus nous est-il permis de rappeler quels efforts ont été tentés, dans les derniers mois, pour sa délivrance.

Efforts restés tous infructueux : ni le dévouement chevaleresque de Jarjayes, ni la bravoure intrépide du Gascon Toulan, ni l'héroïsme du baron de Batz, ni la prudence courageuse de Michonis et de Cortey, ni la noble folie de Paul de Lézardière, ni la suprême tentative de l'aventurier Rougeville n'ont rien pu pour arracher aux bourreaux l'auguste victime.

Les rois coalisés de l'Europe sont impuissants à seulement essayer de venir à son secours. Le désirent-ils d'ailleurs sincèrement? C'est plus que douteux : ils se réjouissent au fond du cœur de l'abaissement et de la ruine de cette Maison de France qui les a si longtemps écrasés de sa gloire. Et le propre neveu de la reine captive, l'empereur d'Allemagne François II, au chevalier de Rougeville, qui lui parle des dangers que court Marie-Antoinette, ne trouve d'autre réponse à faire que celle-ci :

— Eh bien! monsieur, je connais le grand cœur de ma tante : elle saura mourir.

III

LE CACHOT DE LA CONCIERGERIE.

Marie-Antoinette est ramenée dans son cachot.

C'est le second qu'elle occupe depuis son entrée à la Conciergerie. Après l'affaire de l'œillet, elle a été mise dans la pharmacie, transformée en cellule par les administrateurs de police, Froidure, Soulès, Gagnant, Figuet, Calleux et Godard, lesquels ont pris les précautions les plus minutieuses pour qu'aucun enlèvement, aucune communication ne soient possibles.

Ils ont fait boucher « la grande croisée qui donne sur la cour des femmes, au moyen d'une tôle d'une ligne d'épaisseur jusqu'au cinquième barreau de travers », le surplus de ladite croisée étant grillé de fils de fer en mailles très serrées, tandis que la seconde croisée, ayant vue sur l'infirmerie, est condamnée par une plaque de tôle et qu'une petite croisée, percée sur le corridor, est maçonnée.

Enfin, on a établi à l'intérieur une façon de tambour avec une seconde porte « de forte épaisseur et fermée avec une forte serrure de sûreté » ; la première porte est munie de deux verrous.

Le mobilier est réduit au strict nécessaire : « un lit de sangle avec deux matelas, dont un de crin, l'autre de laine ; un traversin et une couverture ; un fauteuil en canne servant de garde-robe, un bidet en basane rouge avec sa seringue » ; comme objet de toilette, « une bouteille d'eau pour les dents ».

C'est dans cette cellule que la Reine vit depuis le commencement de septembre. Existence aussi régulière que monotone : lever à sept heures, coucher à dix. Le service est fait par une femme de ménage, Mme Harel; un épouvantable drôle, nommé Barrassin, condamné à quatorze ans de fers, est chargé des gros ouvrages.

Beaulieu raconte la conversation qu'il eut un jour avec ce singulier « valet de chambre ». Il l'interrogeait « sur la manière dont on traitait cette princesse infortunée ».

— Comme les autres, répondit-il.

— Comment! Comme les autres?

— Oui, comme les autres; ça ne peut surprendre que les aristocrates.

— Et que faisait la Reine dans sa triste chambre?

— La *Capet!* Va, elle était bien penaude; elle raccommodait ses chausses pour ne pas marcher sur la *chrétienté*.

— Comment était-elle couchée?

— Sur un lit de sangle, comme toi.

— Comment était-elle vêtue?

— Elle avait une robe noire qui était toute déchirée; elle avait l'air d'une margot.

— Était-elle seule?

— Non; un bleu (un gendarme) montait toujours la garde à sa porte.

— Ce bleu était avec elle?

— Je t'ai dit qu'il montait la garde à la porte, mais elle n'en était séparée que par un paravent tout percé et à travers lequel ils pouvaient se voir tout à leur aise l'un et l'autre.

— Qui est-ce qui lui apportait à manger?

— La citoyenne Richard (la concierge).

— Et que lui servait-elle?

— Ah ! de bonnes choses : elle lui apportait des poulets et des pêches; quelquefois elle lui donnait des bouquets, et la Capet la remerciait de tout son cœur.

Il est vrai que la compatissante Mme Richard s'est

efforcée d'adoucir le sort matériel de la prisonnière, d'accord avec le municipal Michonis; mais après l'affaire de l'œillet il y a eu sur ce point, comme sur les autres, grand changement. Les époux Richard ont été remplacés, et les nouveaux concierges, Bault, n'ont plus osé montrer une pitié imputée à crime.

Marie-Antoinette a donc dû s'en tenir au régime prescrit : café ou chocolat pour déjeuner; pour dîner, soupe, bouilli, plat de légumes, poulet et dessert. Encore est-il arrivé que ces mets n'étaient pas de la première fraîcheur, et qu'on a servi quatre jours durant un même poulet auquel la Reine n'a point touché, parce qu'il était gâté.

Elle ne boit que de l'eau.

Elle ne peut s'occuper à aucun ouvrage manuel, car on le lui a interdit. En cachette, cependant, elle a tricoté une façon de jarretière pour son fils : elle a, pour ce faire, arraché des fils de laine à sa couverture, et elle s'est servie de deux cure-dents comme aiguilles.

On lui a permis quelques lectures : c'est ainsi qu'elle a lu les *Révolutions d'Angleterre* et le *Voyage du jeune Anacharsis*.

Mais ces temps relativement meilleurs sont passés.

A cette heure, Marie-Antoinette n'est plus une détenue. Le 13 octobre, au matin, elle reçoit l'acte d'accusation dressé contre elle. Elle est mise à la disposition du tribunal, et la Conciergerie se transforme pour elle de maison d'arrêt en maison de justice.

IV

L'ACTE D'ACCUSATION.

Ce morceau de littérature, visant à l'éloquence, est de la main d'Antoine-Quentin Fouquier-Tinville. Il est fort long et contient les imputations les plus variées. Il débute avec solennité.

« ... Examen fait de toutes les pièces transmises par l'accusateur public, il en résulte qu'à l'instar des Messalines Brunehaut, Frédégonde et Médicis, que l'on qualifiait autrefois de reines de France, et dont les noms à jamais odieux ne s'effaceront pas des fastes de l'histoire, Marie-Antoinette, veuve de Louis Capet, a été depuis son séjour en France le fléau et la sangsue des Français... »

Elle a eu « des rapports politiques avec l'homme qualifié roi de Bohême et de Hongrie » ; elle a « dilapidé d'une manière effroyable les finances de la France (fruit des sueurs du peuple) ». « Depuis la Révolution, elle n'a cessé un seul instant d'entretenir des intelligences et des correspondances criminelles et nuisibles à la France avec les puissances étrangères, et, dans l'intérieur de la République, par des agents à elle affidés, qu'elle soudoyait et faisait soudoyer par le trésorier de la liste civile » ; « elle a tout mené et tout préparé » pour la fuite à Varennes ; « elle a décidé Louis Capet à opposer son *veto* aux fameux et salutaires décrets rendus par l'Assemblée législative ; elle faisait nommer des ministres pervers aux places dans les armées et dans les bureaux » ; « elle a fait parvenir aux puissances étrangères les plans de campagne et d'attaque qui étaient convenus dans le conseil ».

L'émeute du 10 août est transformée par le document

en une conspiration « méditée et combinée » par elle. Ne dit-on pas l'avoir vue, ce jour-là, » prendre des cartouches et mordre des balles » ? Et Fouquier ajoute cette réflexion : « Les expressions manquent pour rendre un trait aussi atroce. »

Enfin elle est accusée, « par cette influence qu'elle avait acquise sur l'esprit de Louis Capet, de lui avoir insinué ce tact profond et dangereux de dissimuler et d'agir ».

Reprenant à son compte les calomnies d'Hébert, l'accusateur public traite celle qu'il a d'abord comparée à une Messaline de « nouvelle Agrippine ».

Il résume en trois chefs les crimes qui lui sont imputés :

1º De concert avec les frères de Louis Capet et l'infâme ex-ministre Calonne, elle a dilapidé d'une manière effroyable les finances de la France et épuisé le trésor national ;

2º Elle a entretenu des intelligences et des correspondances avec les ennemis de la République ;

3º Elle a tramé des complots contre la sûreté intérieure et extérieure de la France.

En même temps que Marie-Antoinette reçoit son acte d'accusation, Chauveau-Lagarde est prévenu que le tribunal l'a désigné d'office, avec Tronson-Ducoudray, pour présenter la défense de l'accusée.

Il est à la campagne ; il accourt aussitôt et se rend à la Conciergerie. Marie-Antoinette lui communique le sinistre papier. Il en prend connaissance, puis monte au greffe et demande le dossier. On lui présente une liasse énorme de pièces ; rien n'est classé. Il juge qu'il faudrait des semaines pour les examiner.

Il revient près de la Reine ; il déclare qu'un renvoi du procès est nécessaire : il lui est impossible de se présenter à l'audience dès le lendemain matin. Il est urgent de solliciter un délai.

— A qui faut-il s'adresser pour cela ? demande-t-elle.

Il hésite : il comprend quelles susceptibilités il va heurter.

— A la Convention nationale, murmure-t-il à voix basse.

— Non, non, jamais ! répond-elle en détournant la tête.

Il insiste : il invoque les sentiments les plus propres à émouvoir la mère. C'est au nom de son fils, de ses enfants qu'il la supplie de céder : ne leur doit-elle pas de se laver des calomnies dont on l'accable ? Elle cède à la fin ; elle écrit la lettre qu'on lui demande, et Chauveau-Lagarde la porte aussitôt à Fouquier.

Sacrifice inutile : aucun délai n'est accordé, et les débats commencent le lendemain, lundi 14 octobre, à l'heure fixée.

V

LE PROCÈS.

Il est neuf heures du matin.

Sous les bustes de Brutus, de Marat et de Lepeletier de Saint-Fargeau, le tribunal prend place. Herman le préside, assisté des juges Coffinhal, Maire, Donzé-Verteuil et Deliège.

Antoine-Quentin Fouquier occupe le siège d'accusateur public ; le greffier, c'est Fabricius.

Les jurés sont Antonelle (un ancien membre de l'Assemblée législative), Renaudin, Souberbielle (chirurgien, qui est également chargé de vérifier les déclarations de grossesse des condamnées), Fiévé, Bernard, Thoumin, Chrétien, Ganney, Trinchard, Nicolas, Lumière, Desboisseaux, Baron, Sambat et Devèze.

Au banc de la défense sont présents Chauveau-Lagarde et Tronson-Ducoudray. Tout d'abord on avait eu l'idée de faire comparaître, en même temps que la Reine, quelques filles publiques accusées de propos contre-révolutionnaires, mais on y a renoncé, et Marie-Antoinette seule est amenée ; elle prend place sur un fauteuil.

Le président lit aux jurés la formule du serment :

Citoyen, vous jurez et promettez d'examiner avec l'attention la plus scrupuleuse les charges portées contre Marie-Antoinette, veuve de Louis Capet, de ne communiquer avec personne jusqu'après votre déclaration, de n'écouter ni la haine, ni la méchanceté, ni la crainte ou l'affection, de vous décider d'après les charges et moyens de défense, et suivant votre conscience et votre intime conviction, avec l'impartialité et la fermeté qui conviennent à un homme libre ?

Les jurés prêtent le serment.

Le greffier donne lecture de l'acte d'accusation.

— Voici ce dont on vous accuse, dit le président à Marie-Antoinette ; prêtez une oreille attentive, vous allez entendre les charges qui vont être portées contre vous.

Le défilé des témoins commence.

C'est d'abord Laurent Lecointre, député à la Convention nationale, commandant en second la garde nationale de Versailles à l'époque des journées des 5 et 6 octobre 1789.

Sa déposition porte principalement sur les événements dont cette ville a été le théâtre. Elle sert de prétexte au président pour poser à l'accusée certaines questions sur la part qu'elle peut y avoir prise. Elle répond par des dénégations.

Deux autres témoins, Lapierre et Roussillon, font des déclarations assez vagues.

Pendant toute cette partie de son interrogatoire, Marie-Antoinette conserve une contenance calme et assurée; parfois même, « on la voit promener les doigts sur la barre de son fauteuil, avec l'apparence de la distraction, comme si elle eût joué du forte-piano ».

Le quatrième témoin, c'est Hébert, substitut du procureur de la Commune, homme instruit et distingué, qui s'est fait une personnalité d'emprunt et est devenu l'ignoble *Père Duchesne*.

Il déclare avoir trouvé chez l'accusée une image représentant un cœur enflammé percé d'une flèche, avec ces mots : *Jesu, miserere nobis*. C'est là un signe contre-révolutionnaire au premier chef. Puis il réédite les abominables calomnies qu'il a arrachées au petit Louis XVII.

Marie-Antoinette répond sur la première accusation et reste muette sur l'autre.

Un juré prend alors la parole :

— Citoyen président, je vous invite à vouloir bien observer à l'accusée qu'elle n'a pas répondu sur le fait dont a parlé le citoyen Hébert, à l'égard de ce qui s'est passé entre elle et son fils.

Le président répète la question.

— Si je n'ai pas répondu, dit Marie-Antoinette, c'est que la nature se refuse à répondre à une pareille imputation faite à une mère.

« Ici l'accusée paraît vivement émue », constate le bulletin de la séance.

Elle ajoute, en se tournant vers l'auditoire :

— J'en appelle à toutes celles .qui peuvent se trouver ici !

Un frisson parcourt l'auditoire : pour un instant, les débats sont suspendus.

Pendant ce court moment, la Reine fait signe à Chauveau-Lagarde de venir près d'elle.

— N'ai-je pas mis trop de dignité dans ma réponse? demande-t-elle à voix basse.

— Madame, soyez vous-même, et vous serez toujours bien; mais pourquoi me faites-vous cette question?

— C'est que j'ai entendu une femme du peuple dire à sa voisine : « Vois-tu, comme elle est fière! »

« Cette observation de la Reine, ajoute Chauveau Lagarde, fait voir encore qu'elle *espérait*. »

Le président appelle un cinquième témoin : c'est Abraham Tilly, notaire, lequel était de service au château dans la nuit du 20 au 21 juin 1791, lors de l'évasion de la famille royale.

Cette déposition est suivie d'un interrogatoire du président sur divers détails de la fuite, et alors un nom est prononcé, nom qui dut éveiller dans le cœur de Marie-Antoinette une profonde et cruelle émotion, s'il est vrai, comme dit le poète,

> ...qu'il n'est pire misère
> Qu'un souvenir heureux dans les jours de douleur.

— Qui vous a fourni ou fait fournir la fameuse voiture dans laquelle vous êtes partie avec votre famille?

— C'est un étranger.

— De quelle nation?

— Suédoise.

— N'est-ce point *Fersen*, qui demeurait à Paris, rue du Bac?

— Oui...

Il est trois heures. La séance est suspendue jusqu'à cinq heures; le président fait retirer l'accusée.

Pendant que la malheureuse femme, qui n'a rien mangé encore, avale un bouillon, ses avocats l'entretiennent des incidents du procès. Pour eux, les accusations sont dénuées de preuves, et ils la flattent de l'espoir qu'on se bornera à la déporter, probablement en Allemagne; Marie-Antoinette semble partager cette espérance.

— Dans ce cas, dit-elle, je ne crains que Manuel.

A la reprise de l'audience, Manuel est le second témoin entendu. Il ne justifie point la défiance de l'accusée. La déposition de l'ancien procureur de la Commune aux époques du 20 juin, du 10 août et du 2 septembre 1792, ne la charge aucunement.

Bailly lui succède. Bailly, l'ancien maire de Paris, l'honnête homme que la faveur publique a élevé, et qu'un revirement injuste a rejeté à terre. Déjà il est suspect, et c'est plus en accusé qu'en témoin qu'on l'interroge, si bien qu'il n'est même pas question de Marie-Antoinette dans les questions qu'on lui pose. Il semble que ce soit son procès et non celui de la Reine qu'on juge en ce moment. Chose curieuse et qui peint bien les mœurs de ce temps, un des jurés prend part aux débats et, à propos de l'affaire du Champ de Mars, raconte qu'il « vit tuer, près de la rivière où il se trouvait, dix-sept à dix-huit personnes des deux sexes; qu'il n'évita la mort qu'en entrant dans la rivière jusqu'au cou ».

On entend ensuite une fille de cuisine, Reine Millot,

qui déclare que le duc de Coigny lui a dit, en 1788, que Marie-Antoinette a fait passer plus de 200 millions à son frère. Elle ajoute que, « l'accusée ayant conçu le dessein d'assassiner le duc d'Orléans », le Roi « la fit consigner dans son appartement pendant quinze jours ».

D'autres témoins déposent sur des faits aussi insignifiants ou aussi ridicules.

Jean Gilbert, gendarme, rappelle la tentative à peine ébauchée de Rougeville, jetant un billet aux pieds de la Reine.

Il est onze heures du soir : l'audience est renvoyée au lendemain.

Depuis quinze heures Marie-Antoinette est sur la sellette : ses forces vont la trahir.

— Je n'y vois plus, je n'en peux plus, je ne saurais marcher, murmure-t-elle.

Elle a soif. Personne n'ose lui donner à boire.

Seul, l'officier de gendarmerie, M. de Busne, a le courage de lui apporter un verre d'eau. Il lui offre le bras pour la reconduire à son cachot : marques bien naturelles d'humanité qui lui vaudront cependant d'être mis en prison le lendemain.

Le 15, l'audience est reprise à neuf heures du matin, comme la veille.

Le premier témoin appelé est l'ancien vice-amiral Charles-Henri d'Estaing.

Il a été cité parce qu'on sait qu'il a des griefs contre Marie-Antoinette : il ne s'en cache pas, et il commence par déclarer « qu'il a à se plaindre d'elle » ; mais cela ne l'empêche point de lui rendre, au grand étonnement du tribunal, ce beau témoignage, à propos des journées d'Octobre :

— J'ai entendu des conseillers de cour dire à l'accusée que le peuple de Paris allait arriver pour la massacrer et qu'il fallait qu'elle partît ; à quoi elle avait répondu avec un grand caractère : « Si les Parisiens viennent ici pour m'assassiner, c'est aux pieds de mon mari que je le serai, mais je ne fuirai pas. »

Le cordonnier Simon vient ensuite dénoncer quelques municipaux comme suspects d'être bien vus par l'accusée.

Un espion de la police, François Tisset, qui se dit marchand, dépose avoir vu deux bons de 80,000 livres signés Marie-Antoinette et portant la date du 10 août. L'accusée fait observer que, le 10 août, la famille royale tout entière s'est réfugiée dès le matin à l'Assemblée nationale.

Le témoin suivant est un ancien officier municipal, Lepître, celui-là même qui a joué un rôle si bizarre dans le premier complot formé par Toulan et Jarjayes pour la délivrance de la Reine, au mois de février 1793. Il nie toutes relations avec l'accusée, et l'accusée, naturellement, confirme son dire.

A ce moment, on présente un paquet à la Reine, qui le reconnaît pour être celui sur lequel elle a apposé son cachet, lorsqu'elle a été transférée du Temple à la Conciergerie. Le greffier l'ouvre et fait l'inventaire des objets qu'il renferme :

Un paquet de cheveux de diverses couleurs.
— Ils viennent de mes enfants morts et vivants et de mon époux, dit l'accusée.

Un papier sur lequel sont des chiffres.
— C'est une table pour apprendre à compter à mon fils.

Un portefeuille, dans lequel se trouve une liste de noms, entre autres celui de Bernier, médecin des enfants royaux. L'accusateur public le fait assigner aussitôt.

Un petit miroir, une bague en or, etc., puis un papier sur lequel sont « deux cœurs en or » et un autre portant ces mots : *Prières au Sacré-Cœur de Jésus ; prière à l'Immaculée Conception.*

Un petit morceau de toile, avec un cœur enflammé traversé d'une flèche.

L'accusateur fait observer que beaucoup d'accusés portent ce signe contre-révolutionnaire.

L'huissier appelle le témoin suivant : La Tour du Pin.

Un homme à tournure militaire s'avance, et le président l'interroge :

— N'avez-vous point assisté aux fêtes du Château?

— Jamais, pour ainsi dire, je n'ai fréquenté la cour.

— Ne vous êtes-vous pas trouvé au repas des ci-devant gardes du corps?

— Je ne pouvais point y assister, puisqu'à cette époque j'étais commandant en Bourgogne.

Le président est étonné.

— Comment! Est-ce que vous n'étiez point alors ministre?

— Je ne l'ai jamais été.

Il y a erreur : ce La Tour du Pin n'est pas celui qu'on voulait entendre. Mais voici le vrai, celui qui a été ministre de la guerre au moment des journées d'Octobre.

Les questions qu'on lui pose sont graves pour lui, et graves pour l'accusée, surtout quand on songe que le comité des recherches a intercepté et possède une lettre écrite de Bruxelles, en mars 1791, par Mercy à la Reine, lettre dans laquelle se trouvent ces passages :

« Il y a ici 49,000 hommes de troupes d'élite... En s'assurant de la ville et de la citadelle de Strasbourg, on se trouverait dans une position également sûre et formidable, à portée des secours que l'on peut se promettre, avec une retraite libre en cas de besoin. Si en même temps les royalistes prennent consistance dans quelques-unes des provinces méridionales et que la Bretagne s'y joigne, l'intérieur du royaume, menacé par les deux extrémités opposées, privé de toutes ressources de commerce et autres, ne pourrait se soutenir longtemps contre une attaque dont l'impulsion majeure pèserait immédiatement sur la capitale.

« Il ne faut pas se dissimuler le principe reçu généralement que les grandes puissances ne font rien pour rien...

« De ces remarques s'ensuit la nécessité de plusieurs négociations dirigées par des personnes affidées et habiles... »

On peut juger d'après cela quelle est la pensée du président quand il pose à La Tour du Pin cette question :

— L'accusée, à l'époque de votre ministère, ne vous a-t-elle pas engagé à lui remettre l'état exact de l'armée française?

— Oui.

— Vous a-t-elle dit quel usage elle en voulait faire?

— Non.

Et quelques instants plus tard, un autre témoin, Dufriche-Valazé, ci-devant député de la Convention nationale, fait une déclaration dans le même sens : il a remarqué, parmi les papiers qui ont servi à dresser l'acte d'accusation contre Louis XVI, deux pièces ayant rapport à l'accusée.

— ... Le premier était un bon, ou plutôt une quittance signée d'elle, pour une somme de quinze ou vingt mille livres, autant qu'il peut s'en rappeler; l'autre pièce est une lettre dans laquelle le ministre prie le Roi de vouloir bien communiquer à Marie-Antoinette le plan de campagne qu'il avait eu l'honneur de lui présenter.

Le président à Marie-Antoinette :

— Qu'avez-vous à répondre à la déposition du témoin?

— Je ne connais ni le bon ni la lettre dont il parle.

Comme la veille, l'audience est suspendue de trois heures à cinq.

On entend alors divers témoins, Lebœuf, Jobert, Moyle, Vincent, Beugnot, Dangé, qui ne disent rien d'intéressant.

Michonis leur succède, Michonis, simple limonadier, que son dévouement à la Reine a transformé en héros. C'est lui qui a préparé, avec le baron de Batz, une tentative d'évasion du Temple, tentative qui n'a échoué que par le plus étonnant et le plus mystérieux des hasards ; c'est lui qui a essayé, une seconde fois, avec le chevalier de Rougeville, de sauver Marie-Antoinette à la Conciergerie.

Il dépose avec un grand sang-froid, mais ses explications sont forcément embarrassées. Il évite toutefois de rien dire qui puisse être interprété contre l'accusée.

Plusieurs autres individus sont encore interrogés, toujours sur les mêmes points : intrigues de la cour, intrigues avec l'étranger ; ils n'apprennent rien de nouveau. Cette partie des débats est terminée.

Marie-Antoinette n'est point mécontente de la façon dont les choses se sont passées ; elle semble avoir confiance dans l'issue du procès. Et, quand le président lui demande :

— Ne vous reste-t-il plus rien à ajouter à votre défense ?

— Hier, je ne connaissais pas les témoins, répond-elle ; j'ignorais ce qu'ils allaient déposer. Eh bien ! personne n'a articulé contre moi aucun fait positif. Je finis en observant que je n'étais que la femme de Louis XVI, et qu'il fallait bien que je me conformasse à ses volontés.

Le président annonce que les débats sont clos. Il est minuit. L'accusateur public, Fouquier-Tinville, se lève alors. Son réquisitoire est une paraphrase de l'acte d'accusation : il reproche à Marie-Antoinette « ses machinations continuelles contre une liberté qui lui déplaisait, ses efforts pour allumer la guerre civile, ses liaisons criminelles et coupables avec les puissances étrangères avec lesquelles la République est en guerre ouverte, etc. ». Il termine en proclamant Marie-Antoinette « l'ennemie déclarée de la nation française, une des principales instigatrices des troubles qui ont eu lieu en France depuis quatre ans, et dont des milliers de Français ont été les victimes ».

Tronson-Ducoudray et Chauveau-Lagarde s'étaient partagé la défense. Le premier devait répondre à l'accusation d'intelligence avec les ennemis de l'intérieur; le second devait défendre la Reine sur la question de complicité avec les ennemis de l'extérieur.

Après le réquisitoire de Fouquier, ils se retirent pour se concerter, échanger leurs impressions. Mais, au bout d'un quart d'heure, on les rappelle : il leur faut improviser une défense.

Ils s'acquittent de leur tâche avec autant de zèle que d'éloquence. On les écoute dans le plus grand silence.

Chauveau-Lagarde débute ainsi : « Je ne suis, dans cette affaire, embarrassé que d'une seule chose; ce n'est pas de trouver des réponses, c'est de trouver des objections. »

Il parle deux heures, et, quand il se rassoit, la Reine se tourne vers lui et lui dit d'une voie émue :

— Comme vous devez être fatigué, monsieur Chauveau-Lagarde! Je suis bien sensible à toutes vos peines.

Les plaidoiries achevées, Herman, président du tribunal, prend la parole et, abusant de son pouvoir, au lieu d'un résumé, prononce un nouveau réquisitoire aussi violent que celui de Fouquier-Tinville.

« Citoyens jurés, le peuple français, par l'organe de l'accusateur public, a accusé devant le jury national Marie-Antoinette d'Autriche, veuve de Louis Capet, d'avoir été la complice, ou plutôt l'instigatrice de la plupart des crimes dont s'est rendu coupable le dernier tyran de la France...

« Un grand exemple est donné en ce jour à l'univers, et sans doute il ne sera point perdu pour les peuples qui l'habitent. La nature et la raison, si longtemps outragées, sont enfin satisfaites ; l'égalité triomphe.

« Une femme, qu'environnaient naguère tous les prestiges les plus brillants que l'orgueil des rois et la bassesse des esclaves avaient pu inventer, occupe aujourd'hui au tribunal de la nation la place qu'occupait, il y a deux jours, une autre femme, et cette égalité lui assure une justice impartiale. »

Il prend l'accusation sous son double aspect : les manœuvres à l'intérieur et à l'extérieur.

« Si l'on eût voulu de tous ces faits une preuve orale, il eût fallu faire comparaître l'accusée devant tout le peuple français. La preuve matérielle se trouve dans les papiers qui ont été saisis chez Louis Capet...

« ... Je finis par une réflexion générale que j'ai déjà eu l'occasion de vous présenter : c'est le peuple français qui accuse Antoinette ; tous les événements politiques qui ont eu lieu depuis cinq années déposent contre elle.

« Voici les questions que le tribunal a arrêté de vous soumettre :

« 1º Est-il constant qu'il ait existé des manœuvres et intelligences avec les puissances étrangères et autres ennemis extérieurs de la République ; lesdites manœuvres et intelligences tendant à leur fournir des secours en argent, à leur donner l'entrée du territoire français, et à y faciliter les progrès de leurs armes ?

« 2º Marie-Antoinette d'Autriche, veuve de Louis Capet, est-elle convaincue d'avoir coopéré aux manœuvres et d'avoir entretenu ces intelligences ?

« 3° Est-il constant qu'il ait existé un complot et une conspiration tendant à allumer la guerre civile dans l'intérieur de la République?

« 4° Marie-Antoinette d'Autriche, veuve de Louis Capet, est-elle convaincue d'avoir participé à ce complot et conspiration? »

Pendant que le jury délibère, la Reine est emmenée dans la pièce à côté. Rappelant sans doute dans sa pensée tous les dévouements qui ont cherché à la tirer de prison, elle se ressouvient alors d'un fidèle ami, du chevalier de Jarjayes, et veut témoigner à sa femme son affection et sa reconnaissance. Elle charge Tronson-Ducoudray de lui remettre les deux anneaux qu'elle porte aux oreilles et une mèche de ses cheveux.

Il est temps; car le tribunal vient d'ordonner l'arrestation des deux défenseurs, coupables d'avoir rempli le devoir dont le tribunal les a chargés, et, quand le jury rentre après une heure de délibération, c'est par les gendarmes qu'ils sont ramenés pour entendre sa déclaration.

Elle est affirmative sur toutes les questions.

Le président s'adresse alors à l'auditoire.

« Si ce n'étaient pas des hommes libres, et qui, par conséquent, sentent toute la dignité de leur être, qui remplissent l'auditoire, je devrais peut-être leur rappeler qu'au moment où la justice nationale va prononcer, la loi, la raison, la moralité leur commandent le plus grand calme; que la loi leur défend tout signe d'approbation, et qu'une personne, de quelques crimes qu'elle soit couverte, une fois atteinte par la loi, n'appartient plus qu'au malheur et à l'humanité. »

Il fait rentrer l'accusée.

« Antoinette, voilà quelle est la déclaration du jury. »

Le greffier en donne lecture.

Fouquier-Tinville requiert que l'accusée soit condamnée à la peine de mort.

Le président demande à Marie-Antoinette si elle a quelques réclamations à faire sur l'application des lois invoquées par l'accusateur public. Elle secoue la tête en signe de négation.

Sur la même interpellation faite aux défenseurs, Chauveau-Lagarde se tait; Tronson-Ducoudray dit : « Citoyen président, la déclaration du jury étant précise et la loi formelle à cet égard, j'annonce que mon ministère à l'égard de la veuve Capet est terminé. »

Le président recueille les opinions de ses collègues et prononce la peine de mort et la confiscation des biens. Le présent jugement sera exécuté dans les vingt-quatre heures, sur la place de la Révolution.

Quel est, en ce moment, l'état d'âme de la condamnée? Chauveau-Lagarde, qui était assurément mieux que qui que ce soit en situation de le connaître, a écrit à ce sujet les lignes suivantes :

« La Reine entend la condamnation d'un air calme, et l'on peut seulement s'apercevoir alors qu'il venait de s'opérer dans son âme une sorte de révolution qui me parut bien remarquable. Elle ne donna pas le moindre signe ni de crainte, ni d'indignation, ni de faiblesse. Elle fut comme anéantie par la surprise.

« Elle descendit les gradins sans proférer aucune parole, ni faire aucun geste, traversa la salle comme sans rien voir ni rien entendre, et, lorsqu'elle fut arrivée devant la barrière où était le peuple, elle releva la tête avec majesté.

« N'est-il pas évident que, jusqu'à ce moment terrible, la Reine avait conservé de l'espoir? »

VI

LETTRE DE LA REINE A MADAME ÉLISABETH.

Il est environ quatre heures et demie du matin.

La Reine n'est point ramenée dans sa cellule, mais conduite dans la chambre des condamnés, située près du greffe.

Elle demande au concierge Bault tout ce qu'il faut pour écrire, et, sans perdre une minute, elle adresse à Madame Élisabeth ses derniers adieux.

> Ce 16 octobre,
> à quatre heures et demie du matin.

« C'est à vous, ma sœur, que j'écris pour la dernière fois. Je viens d'être condamnée, non pas à une mort honteuse, elle ne l'est que pour les criminels, mais à aller rejoindre votre frère; comme lui innocente, j'espère montrer la même fermeté que lui dans ses derniers moments. Je suis calme comme on l'est quand la conscience ne reproche rien. J'ai un profond regret d'abandonner mes pauvres enfants; vous savez que je n'existais que pour eux. Et vous, ma bonne et tendre sœur, vous qui avez par votre amitié tout sacrifié pour être avec nous, dans quelle position je vous laisse! J'ai appris par le plaidoyer même du procès que ma fille était séparée de vous; hélas! la pauvre enfant, je n'ose pas lui écrire, elle ne recevrait pas ma lettre; je ne sais même si celle-ci vous parviendra. Recevez pour eux deux ici ma bénédiction.

« J'espère qu'un jour, lorsqu'ils seront plus grands, ils pourront se réunir avec vous, et jouir en entier de vos tendres soins. Qu'ils pensent tous deux à ce que je n'ai cessé de leur inspirer : que les principes et l'exécution exacte de ses devoirs sont la première base de la vie; que leur amitié et leur confiance mutuelle en fera le bonheur; que ma fille sente qu'à l'âge qu'elle a, elle doit aider son frère par les conseils que l'expérience qu'elle aura de plus que lui et son amitié pourront lui inspirer.

« Que mon fils, à son tour, rende à sa sœur tous les soins, les services que l'amitié peut inspirer; qu'ils sentent enfin tous deux que, dans quelque position où ils pourront se trouver, ils ne seront vraiment heureux que par leur union. Qu'ils prennent exemple de nous. Combien, dans nos malheurs, notre amitié nous a donné de consolations! Et, dans le bonheur, on jouit doublement quand on peut le partager avec un ami. Et où en trouver de plus tendre, de plus cher que dans sa propre famille?

« Que mon fils n'oublie jamais les derniers mots de son père, que je lui répète expressément : qu'il ne cherche jamais à venger notre mort.

« J'ai à vous parler d'une chose bien pénible à mon cœur. Je sais combien cet enfant doit vous avoir fait de la peine ; pardonnez-lui, ma chère sœur : pensez à l'âge qu'il a, et combien il est facile de faire dire à un enfant ce qu'on veut, et même ce qu'il ne comprend pas. Un jour viendra, j'espère, où il ne sentira que mieux tout le prix de votre tendresse pour tous deux. Il me reste à vous confier encore mes dernières pensées. J'aurais voulu les écrire dès le commencement du procès; mais, outre qu'on ne me laissait pas écrire, la marche en a été si rapide, que je n'en aurais réellement pas eu le temps.

« Je meurs dans la religion catholique, apostolique et romaine, dans celle de mes pères, dans celle où j'ai été élevée et que j'ai toujours professée. N'ayant aucune consolation spirituelle à attendre, ne sachant pas s'il existe encore ici des prêtres de cette religion, et même le lieu où je suis les exposerait trop s'ils y rentraient une fois, je demande sincèrement pardon à Dieu de toutes les fautes que j'ai pu commettre depuis que j'existe. J'espère que, dans sa bonté, il voudra bien recevoir mes derniers vœux, ainsi que ceux que je fais depuis longtemps pour qu'il veuille bien recevoir mon âme dans sa miséricorde et sa bonté.

« Je demande pardon à tous ceux que je connais, et à vous, ma sœur, en particulier, de toutes les peines que, sans le vouloir, j'aurais pu vous causer.

« Je pardonne à tous mes ennemis le mal qu'ils m'ont fait.

« Je dis ici adieu à mes tantes et à tous mes frères et sœurs. J'avais des amis : l'idée d'en être séparée pour jamais et leurs peines sont un des plus grands regrets que j'emporte en mourant ; qu'ils sachent, du moins, que jusqu'à mon dernier moment j'ai pensé à eux.

« Adieu, ma bonne et tendre sœur ; puisse cette lettre vous arriver ! Pensez toujours à moi. Je vous embrasse de tout cœur, ainsi que ces pauvres et chers enfants. Mon Dieu ! qu'il est déchirant de les quitter pour toujours !

« Adieu ! adieu ! Je ne vais plus m'occuper que de mes devoirs spirituels. Comme je ne suis pas libre dans mes actions, on m'amènera peut-être un prêtre, mais je proteste ici que je ne lui dirai pas un seul mot, et que je le traiterai comme un être absolument étranger. »

Sa lettre achevée, la Reine la remet à Bault (1).

Il est à ce moment un peu plus de cinq heures. La pauvre femme sent qu'elle aura besoin de forces : elle mange à la hâte une aile de poulet.

La concierge lui apporte une chemise propre qu'elle met à la place de sa pauvre chemise tachée de sang, car les pertes dont elle est affligée depuis quelques mois n'ont point cessé, il s'en faut. Puis, tout habillée, elle se jette sur son lit, et reste là, le visage tourné vers la fenêtre et la tête appuyée sur la main.

Un officier de gendarmerie est assis dans un angle. Il fait encore nuit, et le cachot est éclairé par deux lumières.

(1) Cette lettre ne devait jamais parvenir à sa destinataire. Portée à Fouquier, transmise par celui-ci à Robespierre, elle resta cachée dans ses papiers jusqu'au 10 thermidor. A cette époque, un conventionnel, Courtois, chargé d'inventorier les papiers de Robespierre, la prit et la garda par devers lui sans en parler à personne. Ce ne fut qu'en 1816 qu'elle vit le jour, et détruisit ainsi la légende répandue par quelques personnes trop zélées que la Reine avait reçu la communion plusieurs fois dans son cachot.

Vers sept heures, la porte s'ouvre. C'est la servante qui lui apporte un peu de nourriture. La Reine trempe dans une tasse de chocolat un de ces pains appelés *mignonnettes* et si petit que le gendarme Léger n'ose pas y goûter, de peur de le trop diminuer.

— Voilà un curé de Paris qui demande si vous voulez vous confesser, lui dit-on alors.

Elle murmure tout bas :

— Un curé de Paris!... Il n'y en a guère.

Un prêtre s'avance : c'est Girard, curé de Saint-Landry, dans la Cité. Il lui offre les secours de son ministère; elle refuse de se confesser à lui.

Le temps est froid : elle met un oreiller sur ses pieds glacés et reste muette, absorbée dans ses pensées.

Mais voici paraître Sanson, le bourreau.

— Vous venez de bonne heure, dit-elle. Ne pourriez-vous pas retarder?

— Non, madame, j'ai ordre de venir.

Le prêtre prend la parole :

— Votre mort va expier...

— Ah! des fautes, mais pas un crime, s'écrie-t-elle avec vivacité.

Elle est prête. Elle s'est vêtue d'un jupon blanc passé par-dessus un jupon noir, d'une espèce de camisole de nuit, blanche également; elle porte un ruban de faveur noire aux poignets; un fichu de mousseline unie blanc couvre ses épaules.

Elle aurait voulu aller au supplice la tête nue : on l'oblige à cacher ses cheveux blancs, coupés ras, sous un bonnet orné d'un bout de ruban noir.

Elle a des bas noirs, avec des souliers au talon haut de deux pouces, *à la Saint-Huberty.*

Le bourreau lui lie les mains derrière le dos. On la conduit au greffe.

— Voulez-vous, madame, que je vous accompagne? demande le curé Girard.

— Comme vous voudrez, monsieur.

Il est onze heures lorsque les portes de la Conciergerie s'ouvrent. Elle fait quelques pas; puis, relevant la tête, elle s'arrête : au lieu du carrosse dans lequel elle croit aller à l'échafaud comme son mari, c'est une grossière charrette, attelée d'un mauvais cheval blanc, avec un conducteur en blouse, qui va la prendre.

Ce mouvement a trahi sa surprise indignée, mais promptement elle se résigne. A l'aide d'une petite échelle elle atteint le marchepied de la charrette, sur laquelle elle monte sans l'appui du bourreau, qu'elle a refusé.

Elle va enjamber la banquette, formée d'une planche placée en travers; Sanson l'arrête et lui explique qu'elle doit s'asseoir à reculons.

Le prêtre monte et se place à côté d'elle. Il cherche à la réconforter :

— Voici, madame, l'instant de vous armer de courage.

— Du courage? Il y a si longtemps que j'en ai fait l'apprentissage qu'il n'est pas à croire que j'en manque aujourd'hui.

Pendant ce temps, Sanson a grimpé sur la charrette. Il met un soin visible à laisser flotter les bouts de la corde qui lie les poignets de la Reine. Ainsi que l'aide qui l'accompagne, il reste debout, et tous deux gardent à la main le chapeau à trois cornes.

VII

LE TRAJET. — L'EXÉCUTION.

Comme au 21 janvier, les plus grandes précautions sont prises. Dès cinq heures du matin, le rappel a été battu dans toutes les sections. Trente mille hommes sont sous les armes, formant une double haie sur le parcours. Des canons sont braqués sur les places, aux extrémités des ponts, dans les carrefours.

Dès dix heures, de nombreuses patrouilles ont parcouru la ville.

A onze heures, toute la force armée est sur pied.

Le cortège sort de la prison et se met lentement en marche.

Une multitude est là, avide de contempler un pareil spectacle, mais son attitude est convenable : elle ne profère ni cris, ni insultes, ni murmures.

La Reine garde une contenance ferme et fière.

Son teint est pâle, un peu rouge aux pommettes; ses yeux sont injectés de sang; ses cils sont immobiles et raides.

Le prêtre lui parle de temps en temps, mais elle ne lui répond guère.

A l'entrée de la rue Saint-Honoré, l'attitude de la foule change; les clameurs commencent.

Indifférente en apparence, la Reine promène les yeux sur les flammes tricolores, les inscriptions révolution-

Dessiné par C. Monnet.   Gravé par Helman, l'an IIIe de la Rép. fran.

JOURNÉE DU 16 OCTOBRE 1793

naires ; mais un peu plus loin elle jette un long regard sur le Palais-Royal.

Sur les marches de Saint-Roch, la citoyenne Rose Lacombe s'est postée, avec son bataillon de furies, et les cris, les vociférations éclatent de toutes parts.

Deux officiers de l'armée révolutionnaire se montrent les plus forcenés : c'est Grammont, l'acteur de la Comédie-Française, et son fils, un jeune homme de dix-neuf ans à peine.

Grammont se dresse sur ses étriers, brandit son épée, et, désignant Marie-Antoinette :

— La voilà, l'infâme Antoinette ! Elle est foutue, mes amis, hurle-t-il.

Placé à une fenêtre avec la femme de son collègue Jullien, le grand peintre David fait à la hâte de la malheureuse Reine un dessin épouvantable de réalisme.

La porte du passage des Jacobins est surmontée d'un écriteau portant cette mention : *Atelier d'armes républicaines pour foudroyer les tyrans.*

La Reine se tourne vers le prêtre, comme pour l'interroger. Il élève devant ses yeux le petit christ d'ivoire qu'il tient dans la main...

Il est plus de midi quand le cortège débouche sur la place de la Révolution.

L'échafaud a été dressé entre la statue de la Liberté (que remplace aujourd'hui l'obélisque) et le pont tournant, la lunette face aux Tuileries.

Marie-Antoinette contemple la guillotine, la statue de la Liberté et l'ancienne demeure royale, mais son émotion ne se traduit que par une grande pâleur. « On ne remarque sur son visage ni abattement ni fierté », dit un témoin oculaire.

La charrette s'arrête au pied de l'échafaud.

La Reine descend avec légèreté, sans avoir besoin d'être soutenue, bien que ses mains soient toujours liées, et elle monte rapidement sur la plate-forme.

Elle marche, en passant, sur le pied de Sanson, qui laisse échapper une plainte.

— Monsieur, je vous demande excuse ; je ne l'ai pas fait exprès, dit-elle.

Sans prononcer d'autres paroles, elle se livre à l'exécuteur.

A midi un quart précis, sa tête roule dans le panier.

Suivant l'usage, le bourreau la saisit et la montre au peuple. On croit remarquer alors « qu'un mouvement convulsif agitait les paupières et qu'un vif incarnat colorait les joues ».

La foule répond, suivant l'usage, par les cris de : *Vive la République !*

Le corps est transporté ensuite et inhumé, comme celui de Louis XVI, au cimetière de la Madeleine.

Et l'on peut lire dans le *Mémoire* du fossoyeur Joly cette simple mention pour le mois de vendémiaire, à la date du 25 :

> *La V° Capet, pour la bierre*   6 *livres*
> *Pour la fosse et les fossoyeurs*   25

VIII

LES JOURNAUX.

On ne saurait se rendre compte de l'impression produite par la mort de la Reine en parcourant les journaux alors existants, attendu que seules les feuilles favorables au mouvement révolutionnaire existaient encore.

Mais dans ces feuilles mêmes on trouve la preuve du courage que montra la victime pendant cette longue agonie.

Parfois, c'est sous une forme plus qu'originale, comme dans *Dame Guillotine*, où on lit cette phrase :

« Marie-Antoinette conserva en chemin une tranquillité féroce. »

Quant au *Glaive vengeur*, ce journal fondé par « un ami de la Révolution, des mœurs et de la justice » pour suivre les condamnés, du tribunal au pied de l'échafaud, il s'abstient, contre son ordinaire, d'insulter la victime :

« Marie-Antoinette, atteinte et convaincue d'avoir été la complice ou plutôt l'instigatrice de la plupart des crimes dont s'est rendu coupable le dernier tyran..., a été condamnée à mort.

« Il est superflu de remonter aux règnes atroces des Frédégonde, des Brunehaut et des Médicis pour... Mais n'insultons pas à ses mânes. La nation est vengée. Cette femme n'est plus.

« Puisque Laïus est mort, laissons en paix sa cendre...

« Elle monta avec courage sur l'échafaud. Après sa mort, l'exécuteur a montré sa tête au peuple, au milieu des cris mille fois répétés de *Vive la République!* »

IX

L'EXHUMATION.

Le corps de la Reine fut exhumé lors de la seconde Restauration : voici sur cette triste cérémonie le récit d'un témoin oculaire, Lafont d'Aussonne :

« Par ordre du Roi, et deux jours avant la cérémonie du 21 janvier 1815, M. de Barentin, chancelier de France, et M. le prince de Poix (Noailles), capitaine des gardes du corps, se transportèrent officiellement au cimetière de la Madeleine, faubourg Saint-Honoré, pour y procéder à l'exhumation des restes mortels du roi Louis XVI et de.la reine Marie-Antoinette, son épouse.

« Ce cimetière avait été vendu comme *propriété nationale,* et un homme de bien (M. Descloseaux) s'en était rendu acquéreur dans l'unique intention de le protéger.

« Le triste enclos touchait à son habitation ; il l'avait planté d'arbres odoriférans et d'arbres allégoriques : un vert gazon, mêlé de fleurs, recouvrait la terre aplanie ; et, dans l'angle du Nord, une petite croix de pierre indiquait la sépulture du Roi. Le corps de Louis XVI fut retrouvé à dix pieds de profondeur ; celui de la Reine à une profondeur moins considérable ; une couche fort épaisse de chaux pétrifiée abritait le cercueil de cette princesse, dont le corps, après vingt années, offrit encore des vestiges qui frappèrent les spectateurs. M. de Barentin, âgé de plus de quatre-vingts ans, joignait ses mains et priait, à genoux sur une petite éminence. Lorsque les fossoyeurs présentèrent un des bas, les jarretières élastiques et des cheveux de la Reine, le prince de Poix, tout en pleurs, poussa un cri, s'évanouit et tomba à la renverse. Placé à une croisée de la maison voisine, j'ai vu moi-même ce que je raconte ici, et je ne me suis fait la violence d'en être le témoin qu'afin d'en parler plus sûrement dans mes *Mémoires historiques.*

« Les débris trouvés dans la fosse de la Reine furent recueillis dans un cercueil de plomb et transportés, avec le corps de Louis XVI, dans l'abbaye de Saint-Denis. Ces deux cercueils, marqués de leur plaque d'argent, occupent le fond d'un vaste caveau consacré aux sépultures royales. »

*
* *

Telle fut la fin de Marie-Antoinette, archiduchesse d'Autriche et dernière « reine de France ».

MORT DES GIRONDINS

(31 OCTOBRE 1793)

Le procès des Girondins suivit de près le procès de la
Reine. A vrai dire, les Girondins, en tant que parti,
n'existaient plus depuis le 2 juin. Ce jour-là, à l'instiga-
tion de Danton, qui estimait bonnes leurs intentions, mais
qui jugeait funestes pour la marche de la Révolution et
l'avenir de la République leurs théories politiques, le
peuple des faubourgs avait forcé la Convention à décréter
l'arrestation des plus notables d'entre eux. Cette insurrection victorieuse mettait le pouvoir dans les mains des
Montagnards : ils en usèrent sans modération.

Les Girondins proscrits se divisèrent : les uns allèrent
dans les départements tenter une résistance à l'omnipo-
tence de la Convention : ils furent vaincus. Les autres,
restés à Paris, attendaient qu'on les mît en jugement, se
flattant de prouver leur innocence devant les juges qui
devaient leur être donnés par leurs ennemis! Illusion
naïve qui leur coûta la vie.

Le 24 octobre, vingt et un d'entre eux prenaient place

sur les gradins réservés aux accusés dans la salle d'audience du tribunal révolutionnaire : c'étaient Brissot, le politique du parti, Vergniaud, l'orateur de la Gironde, orateur éloquent dans un temps où l'éloquence était impuissante, Gensonné, Lauze-Duperret, compromis par une visite de Charlotte Corday, Carra, Gardien, Dufriche-Valazé, Duprat, Brulart-Sillery, mari de Mme de Genlis, dame d'honneur de la duchesse d'Orléans, Fauchet, évêque constitutionnel du Calvados, Ducos, Boyer-Fonfrède, Lasource, Lesterp-Beauvais, Duchastel, Mainvielle, Lecaze, Lehardy, Boileau, Antiboul et Vigée.

L'accusateur public, Fouquier-Tinville, ne se mit pas en frais pour rédiger l'acte d'accusation; il prit simplement le rapport d'Amar. Les Girondins y étaient représentés comme des royalistes, hostiles au Dix-Août, favorables aux Prussiens, et payés par les Anglais. Pitt était leur inspirateur, et ils n'avaient agi que sur ses ordres et pour faire réussir ses desseins contre la Révolution française.

« Pitt voulait déshonorer dans l'Europe la république naissante. Brissot et ses complices ont pris à tâche de la calomnier; ils n'ont cessé de peindre tous ses défenseurs comme des brigands et comme des hommes de sang : leurs écrits et leurs discours ne différaient en rien de ceux des ministres anglais et des libellistes qu'ils payaient... Pitt voulait assassiner les fidèles représentants du peuple : ils ont tenté plusieurs fois de faire égorger une partie de leurs collègues : ils ont assassiné Marat et Lepeletier, etc. »

Dirigés par le président Herman, les débats furent illusoires; seules, les charges contre les accusés purent se produire. Et quelles charges? Fabre d'Eglantine n'alla-t-il pas jusqu'à élever des doutes sur la probité de Vergniaud, qui répondit dédaigneusement :

— Je ne me crois pas réduit à me justifier d'un vol.

Tous les témoins se transformèrent en accusateurs publics et prononcèrent de véritables réquisitoires, comme Hébert et le défroqué Chabot, qui furent, l'un et l'autre, moins arrogants et moins braves devant ce même tribunal, quelques mois plus tard.

Les jurés eux-mêmes se gardèrent bien de montrer de l'impartialité : ils ne prenaient guère soin de cacher leur opinion : l'un d'entre eux osa dire, aux applaudissements du public :

— Vergniaud a dit qu'il avait été persécuté par Marat. J'observe que Marat a été assassiné et que Vergniaud est encore ici (1) !

Les débats duraient déjà depuis six jours, et les articulations portées contre les accusés ne semblaient pas assez prouvées pour tourner contre eux l'opinion publique. On en était réduit à incriminer surtout les intentions qu'on leur prêtait. Cela ne laissait pas de devenir embarrassant, d'autant que, lorsque la parole leur serait donnée pour se défendre, Fouquier-Tinville aurait affaire à fortes parties ; l'on redoutait particulièrement Vergniaud.

Mais ces difficultés n'arrêtèrent pas longtemps leurs ennemis. Le principe de la non-rétroactivité des lois n'existait pas pour ceux-ci : ils coupèrent court à cette situation gênante en faisant rendre par l'Assemblée le décret suivant :

« Art. 1ᵉʳ. Après trois jours de débats le président du tribunal sera autorisé à demander aux jurés si leur con-

____

(1) *Bulletin du Tribunal révolutionnaire.*

science est assez éclairée. S'ils répondent négativement, l'instruction du procès sera continuée jusqu'à ce qu'ils déclarent qu'ils sont en état de se prononcer. »

Ce décret fut rendu le 8 brumaire (29 octobre). Le lendemain matin, les jurés n'osèrent pas user de la terrible faculté qu'il leur procurait; mais cette apparente impartialité n'était qu'une comédie. A deux heures, lors de la reprise de l'audience, Antonelle, organe du jury, prononça la phrase tant attendue :

— Je déclare que la conscience des jurés est suffisamment éclairée.

Le président coupa court aussitôt aux interrogatoires, aux dépositions de témoins. La défense était supprimée.

— Citoyens jurés, dit-il, il a existé une conspiration contre l'unité, l'indivisibilité de la République, contre la liberté et la sûreté du peuple français.

On remarquera qu'il ne s'agissait pas là d'une question posée aux jurés, mais d'une affirmation qu'ils devaient accepter comme vérité. Ils n'y étaient d'ailleurs que trop disposés, et à la seconde question : Brissot, Vergniaud, etc., sont-ils auteurs ou complices de cette conspiration? à l'unanimité, ils répondirent : Oui.

On fit rentrer les accusés, et Fouquier-Tinville requit l'application de la peine de mort.

A ces mots, le tumulte éclata. Voici quelques détails donnés par un témoin oculaire (1) :

« J'étais assis avec Camille Desmoulins sur le banc placé devant la table des jurés; ceux-ci revenant des opinions, Camille s'avance pour parler à Antonelle, qui ren-

____

(1) Sempronius-Gracchus Vilate. (Cité par H. WALLON, *Tribunal révolutionnaire*, t. I, p. 418.)

trait l'un des derniers. Surpris de l'altération de sa figure, il lui dit assez haut : « Ah! mon Dieu, je te plains bien; « ce sont des fonctions bien terribles » ; puis, entendant la déclaration du jury, il se jette tout à coup dans mes bras, s'agitant, se tourmentant : « Ah! mon Dieu! mon Dieu! « c'est mon *Brissot dévoilé*, c'est ce qui les tue! » A mesure que les accusés rentrent pour entendre leur jugement, les regards se tournent vers eux. Le silence le plus profond régnait dans toute la salle : l'accusateur public conclut à la peine de mort; l'infortuné Camille, défait, perdant l'usage de ses sens, laissait échapper ces mots : « Je m'en « vais, je veux m'en aller ! » Il ne pouvait sortir.

« A peine le mot fatal : *mort,* est-il prononcé que Brissot laisse tomber ses bras; sa tête se penche subitement sur sa poitrine. Gensonné, pâle, tremblant, demande la parole sur l'application de la loi; il dit des mots qu'on n'entend pas. Boileau, étonné, élevant son chapeau en l'air, s'écrie : « Je suis innocent! » et, se tournant vers le peuple, il l'invoque avec véhémence. Les accusés se lèvent spontanément : « Nous sommes innocents, peuple, on vous « trompe! » Le peuple reste immobile, les gendarmes les serrent et les font asseoir. Valazé tire de sa poitrine un stylet et se l'enfonce dans le cœur, il expire ; Sillery laisse tomber ses deux béquilles en s'écriant, le visage plein de joie, et se frottant les mains : « Ce jour est le plus beau « de ma vie. »

« L'heure avancée de la nuit, les flambeaux allumés, les juges et le public fatigués d'une longue séance (il était minuit), tout donnait à cette scène un caractère sombre, inquiet et terrible; la nature souffrait dans toutes ses affections; Camille Desmoulins se trouvait plus mal. »

Enfin cette scène si pénible prit fin; l'audience était

terminée, et l'on emmena les condamnés. A ce moment on aperçut un cadavre gisant sur l'estrade : celui de Dufriche-Valazé. C'était une victime de moins pour Sanson. Fouquier-Tinville, qui n'aimait pas qu'on frustrât le bourreau, demanda que ce cadavre fût traité comme le corps vivant des autres Girondins, c'est-à-dire qu'il fût décapité. Cette épouvantable motion ne fut admise qu'avec un tempérament : « Le cadavre dudit Valazé, ordonna le jugement, sera dans une charrette qui accompagnera celles qui transporteront ses complices au lieu de leur supplice, pour, après leur exécution, être inhumé dans la même sépulture que lesdits condamnés ses complices. »

Tandis qu'ils redescendaient à la Conciergerie, les Girondins se mirent à chanter les quatre premiers vers de la première strophe de la *Marseillaise*, avec l'intention bien marquée d'en faire l'application à leur cas.

Ramenés dans leurs cachots, ils passèrent la nuit en entretiens intimes, en conversations graves et sévères. Les récits qu'ont laissés de ces instants suprêmes deux témoins dignes de foi, Riouffe et Beugnot, forcent à rejeter comme fausse de tous points la légende du dernier banquet, popularisée par Lamartine.

Le lendemain 31 octobre 1793, vers midi, ils furent conduits à l'échafaud, toujours dressé sur la place de la Révolution (aujourd'hui place de la Concorde). Le *Bulletin du Tribunal révolutionnaire* les y suit, et son compte rendu donne une note assez exacte de cette journée mémorable dans les fastes de notre histoire.

« ... Aucun d'eux ne marquait d'inquiétude, sinon

Brissot et Fauchet (ils étaient dans deux voitures séparées), sur les visages desquels on remarquait un air morne et pensif. Plusieurs des autres, notamment Mainvielle et Duprat, firent plusieurs fois chorus le long de la route avec les spectateurs.

« Vers une heure, les condamnés arrivèrent à la place de la Révolution. Au moment de descendre de la charrette, Boyer-Fonfrède et Ducos s'embrassèrent ; cela fut répété par les autres condamnés qui se trouvaient déjà au pied de l'échafaud. Sillery fut celui qui y monta le premier ; il salua d'un air grave, à droite et à gauche, les spectateurs ; ceux qui lui succédèrent à l'opération fatale adressèrent des phrases entrecoupées que l'on ne pouvait saisir. Lehardy ayant crié *Vive la République !* fut généralement entendu grâce aux vigoureux poumons dont l'avait pourvu la nature ; les autres, en attendant leur tour, chantaient le refrain :

> Plutôt la mort que l'esclavage,
> C'est la devise des Français.

« Vigée fut exécuté le dernier. Après l'exécution, qui dura trente-huit minutes, on agita les chapeaux en l'air, et les cris mille fois répétés de *Vive la République !* se firent entendre pendant plus de dix minutes. »

Curieuse époque vraiment que celle où victimes, bourreaux et spectateurs poussaient tous ce même cri, et tous sincèrement peut-être !

PROCÈS

ET

EXÉCUTION D'HÉBERT

ET DE SES COMPLICES

(1-4 GERMINAL AN II — 21-24 MARS 1794)

I

LA SALLE DE LA LIBERTÉ.

Le 1ᵉʳ germinal an II, dès le matin, le Palais de justice est envahi par une foule immense : hommes et femmes se pressent, se bousculent, s'entassent dans les corridors et dans les salles du Palais. On veut assister au procès qui va s'ouvrir, on veut voir juger le *Père Duchesne* et ses complices !

En vain le bruit s'est répandu que le tribunal est miné et qu'il « sautera par l'effet de la poudre », on ne tient nul compte du danger possible : la curiosité est plus forte que la peur.

Quand, vers dix heures, les portes sont ouvertes, une poussée formidable se produit, la salle d'audience est prise de force. Les gardes, refoulés, menacent les envahisseurs de leurs piques : les piques sont brisées; les barrières cédant sous l'effort des assaillants se renversent sur les premiers rangs. Dans la bagarre, des femmes sont blessées, d'autres foulées aux pieds. Le tumulte devient effroyable, la confusion est à son comble (1).

Cependant de nouveaux gardes arrivent; l'ordre finit par se rétablir et l'audience commence.

Le tribunal siège dans cette salle de *la Liberté*, souvent décrite déjà, où ont défilé, dans ces derniers mois, tant d'accusés célèbres : Charlotte Corday, Marie-Antoinette, les Girondins, Philippe-Égalité, Mme Roland, Mme du Barry.

C'est Dumas qui préside, le terrible et facétieux Dumas, entouré des juges Subleyras, Bravet, Masson et Foucault, et du greffier Wolff. Fouquier-Tinville occupe le siège d'accusateur public; il est assisté d'un de ses substituts, Lescot-Fleuriot. Les jurés de jugement sont Leroy-Dix-Août, ex-marquis de Montflabert, Gravier, Didier, Ganney, Desboisseaux, Laporte, Fauveti, Gautier, Renaudin, Trinchard, Topino-Lebrun, Lumière et Trey (2).

Les accusés sont alors introduits.

Le premier qui s'avance et qui a droit au fauteuil comme « président de fournée », c'est Hébert. Tous les regards se portent sur lui; ceux qui ne l'ont point encore vu ont sujet d'être étonnés : ce n'est pas le gaillard à la forte carrure que faisait supposer le langage violent et populacier de sa feuille; c'est un homme petit et fluet, d'une assez jolie figure, mis avec une propreté recherchée

---

(1) *Tableaux de la Révolution française,* par SCHMIDT.
(2) Archives nationales, dossier W, 339-617.

et tout le contraire d'un brave. Pâle, inquiet, il semble dans un abattement extrême : « Six mois de prison ne l'auraient pas plus changé », dit un rapport de police.

A côté de lui prennent place dix-neuf accusés, parmi lesquels Ronsin, Momoro et Vincent, dont l'attitude fait contraste avec la sienne; Cloots, le baron prussien aux idées pleines d'extravagance sinon de folie; Kock, un banquier hollandais, Proly et Desfieux, qui, tous deux, portent la consternation sur leur visage. Puis viennent les comparses ou de pauvres diables mêlés à cette affaire par la volonté de Fouquier, et qui n'ont avec Hébert et les siens d'autre point commun que celui d'être englobés, sous une accusation semblable, dans la même fournée : ce sont Laumur, général de brigade, Peyreyra, manufacturier de tabac, Armand, élève en chirurgie, Ancard, coupeur de gants, Ducroquet, perruquier, Leclerc, archiviste de l'évêché de Beauvais, Bourgeois, menuisier, Mazuel, cordonnier, devenu aide de camp de Bouchotte un instant ministre de la guerre, Descomble, garçon épicier, Dubuisson, homme de lettres, et un sieur Laboureau, médecin et secrétaire du comité révolutionnaire de la section Marat, qui figure au procès pour la forme et semble avoir joué, dans cette affaire, le rôle d'espion.

Une femme est adjointe à ces dix-neuf accusés, Marie-Anne Latreille, veuve du lieutenant-colonel Quétineau, lequel a été condamné et exécuté six jours auparavant, pour n'avoir pas réussi à battre les Vendéens avec une troupe de trois cents volontaires indisciplinés.

La plupart de ces gens voient pour la première fois leurs coaccusés Hébert, Ronsin, Cloots, etc.; mais qu'importe à Fouquier et au tribunal? N'ont-ils pas tous

« conspiré contre le gouvernement républicain »? C'est à tout le moins une complicité morale, et cela est pleinement suffisant.

II

LES HÉBERTISTES.

L'accusation avait lieu de surprendre les Hébertistes, qui, tous, s'imaginaient avoir donné, en mainte occasion, des preuves de leur dévouement à la Révolution, et, de fait, il semblait que leur passé dût les garantir contre une pareille mésaventure.

Hébert, né en 1755 à Alençon, était venu de bonne heure à Paris, où il avait d'abord pratiqué d'infimes métiers. Contrôleur des billets dans un petit théâtre, il avait été contraint de quitter cet emploi après une accusation de vol. La Révolution éclatant, il s'y était jeté à corps perdu. Désireux d'attirer sur lui l'attention, il avait fondé un journal pour lequel il avait pris le nom de *le Père Duchesne*, bien qu'il existât déjà un *Père Duchesne* rédigé par un employé des postes, M. Lemaire, journal qui prônait les avantages de la Constitution et de la Monarchie.

La feuille d'Hébert, aussi violente qu'ordurière, le mit en évidence, et il fut bientôt nommé membre de la Commune du Dix-Août, puis substitut du procureur-syndic. C'est lui qui eut l'idée de charger Marie-Antoinette des crimes les plus abominables, et qui alla, pour cet objet, interroger au Temple le petit Louis XVII. Cette immonde accusation produisit un effet tout contraire à celui qu'il en attendait : elle n'effleura même pas la Reine, et lui valut la rancune haineuse de Robespierre, qui n'aimait point qu'on se mêlât des affaires qu'il entendait diriger seul.

Hébert avait épousé une ex-religieuse, « sa Jacqueline », pauvre femme qui fut associée à sa mort comme à sa vie, sans l'avoir été à ses infamies.

Ronsin, qui était né à Soissons en 1759, avait débuté par la littérature. Il avait fait jouer plusieurs pièces, dont une, *Arétophile, ou le Tyran de Cyrène*, fut bien accueillie à la Comédie-Française. La Révolution le transforma en général, et il alla guerroyer en Vendée; mais, sur ce théâtre, il eut infiniment moins de succès.

Momoro exerçait la profession d'imprimeur; il montra un zèle ardent pour les idées nouvelles, qu'il reçut, à diverses reprises, mission de propager en Normandie et en Vendée. Mari d'une femme jolie et bien faite, il la contraignit à figurer la déesse Raison dans les cérémonies de ce nouveau culte.

Le baron prussien Cloots était un de ces exaltés étrangers qui venaient apporter en France leurs folies et leur argent. Il avait changé son prénom de Jean-Baptiste en celui d'Anacharsis; il s'intitulait l'*Orateur du genre humain*, et, à ce titre, il avait obtenu de figurer à la Fédération du 14 juillet. Élu député de l'Oise par des électeurs qui ne l'avaient jamais vu, il se signalait à la Convention par les discours les plus extravagants. Athée et sectaire, il se proclamait « ennemi personnel de Jésus-Christ ». Mais ces exagérations ne plaisaient point à tout le monde, et Robespierre ne se cachait guère pour dire, de son ton pincé, qu'il « suspectait la bonne foi d'un prétendu sans-culotte qui avait cent mille livres de rente ».

Tous ces hommes, d'ailleurs, avaient des relations suspectes : ils fréquentaient Proly, un riche négociant bâtard du prince de Kaunitz, premier ministre autrichien, Desfieux, un marchand de vin de Bordeaux, et surtout le banquier hollandais Kock, qui les recevait souvent dans sa maison de Passy. Et le bruit public courait qu'on se livrait sous son toit à des orgies, étranges passe-temps pour ces farouches amis du peuple, si empressés à dénoncer les « accapareurs ».

III

PRÉPARATION AU PROCÈS.

Hébert, en effet, semblait, dans sa feuille immonde, s'être fait une spécialité de ces accusations. Chaque jour, il tonnait contre ceux qui créaient la disette et amenaient le renchérissement des subsistances. Ces accapareurs, quels étaient-ils ? Les lecteurs du *Père Duchesne* n'étaient pas loin, sinon de les apercevoir parmi les membres des Comités de salut public et de sûreté générale, qui gouvernaient alors la France, du moins de considérer ceux-ci comme complices des misérables qui affamaient le peuple. Cela ne convenait point aux citoyens des Comités, et encore moins à Robespierre et à ses amis, qui aspiraient à prendre dans le gouvernement l'influence prépondérante. Ils sentirent le danger, et, de là à supprimer ceux qui le causaient, il n'y avait qu'un pas, qui fut vite franchi.

Saint-Just présenta à la Convention deux rapports, rédigés dans cette forme vague, et par cela même plus terrible, dont il avait le secret. Ces rapports visaient, sans nommer personne, « les traîtres à la patrie, ceux qui seront convaincus d'avoir de quelque manière que ce soit favorisé dans la République le plan de corruption des citoyens, de la subversion des pouvoirs et de l'esprit public, *d'avoir excité des inquiétudes à dessein d'empêcher l'arrivée des denrées à Paris*,... ceux qui auront tenté d'ébranler ou *d'altérer* la forme du gouvernement républicain ».

De cette façon, l'accusation lancée par les Hébertistes était retournée contre eux. Les Comités, confiants dans leur force, firent suivre immédiatement la menace de l'exécution, et, dans la nuit du 23 au 24 ventôse (13-14 mars), Hébert, Ronsin, Momoro, Vincent furent arrêtés.

C'était un vrai coup de théâtre ; mais les gouvernants de ce temps-là, pour être novices, n'en étaient pas moins habiles, et, de même qu'ils avaient su préparer l'événement, ils surent, dès le lendemain, diriger l'opinion de la masse. A l'aide de bruits savamment répandus dans le peuple par leurs agents secrets, ils se firent reconnaître comme les sauveurs de la chose publique, tandis que leurs victimes, jusque-là populaires, devenaient d'abominables bandits pour qui le dernier supplice était encore trop doux.

Les rapports de police nous font assister, jour par jour, à ce changement de situation.

Le 14 mars, on apprend l'événement de la nuit : « L'arrestation d'Hébert, Ronsin, Vincent et Momoro a été le sujet des conversations de tous les groupes et de tous les cafés; partout cette mesure a été approuvée, mais, comme leur conspiration n'était pas encore connue, on ne les honorait que du titre d'intrigants (1). »

De conspiration, à proprement parler, il n'y en avait pas. Aussi insinue-t-on que ce sont leurs violentes attaques contre les accapareurs qui ont causé le mal. La crédulité de gens qui meurent de faim accepte tout : « Chacun disait : C'est Hébert qui est cause de la disette dans laquelle nous nous trouvons, en excitant le peuple, à force de crier contre les accapareurs, à s'emparer de tout ce qui entrait dans Paris... Ceux qui paraissaient le soutenir, il y a quelques jours, ont actuellement tout à fait l'air de l'abandonner... Les femmes disaient : Je n'ai jamais eu confiance à Hébert; je le verrai aller avec grand plaisir au supplice. »

Le 15 mars, mêmes impressions dans la foule : « On plaisantait sur la grande colère du Père Duchesne dans sa prison. Il y a tout lieu de croire que la masse du peuple verra tranquillement le procès de ces hommes qui avaient obtenu sa confiance. »

« Le peuple voit avec indignation la manière dont il a été trompé, et demande une prompte vengeance. On les attend avec impatience à l'échafaud. »

Le 16 mars, la note s'accentue : « L'opinion générale est fortement prononcée contre eux; le peuple est si indigné de leur scélératesse que la guillotine lui paraît un supplice trop doux pour de si grands criminels. »

On n'est pas éloigné de croire que leur seule arresta

____

(1) *Tableaux de la Révolution française,* par SCHMIDT.

tion a déjà produit un effet salutaire : « Ce qu'il y a de remarquable, c'est la tranquillité de Paris. Il semble que l'affluence diminue sensiblement aux portes des bouchers... Dans presque tous les quartiers, les citoyens disaient : C'étaient le coquin d'Hébert et sa clique qui avaient cherché à nous faire mourir de faim ; il y a tout lieu d'espérer que la chute de cette faction infernale va faire renaître la tranquillité et l'abondance. »

Le procès n'est pas encore commencé, néanmoins « la place de la Révolution est tous les jours couverte d'une foule prodigieuse de citoyens qui y affluent dans l'espérance de voir le Père Duchesne » (18 mars).

La réaction faite dans les esprits ne s'arrête pas à Hébert ; elle atteint tous ses collègues : « On s'explique ouvertement sur ceux qui composent la Commune de Paris. Elle n'est, dit-on, composée que de traîtres et d'imbéciles (19 mars). »

« On criait hier au soir l'arrestation de la *Jacqueline du Père Duchesne*. C'est ainsi que le peuple, mêlant l'ironie à la fureur contre celui qui l'amusait tant, se sert des propres expressions et des sentiments qu'il montrait dans sa feuille pour appeler sur sa tête la vengeance nationale et lui rend son châtiment plus amer. »

Tout est donc préparé pour le procès, l'opinion publique a docilement suivi l'impulsion donnée : elle ne voit que des coupables là où il n'y a encore que des accusés.

IV

LES DÉBATS.

Première journée.

Dès que le calme est rétabli dans la salle du tribunal, les jurés prêtent serment, et le président donne la parole au greffier pour la lecture de l'acte d'accusation.

Ce morceau, rédigé par Fouquier-Tinville, est aussi violent dans la forme que vague dans le fond : il renferme les énonciations les plus terribles et les moins précises :

« Examen fait tant des interrogatoires que des pièces et charges (le dossier ne contient rien ni des uns ni des autres), il en résulte que jamais il n'a existé, contre la souveraineté du peuple français et sa liberté, de conspiration plus atroce dans son objet, plus vaste, plus immense dans ses rapports et dans ses détails, que celle ourdie par les prévenus et que l'active vigilance de la Convention vient de faire échouer en la dévoilant et en livrant au tribunal ceux qui paraissent en avoir été les instruments principaux.

« ... Le gouvernement anglais et les puissances coalisées contre la République sont les véritables chefs de cette conjuration...

« Les Ronsin, les Hébert, Momoro, Vincent..., des corrupteurs par état..., ne voulaient de la Révolution que des honneurs et des places pour satisfaire leur ambition, et surtout des richesses avec lesquelles, à l'instar des tyrans, ils parvinssent à entretenir leurs vices et à alimenter leurs débauches, en insultant aux généreux sacrifices du peuple pour la liberté...

« Il paraît que c'est chez le banquier hollandais Kock, à Passy, que se rendaient les principaux conjurés..., qui se livraient, dans l'espoir d'un succès complet, à des orgies poussées fort avant dans la nuit...

« ... L'on voit Hébert... dénoncer tantôt les mauvais citoyens, tantôt les courageux défenseurs du peuple pour égarer l'opinion publique... On le voit calomnier également et avec un acharnement criminel surtout les membres des Comités de salut public et de sûreté générale... »

Bref, ils sont accusés « d'avoir conspiré contre la liberté, et de vouloir livrer la République aux horreurs de la guerre civile et de la servitude par la diffamation, par la révolte, par la corruption des mœurs, *par le renversement des principes sociaux* et par la famine qu'ils voulaient introduire dans Paris ».

Le dossier ne renferme aucune trace de l'interrogatoire; d'ailleurs, avec Dumas, c'était devenu une simple formalité, les accusés n'ayant pour ainsi dire plus le droit de présenter une observation quelconque. Quant aux dépositions des témoins, elles sont également absentes : la liste seule de leurs noms figure. Heureusement, le *Bulletin du Tribunal révolutionnaire* supplée à cette lacune.

Le premier témoin entendu, c'est Legendre, le fameux boucher, membre de la Convention. Comme beaucoup d'autres il répète au tribunal les propos « contre-révolutionnaires » des accusés.

Le deuxième témoin est un nommé Dufourny, ancien architecte, actuellement agent national pour les poudres et salpêtres. Il a jadis été dénoncé par Hébert. Ce souvenir ne paraît point le gêner, et sa déposition n'en est pas moins bien accueillie par le tribunal. Il accuse Hébert et ses amis, après s'être « montrés les ennemis de la tyrannie, d'avoir changé et d'avoir voulu tout renverser ». Il ajoute que Desfieux « voyait souvent Sartine fils, marié avec la fille de la Sainte-Amaranthe, donnant à jouer dans l'intérieur de la maison Égalité (Palais-Royal); que Chabot et Desfieux mangeaient souvent avec Sartine et fréquentaient habituellement ce tripot, qui était aussi le rendez-vous de beaucoup de contre-révolutionnaires ».

Desfieux convient « avoir été chez la Sainte-Amaranthe, belle-mère de Sartine, et chez Sartine, mais il ajoute qu'il n'y allait que comme fournisseur de vin de Bordeaux, dont il faisait le commerce ».

Le témoin Moine, agent comptable d'un atelier d'armes, rue Feydeau, déclare qu'Hébert « faisait aux Jacobins des motions tendantes à servir les puissances étrangères; qu'il faisait aussi des dénonciations contre les plus purs patriotes, et appelait la défaveur sur les meilleurs membres de la Convention par ses calomnies qu'il disait fondées sur des lettres, sur des renseignements qu'il avait devers lui, et, lorsqu'on lui en demandait la justification, il s'y refusait et désavouait lâchement ses dénonciations ».

Il accuse Vincent d'avoir volé des couverts d'argent au ministère de la guerre.

Hébert se contente de nier ou de protester de ses bonnes intentions. Il fait piteuse figure : « Il semble frappé d'une sorte de stupidité. »

Vincent répond que le vol a été commis par un autre Vincent.

On entend encore Sembat, un juré du tribunal, et l'audience est renvoyée au lendemain. Il est quatre heures.

Des précautions ont été prises pour empêcher des désordres pareils à ceux du matin : les portes du tribunal sont fermées, et chaque spectateur, en sortant, est tenu de montrer sa carte.

.

Seconde journée.

La seconde journée est consacrée à l'audition de dix-huit témoins. Quelques-unes des dépositions sont à signaler.

Le sieur Charles Jaubert dit que « Ronsin lisait habituellement l'histoire d'Angleterre, et, lorsqu'il était question de Cromwell, on lui entendait dire : « Oh! le grand « homme! » Et, dans cet élan, il s'écria un jour en présence de ceux qui étaient dans sa chambre : « Je vou-« drais être Cromwell pour vingt-quatre heures (1). »

Ronsin, avec « cet air insolent qu'on lui a si souvent reproché », riposte en accusant le témoin d'avoir été aide de camp du « féroce Alton, général autrichien ».

On ne dit pas ce que répond le témoin.

Une nommée Quingré, femme Dubois, vient ensuite, et son témoignage est d'autant mieux accueilli qu'il corrobore les accusations de vol dont on est heureux de charger les accusés. Elle raconte qu'Hébert a volé « les

(1) *Procès d'Hébert.*

matelas, chemises, cols et autres effets » d'un sieur Boisset, médecin, ami d'Hébert.

Celui-ci « avoue la déposition en masse; ajoute seulement que, vu son état de détresse, Boisset lui avait permis de se servir de son linge; que, trouvant trop pénible d'aller coucher tous les soirs à Belleville, il emporta trois chemises, et non les matelas dont a parlé le témoin; que Boisset conçut quelques inquiétudes, qu'il manifesta quand il rencontra, lui, Hébert, quelques semaines après; qu'alors il lui donna les reconnaissances du Mont-de-piété ».

Ce qui revient à dire qu'Hébert avait fait argent des objets que lui avait confiés son ami.

Pierre Guesdon, secrétaire général du Comité de salut public, accuse Hébert de poursuivre avec acharnement les petites loteries, tandis qu'au contraire il protège la loterie ci-devant royale : insinuation très vraisemblable, étant donnés le journaliste et son journal.

Claude-François Payan, juré au Tribunal révolutionnaire, porte contre lui une accusation pareille. Il le suspecte « d'avoir intrigué dans la partie des subsistances, d'après ses dénonciations contre les autorités, ses variations continuelles, et surtout d'après les virulentes diatribes du *Père Duchesne* ».

Westermann, ami de Danton, et quinze jours plus tard accusé à son tour, dépose et répète l'accusation portée contre les Hébertistes d'aspirer à la tyrannie, et de chercher à établir un dictateur sous le nom de Grand Juge. Il traite Proly d'espion de l'Empereur, et déclare que, selon lui, Ronsin a fait volontairement durer la guerre en Vendée.

Avec Adrien Brochet reparaît l'accusation de vol

Cette fois, le voleur serait Ducrocquet : il aurait pillé une voiture et se serait approprié ainsi « trente-six œufs, un lapin et d'autres comestibles ».

C'est ainsi que chemine le procès, entre ces détails infimes et les accusations les plus graves.

Troisième journée.

Le défilé des témoins continue : le Tribunal en entend vingt et un ce jour-là. La confusion est grande, car les uns déposent de faits à la charge d'Hébert et de ses amis, tandis que les autres viennent parler contre les accusés compris dans la masse, mais qui n'ont rien de commun avec les Hébertistes.

C'est ainsi qu'une femme Vué prétend que la veuve Quétineau et Armand sont venus loger chez elle pour être plus près de la prison où était détenu le colonel Quétineau. Elle déclare, présentant sérieusement la chose comme un grief contre la pauvre femme, qu'elle l'a entendue « se plaindre du décret qui interdisait toute communication avec les détenus accusés de conspiration, et qui la privait de voir son mari ».

Un incident a lieu au sujet d'Anacharsis Cloots. L'accusateur public l'interpelle et lui demande s'il n'a pas entretenu une correspondance avec les généraux ennemis. Cloots nie le fait.

Un juré, Renaudin, intervient alors aux débats. Il prend la parole pour déclarer que le système de république universelle que préconise Cloots « est une perfidie profondément méditée, car elle donne un prétexte à la coalition des têtes couronnées contre la France ».

Cloots répond que « la république universelle est dans le système naturel, qu'il a pu en parler comme l'abbé de Saint-Pierre de la paix universelle ». Il ajoute, avec assez de raison d'ailleurs, « qu'au surplus on ne peut le suspecter d'être le partisan des rois, et qu'il serait bien extraordinaire que l'homme brûlable à Rome, pendable à Londres, rouable à Vienne, fût guillotiné à Paris ».

Plusieurs témoins parlent des conciliabules tenus chez Kock, de repas splendides avec Hébert, Ronsin, Vincent... Et Kock était un « espion de l'étranger ». Le *Bulletin* constate que « la déclaration d'une foule de témoins confirme la conduite astucieuse et oppressive de Hébert, Momoro, Vincent et Ronsin ». On reproche à Hébert des articles publiés dans son journal, notamment cette phrase : « Les b... qui nous gouvernent sont des dévorateurs de la substance publique. »

Il répond que « rien n'est plus aisé de perdre un homme en décomposant ses phrases et en perdant de vue les circonstances où ont été rédigés les écrits qui lui sont opposés ».

On ne reconnaissait guère le *Père Duchesne* dans l'accusé du Tribunal. Son attitude était plus qu'humble, et l'on s'étonnait généralement qu'un homme d'ordinaire si arrogant, si violent, se montrât si faible, si abattu. « On a remarqué, dit un rapport de police, que Hébert est celui de tous les accusés qui témoigne le plus de lâcheté. »

Quatrième journée.

Le quatrième jour, on entend encore un témoin, le quarante-cinquième, un sieur Windhil, ancien officier de la légion germanique, dont la déposition est insignifiante. Le procès dure depuis plusieurs jours, mais peut-être le Tribunal n'a entendu tous ces témoins que pour faire passer le temps et pouvoir ainsi appliquer aux accusés le décret du 8 brumaire, qui supprime toute défense : « ARTICLE PREMIER. Après trois jours de débats, le président du Tribunal sera autorisé à demander aux jurés si leur conscience est assez éclairée. S'ils répondent négativement, l'instruction du procès sera continuée jusqu'à ce qu'ils déclarent qu'ils sont en état de se prononcer. »

Ironie de la destinée, ce décret, qui en a eu le premier l'idée? C'est Hébert.

On jugeait alors les Girondins, et Hébert trouvait qu'ils se défendaient trop bien. Il engageait les juges à couper court à des débats qui menaçaient de tourner à l'avantage des accusés :

« Braves b... qui composez le tribunal, écrivait-il dans le *Père Duchesne,* ne vous amusez donc pas à la moutarde. Faut-il donc tant de cérémonies pour raccourcir des scélérats que le peuple a déjà jugés ! »

Mais les juges ne pouvaient rien sans une loi de la Convention. Poussée par Hébert, une députation des Jacobins alla demander aux députés de rendre immédiatement le décret désiré, et le décret fut rendu.

C'est double plaisir pour un président comme Dumas

d'invoquer contre Hébert la loi qu'il a inspirée. A onze heures, il en lit le texte aux jurés. Ceux-ci déclarent que leur conscience est suffisamment éclairée.

En conséquence, ni les accusés, ni leurs conseils, ni l'accusateur public ne peuvent être entendus. Mais le président, qui a tout pouvoir, a le droit de faire un résumé de l'affaire. Dumas en use largement, et, si l'on s'en tient à la phrase écrite sur la minute du jugement, on peut croire qu'il parle au jury avec la plus entière impartialité, « rappelant les faits et preuves propres à fixer son attention tant *pour* que *contre* les accusés ».

Or, ce résumé du président nous a été conservé. En voici quelques passages qui montreront comment Dumas comprenait les devoirs de sa fonction :

« Il n'y a point eu de conspiration!... » s'écrie-t-il.

Puis, apostrophant les accusés :

« N'avez-vous pas formé le projet barbare d'affamer le peuple, organisé une disette factice, et redouté, dans vos fureurs, le retour de l'abondance?... N'avez-vous pas, par vos écrits, vos discours et vos manœuvres, tenté d'avilir la représentation nationale, les Comités de salut public et de sûreté générale?... N'avez-vous pas attaqué à la fois tous les pouvoirs, toutes les autorités, pour détruire tout gouvernement?...

« ... Il n'y a point eu de conspiration! Vos intelligences avec l'étranger sont-elles donc douteuses, lorsque vous employez son langage, ses moyens, et que votre conduite vous signale plutôt comme ses valets que comme ses agents ; lorsque les conférences de vos émissaires sont prouvées ; lorsque vos correspondances avec Brunswick ont été vues entre les mains du général Kalkreutz... ; lorsque des banquiers étrangers, agents des tyrans, complices de Dumouriez, vous distribuaient l'or corrupteur, et tenaient à votre disposition la caisse des conspirations?

« Ames viles, féroces esclaves, n'est-ce pas pour un maître que vous prépariez tant de crimes?...

« ... Infâmes ! vous périrez, c'est trop longtemps retarder votre supplice... Ils trembleront, tous les traîtres, en voyant que vous les devancez à l'échafaud; et le peuple, le peuple que vous avez trompé, trahi, applaudissant à votre châtiment, sentira plus que jamais qu'il ne doit aimer que la liberté, qu'il ne doit estimer que les hommes vertueux; qu'il doit être en garde contre vos semblables; qu'il accélérera la jouissance de son bonheur en environnant de sa force et de sa confiance la Convention nationale et les Comités, qui sont le centre du gouvernement révolutionnaire (1). »

Après cette violente diatribe, le président fait sortir les accusés. Le jury se retire pour délibérer. Au bout de quelques instants, il revient, rapportant un verdict de culpabilité pour tous les accusés, sauf pour Laboureau, indulgence qui confirme l'opinion que cet individu n'est qu'un espion de police.

Le président le fait alors rentrer, et une scène d'un vrai comique se passe alors.

Dumas s'adresse à Laboureau, lui annonce son acquittement et lui fait un discours sur « le danger de certaines liaisons ». Le public applaudit. Alors l'émotion gagne tout le monde : des bras du gendarme préposé à sa garde, l'acquitté passe dans ceux du président, des juges et des jurés, qui lui donnent l'accolade. Un témoin, le sieur Brochet, ne résiste pas au plaisir de l'embrasser

(1) *Procès d'Hébert*. Appendice.

et se précipite vers lui : c'est une effusion générale.

Le président invite alors Laboureau à prendre place près de lui.

— La justice, déclare-t-il, voit avec plaisir l'innocence s'asseoir à côté d'elle.

Mais après l'acquitté, il faut s'occuper des condamnés. Dumas donne l'ordre de les amener, et, « au milieu du silence le plus majestueux », il leur lit la déclaration du jury.

A ce moment, les cris éclatent, cris de colère, de désespoir. « Mazuel et la veuve Quétineau veulent parler. Ducrocquet dit qu'il est innocent. Cloots en appelle au genre humain et dit qu'il boira la ciguë avec volupté... »

Pendant ce temps, les juges opinent entre eux, et le président prononce contre tous la peine de mort et la confiscation de leurs biens. Des cris de : *Vive la République!* étouffent les protestations des condamnés, que les gendarmes entraînent. Hébert, plus abattu que jamais, se soutient à peine : on est presque obligé de porter le *Père Duchesne.*

V

L'EXÉCUTION.

Les charrettes attendaient dans la cour : on y fait monter les condamnés. Ils ne sont que dix-huit, car Laboureau a été acquitté, et la veuve Quétineau, s'étant déclarée enceinte, a obtenu un sursis.

Le cortège se met en marche et, par le chemin habituel, se dirige lentement vers la place de la Révolution, sur laquelle l'échafaud est dressé.

Par ordre de Fouquier, de grandes précautions ont été prises pour parer aux tentatives que pourraient faire « les complices des conspirateurs ». Précautions superflues : les « conspirateurs » condamnés n'ont plus d'amis, et le peuple qui se presse de tous côtés pour assister au terrible spectacle est partagé entre « la joie de voir conduire à l'échafaud » les Hébertistes, et « l'indignation contre des monstres qui l'ont si cruellement trompé ».

« L'allégresse » cependant domine. Un sans-culotte sautait : « J'illuminerais ce soir mes croisées, si la chandelle n'était pas si rare. »

Tout le long du parcours, la foule devenue féroce s'amuse du triste Hébert, décontenancé, abattu, affaissé sur un banc, et que les cahots font osciller comme une masse inerte. On lui adresse les plus grossières plaisanteries : on l'insulte dans sa langue ordurière, et ces cruelles railleries n'épargnent point sa femme, sa Jacqueline, cette pauvre créature qui va le suivre de si près à l'échafaud.

L'attitude des autres condamnés est toute différente, et, si beaucoup d'entre eux ont mal vécu, ils savent, du moins, bien mourir. Cloots ne quitte point son rôle d'orateur du genre humain : il pérore, soucieux de se montrer jusqu'au bout l'athée impénitent et farouche qu'il est devenu.

Le courage produit toujours sur la foule la même impression. Quand, vers quatre heures, le cortège arrive sur la place de la Révolution, et que les condamnés gravissent successivement les degrés de l'échafaud, le peuple reste muet; mais, lorsque le tour d'Hébert arrive, une nuée de chapeaux vole en l'air, un cri formidable est poussé de *Vive la République !*

Ce n'est pas tout : Hébert est attaché sur la planche, le charpentier de la guillotine s'approche et lui passe, à diverses reprises, son bonnet rouge sous le nez.

On n'épargne rien à celui qui n'a rien épargné...

La foule, cependant, satisfaite de ces supplices, se retire lentement en échangeant ses impressions :

— Voilà une grande leçon pour les gens en place que dévore l'ambition... Les intrigants auront beau faire : les Comités de salut de public et de sûreté générale viendront à bout de les découvrir, et ça ira !...

« Ça n'alla » pas cependant. Les notes de police le constatent naïvement : « Les arrivages ne sont point encore assez abondants, l'affluence est la même aux portes des bouchers. »

Et le peuple, qui croyait bonnement qu'il suffisait de couper le cou à Hébert et à quelques-uns de ses complices pour voir disparaître la disette, en fut pour ses illusions et ses espérances : il retrouva bientôt sa misère, et Robespierre, et Saint-Just, qui ne pouvaient lui donner du pain, allaient encore lui donner du sang.

Quant aux exécutés du 4 germinal an II, s'ils avaient cru devenir populaires par leur vie ou par leur mort, ils s'étaient bien trompés. Le lendemain, le rapport de l'agent de police contenait ces mots :

« Ils sont morts ; on ne parle plus d'eux... »

L'AFFAIRE

DE LA

COMPAGNIE DES INDES

(1793-1794)

I

UN DINER CHEZ LE BARON DE BATZ.

C'était au mois d'août de l'année 1793. Dans sa maison
de campagne, l'Hermitage, située à Charonne, alors hors
de l'enceinte de Paris, le célèbre baron de Batz réunis-
sait plusieurs personnes autour de sa table. L'assemblage
ne manquait ni de piquant ni d'imprévu : à côté de femmes
d'humeur aimable et de mœurs légères, d'hommes de
lettres comme La Harpe, se trouvaient des conventionnels au nombre de quatre : Delaunay d'Angers, Julien de
Toulouse, Bazire et Chabot (1).

C'étaient là assurément des fréquentations fort étranges
pour un royaliste comme le baron de Batz ; mais l'infa-

(1) Archives nationales, W 342-648.

tigable conspirateur avait ses pensées de derrière la tête. Obligé de reconnaître que le temps des coups de force était passé, il ne songeait point pour cela à désarmer ni à cesser la lutte contre la Révolution ; il changeait simplement de tactique, et c'était par la ruse, par la corruption qu'à présent il la voulait attaquer. Il s'était dit que dans la troupe famélique des députés il trouverait des agents d'autant plus sûrs qu'il les aurait enrichis et compromis dans une louche affaire de tripotages financiers, et il s'apprêtait à les lancer à l'assaut de la fortune par le chantage et l'escroquerie.

Il avait eu la main heureuse, et son choix s'était porté sur quatre individus prêts à tout pour devenir riches : Delaunay d'Angers et Julien de Toulouse étaient encore peu connus, mais Bazire et Chabot avaient déjà fait leurs preuves.

Claude Bazire, né en 1764, à Dijon, avait embrassé la carrière d'avocat. Dès le début de la Révolution, il afficha la haine la plus farouche contre la royauté. C'est lui qui, le premier, dénonça l'existence d'un prétendu comité autrichien siégeant aux Tuileries. Ses violences appelaient une répression : le juge de paix Larivière décerna un mandat d'arrêt contre lui ; l'Assemblée, qui protégeait les ennemis de la Cour, annula le mandat. Bazire, lui, n'oublia pas cette injure, et le malheureux Larivière fut au nombre des victimes, lors des massacres de Septembre 1792.

Élu député à la Convention nationale par le département de la Côte-d'Or, Bazire se montra partisan des mesures les plus sanglantes. Malgré son jacobinisme farouche, sa probité était assez douteuse pour qu'on le soupçonnât d'avoir été acheté par les Tuileries ; si le fait est vrai, il faut convenir que ce fut là de l'argent fort mal placé, car Bazire vota la mort du Roi.

C'est Bazire également qui demanda que le tutoiement devînt obligatoire entre les citoyens. Par contre, en homme de précaution, il s'opposa au vote d'une motion qui eût obligé tous les députés à rendre compte de leur fortune.

François Chabot, né en 1759, au collège de Rodez, était le fils du cuisinier de cet établissement.

Le jeune Chabot, frotté de latin grâce au voisinage, montra dès sa jeunesse une piété profonde, qui le conduisit, lorsqu'il eut l'âge d'homme, à se consacrer à Dieu sous la robe d'un Capucin. Il édifia tout d'abord ses compatriotes par sa dévotion; mais ce beau temps dura peu. On raconte que, désireux de connaître les mauvais livres qu'un confesseur prudent doit interdire à ses pénitents, il se livra à des lectures qui séduisirent son imagination et le pervertirent tout à fait. De vertueux Capucin, il devint le plus débauché des moines.

Tandis que beaucoup acclamaient les idées nouvelles par amour de l'humanité, sous l'excitation des plus généreux sentiments, Chabot vit surtout dans la Révolution le moyen de quitter un habit devenu gênant, et d'assouvir les désirs désordonnés et les basses convoitises qui le hantaient. Le département de Loir-et-Cher l'ayant choisi pour représentant, il se lia d'amitié avec Bazire et se fit le complice de ses violences avec un troisième collègue, Merlin. Ils devinrent bientôt assez fameux pour voir leurs noms accolés aux rimes les moins flatteuses :

> Connaissez-vous rien de plus sot
> Que Merlin, Bazire et Chabot?
> — Non, je ne connais rien de pire

> Que Merlin, Chabot et Bazire,
> Et personne n'est plus coquin
> Que Chabot, Bazire et Merlin.

Chabot avait bien vite rejeté la robe du Capucin, mais il avait conservé la malpropreté légendaire de cet Ordre. A la Convention, il attirait les regards par sa tête crasseuse et son accoutrement sordide. Toujours vêtu d'une jaquette sale, d'une façon de pantalon déguenillé, il avait le plus souvent les jambes nues. C'est lui qui se qualifiait fièrement du nom de « sans-culotte », traitant de « muscadins » les gens soignés dans leur mise. Ces deux appellations sont, grâce à lui, entrées dans le langage courant.

Il avait épousé une Allemande, Léopoldine Frey, dont le plus grand mérite consistait dans une dot de deux cent mille livres. Cette pauvre fille avait été en quelque sorte sacrifiée par ses frères, aventuriers étrangers, qui avaient cru s'assurer ainsi un puissant protecteur dans le moine défroqué.

Des autres convives du baron de Batz, il n'y a rien de particulier à dire. Ils se trouvaient là sans doute pour masquer le vrai but de la réunion.

Tant qu'on fut à table on ne parla point d'affaires, mais, dans le reste de la soirée, les initiés se réunirent à l'écart, et là, entre eux, exposèrent leurs projets et jetèrent les premières bases du plan mirifique qui devait les mener à la fortune.

Tout d'abord, les quatre députés se donnèrent à eux-mêmes les meilleures raisons pour s'encourager à aller de l'avant. Il est peu probable qu'ils eussent beaucoup de scrupules, et assurément ils n'étaient point dupes eux-mêmes des arguments qu'ils invoquaient, mais la vertu

était alors tellement à l'ordre du jour qu'ils voulaient
encore avoir l'air de la pratiquer, en l'outrageant affreu-
sement. Delaunay d'Angers commença donc par traiter
le côté politique de la situation. Selon lui, « la Montagne
n'avait ni énergie ni grandes vues : c'était l'effet de la
misère dans laquelle se trouvaient la plus grande partie
de ses membres ».

Il était urgent de remédier à un pareil état de choses.
« Il serait bien injuste de reprocher aux députés de
faire leurs propres affaires en faisant celles de la République. » D'ailleurs, « c'était l'avis de Danton ». Bien
mieux, ne savait-on pas que les membres du Parlement
anglais en agissaient couramment ainsi, ce qui revenait à
dire que c'était là une tradition parlementaire?

Ces arguments ne soulevèrent point de contradiction.
De ces considérations morales, Delaunay passa à l'exposé
pratique de son plan, lequel consistait : « 1° à procurer à
beaucoup de patriotes une fortune considérable; 2° à la
réaliser, c'est-à-dire à la convertir en papiers sur l'étranger,
en livres sterling et en guinées. »

Puis il développa les moyens d'arriver à ces séduisants
résultats. Il expliqua à ses collègues que « pour faire fortune, l'on comptait faire baisser tous les effets des compagnies financières, et surtout de la *Compagnie des Indes*,
par des moyens de tactique fort adroits; profiter de cette
baisse éphémère pour en acquérir une très grande quantité; s'en faire même donner par les banquiers intéressés
à la conservation des compagnies; provoquer ensuite une
hausse subite de leurs effets par des décrets avantageux,
et amasser de cette manière des fonds considérables ».

« Les moyens de tactique fort adroits » consistaient en
mémoires hostiles aux compagnies répandus dans le public,

et en « interpellations » à la Convention nationale. Les interpellateurs tonneraient avec indignation contre les agissements de ces sociétés privilégiées, et les résultats souhaités seraient obtenus : effroi des banquiers intéressés, qui payeraient pour qu'on désarmât ; baisse momentanée des actions, ce qui permettrait de les acheter à bon compte.

Mais pour acheter des actions, même à bas prix, il fallait de l'argent, et c'était précisément ce qui manquait le plus. Sur ce point encore, Delaunay avait tout prévu.

Un sieur Pahuguet d'Espagnac, ci-devant abbé devenu « patriote employé aux fournitures », avait passé avec le gouvernement, par la protection de Julien de Toulouse, des marchés considérables pour lesquels il lui était dû quatre millions. Il assaillait quotidiennement les Comités de salut public et de sûreté générale de ses réclamations, mais sans aucun succès.

Delaunay avait la promesse de ce personnage que, si, grâce à son influence et à celle de ses amis, il lui faisait obtenir satisfaction, le ci-devant abbé reconnaissant mettrait à leur disposition, sans intérêt, pendant plusieurs mois, les sommes recouvrées.

Ce plan, si bien combiné, fut unanimement approuvé. Restait l'exécution. Les quatre députés ne pouvaient, sans risquer beaucoup, tout faire par eux-mêmes ; il leur fallait des prête-noms. Chabot avait sous la main les instruments nécessaires dans la personne de ses beaux-frères et de quelques-uns de leurs amis.

II

LES AVENTURIERS ÉTRANGERS.

Junius et Emmanuel Frey présentaient bien le type de ces aventuriers cosmopolites qui, de tout temps, sont venus chercher en France un terrain propice à leurs intrigues.

Originaires de Moravie, ils s'appelaient primitivement Tropüska, et étaient de race juive. La défaveur qui s'attachait à cette qualité risquait de les entraver dans leur course à la fortune ; aussi ne tardèrent-ils pas à se fabriquer d'autres personnalités suivant les pays qu'ils habitèrent. Une note du dossier contient le récit de ces métamorphoses :

« Les soi-disant Frey se sont donné ce nom, qui signifie *libre*, pour se soustraire aux poursuites de leurs créanciers en Allemagne, où l'aîné doit des sommes considérables, et pour, à la faveur de cette dénomination, faire le métier d'intrigant.

« Ils sont nés Juifs dans les États d'Autriche, ils se sont fait baptiser pour être anoblis par la reine de Hongrie, comme de fait ils l'ont été sous le nom de Schoënfeld. Une de leurs sœurs seulement n'a pas voulu abandonner le judaïsme ; tout le reste de la famille s'est fait chrétien.

« *Trois de leurs frères sont dans le service de l'Empereur et font actuellement la guerre contre la République française.*

« Frey, ou, pour dire vrai, le noble de Schoënfeld l'aîné a abandonné sa femme et ses enfants; une de ses sœurs à Vienne, entretenue par un riche baron, prend soin d'elle.

« Ce Frey a été employé par Joseph II à l'espionnage, sachant bien que les enfants d'Israël surpassent toutes les autres nations dans ce métier.

« Le Juif Ephraïm, envoyé il y a trois ans par le tyran de Berlin, a prouvé cette assertion par sa mission à Paris. Frey est grand ami de ce traître de la France.

« Il y a environ vingt mois que ces *messieurs* les nobles de Schoënfeld sont arrivés de Berlin en France, et ils ont débuté à Strasbourg, où, à l'aide de quelques intrigants, une table ouverte et quelque argent répandu à propos, ils se sont glissés dans la société populaire sous le nom de Frey, et l'on ignorait absolument leur existence morale et politique; les mêmes moyens ont été employés à Paris, où Frey l'aîné s'est même insinué au *Club d'Orléans du Palais-Royal*.

« En un mot, ces soi-disant Frey sont des égoïstes, gens immoraux remplis de ruse et d'intrigue, qui, sous le masque du patriotisme, cherchent à assouvir leurs passions en cherchant à servir les ennemis de la République qui les payent.

« D'après ces détails, qui sont d'une exacte vérité, il y a lieu de croire que ces scélérats n'ont recherché l'alliance de Chabot que pour se servir de lui comme d'un moyen bien fait pour échapper à la surveillance de la police et arriver à leur but. »

La supposition n'avait rien d'invraisemblable. Dès leur arrivée à Paris, les frères Frey s'étaient installés rue d'Anjou-Saint-Honoré, près de la Madeleine, et avaient flairé le vent. Le pouvoir n'était plus aux mains d'un souverain comme en Autriche; l'influence appartenait aux représentants du peuple. Ils crurent trouver en Chabot, député fort en vue, le protecteur souhaité; ils l'achetèrent deux cent mille livres et, comme on le sait déjà, lui donnèrent leur sœur par-dessus le marché.

La protection de Chabot ne leur fut pas inutile. Leurs agissements, à une époque où la suspicion était à l'ordre du jour, attiraient l'attention sur eux. Le célèbre baron de Trenk, échappé des prisons de Berlin, se trouvait alors à Paris ; il les avait jadis connus. Il dénonça Junius Frey à un patriote du nom de Marguerie comme étant un individu très dangereux, capable de tout, et qui avait jadis procuré à l'empereur Joseph II deux de ses sœurs, « dont il ne rougit point d'être le Mercure ».

Le citoyen Marguerie, ému d'une telle confidence, se rend aussitôt chez un libraire du Palais-Royal, ami de Chabot, et lui fait part de ce qu'il vient d'apprendre. Le libraire se précipite chez le député, qu'il trouve au lit, et lui rapporte les bruits qui courent sur Frey.

Chabot prend la défense de son beau-frère, qui est très patriote, affirme-t-il. Il confesse pourtant que le fait d'avoir livré ses sœurs à l'Empereur peut être vrai, car « Frey est un homme sans principes à l'égard des femmes, et, d'ailleurs, à la Cour, c'était la mode de fermer les yeux sur ces sortes de bagatelles ». Puis il congédie le libraire rassuré, mais il ne fait pas moins son profit de la révélation, et le lendemain le baron de Trenk est arrêté...

Les frères Frey avaient groupé autour d'eux des gens capables de les servir dans leurs intrigues : c'étaient, entre autres, un grand d'Espagne nommé Gusman, naturalisé Français depuis 1781, et un Danois, Diederichsen, lequel était venu en France, poussé par « le plaisir de voyager et l'amour de la liberté ». Ce dernier connaissait Junius Frey depuis plusieurs années, et, d'après ses dires, il en avait reçu des secours et lui avait beaucoup d'obligations. Il logeait à l'hôtel de la Grange-Batelière et vivait chez le traiteur Méode; il menait une existence assez large, dépensant jusqu'à 50 francs par jour. Toutefois, cet état prospère avait des éclipses, et, quelquefois sans le sou, il employait son savoir-faire à obtenir quelques petits emprunts de-ci de-là.

Tels étaient les comparses auxquels allait être dévolue la besogne dont les quatre députés ne pouvaient se charger.

III

LA COMPAGNIE DES INDES DEVANT LA CONVENTION.

Tout étant ainsi préparé et les rôles distribués entre les complices, Delaunay entame l'affaire le 10 octobre. Membre du comité des finances, il est tout indiqué pour porter la question devant la Convention nationale.

Il monte à la tribune et, dans un discours véhément, attaque les compagnies financières et particulièrement la *Compagnie des Indes*.

« Pour trouver l'origine des premières alliances du despotisme avec les monopoles de tout genre, il faut remonter à ces époques honteuses où Louis XIV, après avoir épuisé, pour la vanité de sa maison, toutes les sources de la gloire, du bonheur et des richesses, descendit avec son conseil et ses ministres à toutes les bassesses de l'agiotage pour se procurer de l'argent.

« On imagina des privilèges, et le monopole connu sous le nom de *privilège exclusif pour le commerce des Indes* fut un de ceux que les ministres d'un roi nécessiteux et marchand étalèrent et vendirent au plus offrant dans la boutique royale.

« C'était une monstruosité que l'existence d'une compagnie revêtue d'un droit exclusif d'approvisionner la France de toutes les marchandises de l'Inde, et de les lui vendre à tous les prix que fixaient à leur gré le caprice et l'avidité... »

Il rappelle qu'une première fois les abus firent supprimer la Compagnie, mais que Calonne la rétablit, en créant vingt mille actions de mille livres. En 1789, vingt mille autres actions de mille livres furent remises à des personnes favorisées : les actions, de mille livres, montèrent à deux mille cinq cents livres.

Les lois du 27 août et du 28 novembre 1791 assujettirent les actions à la formalité du visa et au payement d'un droit de mutation. Que fit la Compagnie? Elle remplaça l'action par une reconnaissance qui se transférait par une inscription sur les registres de la Compagnie : plus de visa, plus de droit. Or, les quarante mille titres ont changé trois fois de propriétaires depuis ce temps-là. « Personne n'a dénoncé cette infraction à la loi. Tous les actionnaires sont donc coupables. »

D'après le tarif de la loi, Delaunay déclare que la Compagnie doit à l'État une somme de 2,249,786 livres.

Il ajoute qu'elle n'est pas seule en cause, et ses menaces visent toutes les compagnies financières : « Nous vous présenterons successivement, citoyens, le tableau des diverses compagnies de finances, nous vous conduirons dans tous les détours de ce labyrinthe où se cache encore le monstre de l'agiotage... »

Comme conclusion, Delaunay propose « la suppression de ces compagnies, sous quelque dénomination qu'elles soient ». Mais il a soin de leur laisser la faculté de se liquider elles-mêmes, ce qui équivaut à prolonger leur existence d'une durée indéterminée.

Les choses paraissent devoir s'arranger suivant ses désirs secrets, lorsqu'un nouveau personnage entre en scène, dont l'intervention va singulièrement gêner sinon détruire ses combinaisons.

Ce personnage n'est autre que Fabre d'Églantine. Cet ancien comédien devenu auteur dramatique s'est jeté dans la politique avec ardeur, et du premier coup s'est placé parmi les plus violents : il a été l'un des instigateurs des massacres de Septembre. Ennemi farouche de tout ce qui tient au passé, il a fait adopter par l'Assemblée le nouveau calendrier républicain inventé par Romme; sa haine s'étend à tout et notamment aux compagnies financières. La chose est si connue que Delaunay se dirigeant vers la tribune a passé près de Fabre et, « le caressant de l'œil (1) », lui a dit :

— Tu vas être bien content : je vais abîmer la *Compagnie des Indes.*

Fabre a écouté son collègue avec satisfaction, mais la conclusion le surprend; il s'élance à la tribune :

----

(1) *Bulletin du Tribunal révolutionnaire.*

« Après les vigoureuses sorties que le rapporteur vient de faire contre la *Compagnie des Indes*, je suis étonné qu'il n'en ait pas présenté l'anéantissement total. C'est laisser l'existence à cette Compagnie que de lui donner la faculté de vendre elle-même ses marchandises et se liquider ; vous ne sauriez prendre des mesures assez fortes contre des gens qui ont volé cinquante millions à la République. Je demande que le gouvernement mette la main sur toutes les marchandises qui appartiennent à la *Compagnie des Indes*, et qu'il les fasse vendre par ses agents ; s'il y a quelque chose de reste après la liquidation, on le lui remettra. Je demande, en outre, qu'à l'instant les scellés soient apposés sur les papiers de tous les administrateurs, afin de trouver de nouvelles preuves de leurs friponneries. »

Cependant un secours inattendu vient à Delaunay. C'est Cambon qui, lui, ne veut pas que le gouvernement se charge de la liquidation. « Je ne sais par quelle fatalité il arrive que la nation soit toujours condamnée lorsqu'elle plaide avec des particuliers. Dernièrement elle a été condamnée à payer quatre millions à d'Espagnac. » Cambon craint que l'État ne soit obligé de combler le déficit. « Que la *Compagnie des Indes* vende elle-même ses marchandises. Bornons-nous à surveiller sa liquidation, mais ne nous ingérons pas dans ses affaires. » Fabre ne se tient pas pour battu : les actions sont aux mains des administrateurs, « et ce serait à ces mêmes administrateurs que vous confieriez le soin de la liquidation ! Vous voulez donc leur fournir de nouveaux moyens de voler la nation ? J'insiste pour que ma proposition soit adoptée. »

Robespierre intervient alors :

« La Convention ne doit pas balancer à adopter la proposition de Fabre d'Églantine, car il répugne qu'un gouvernement sage laisse aux brigands la gestion des deniers dont ils doivent rendre compte. »

Cambon se range à cet avis, tout en faisant quelques réserves :

« Si vous voulez que le gouvernement fasse la vente des marchandises de la *Compagnie des Indes*, afin de ne rien laisser à la charge de la République, déclarez que la nation n'entend pas se charger du déficit, s'il y en a. »

« La proposition présentée par Delaunay est adoptée avec les divers amendements (1). »

La rédaction définitive du décret est confiée à une commission composée de Fabre, Cambon, Chabot, Julien, Ramel et Delaunay, ce dernier comme rapporteur.

En apparence, Delaunay triomphe, mais sa victoire, dépassant de beaucoup ses espérances, équivaut à une défaite. Tous les plans des quatre complices sont à vau-l'eau. Qu'importe que, fidèles aux engagements pris, les comparses aient agi en secret, que d'Espagnac ait prêté ses millions, que les Frey, Gusman et Diederichsen aient fait leurs achats de titres ? Qu'importe que les actions de la *Compagnie des Indes* soient tombées de quinze cents à six cent cinquante livres, si la Compagnie est condamnée à disparaître ?

Dans une telle occurrence, Chabot, Bazire, Julien et Delaunay, plus attachés que jamais à leur projet, ne voient d'autre chance de succès que dans la complicité de celui qui les a tant contrecarrés, et, comme il ne leur paraît point impossible de gagner Fabre d'Églantine, ils se résolvent à l'acheter. Assurés de sa bonne volonté, ils rédige-

(1) *Gazette nationale,* n° 19.

ront le décret non pas conformément au vote de l'Assemblée, mais selon l'intérêt des spéculations engagées. Chabot se charge de la négociation.

Pour se procurer des fonds, l'ex-Capucin va tout d'abord trouver certaines personnes dont la fortune consiste entièrement en actions de la *Compagnie des Indes*. Il fait à ces gens un sombre tableau de la situation, leur déclarant que s'ils ne consentent pas à lui verser une somme de cent mille livres, « non pour lui, mais pour Fabre d'Églantine, ils seront ruinés par les motions et persécutions de ce député, tandis qu'au moyen de cette somme, non seulement ils assureront leur tranquillité, mais encore ils retrouveront et ce sacrifice et un bénéfice considérable dans la hausse du prix de leurs actions, en cessant d'avoir Fabre d'Églantine pour persécuteur ».

Il les épouvante si bien qu'ils remettent à Chabot les cent mille livres demandées.

Muni de la somme et d'un projet de décret rédigé de concert avec ses complices, Chabot aborde son collègue, à la Convention même, et l'entraîne dans la salle de la Liberté.

Il cause avec lui de l'affaire, mais, aux premiers mots, il s'aperçoit que Fabre ne se laissera pas acheter. Il se contente alors de le prier de prendre connaissance du projet de décret, et d'y faire des modifications, s'il y a lieu.

Fabre lit le papier et, séance tenante, au crayon, le corrige dans le sens de son amendement. La pièce avec ces corrections se trouve aux Archives : il est facile de constater que les annotations de Fabre sont toutes conformes au vote de la Convention.

Les espérances des agioteurs se trouvent donc de nouveau déçues. Cette fois Chabot se décide à sauver seul la situation ; les cent mille livres qu'il a dans la poche ne sont point étrangères à cette résolution aussi hardie que dangereuse.

Il gardera l'argent, dira à ses complices que sa mission a réussi, et, n'ayant pu trouver dans Fabre un complaisant, il en fera sa dupe.

Il prévient en effet ceux qui se sont cotisés pour lui fournir les cent mille livres que « cette somme a été remise par lui-même et déposée sous enveloppe dans la chambre de Fabre d'Églantine ; qu'ainsi ils pouvaient être tranquilles sur leur sort ; que Fabre d'Églantine signerait le décret présenté par la Convention, sauf quelques changements de peu d'importance, mais qu'il était impossible de ne pas y insérer, y ayant eu un décret pour admettre, dans la rédaction, des amendements de Fabre d'Églantine ».

Puis, muni d'un nouveau texte, Chabot se rend de grand matin chez son collègue. Celui-ci était couché et dormait. Informé qu'un député le demande, il se lève et le reçoit.

— On a accepté tes corrections, dit Chabot. Voici la copie au net et mot à mot du projet de décret, tel que tu l'as corrigé. Signe-le.

Sans défiance, Fabre prend une plume et signe ce qu'il croit être une copie sincère. Chabot la reprend aussitôt :

— Je vais la faire signer aux autres.

Et il s'en va.

Les quatre complices, en possession de la pièce signée de Fabre d'Églantine, se livrent encore à d'autres altérations. Delaunay ajoute au paragraphe établissant le triple droit à payer pour les transferts ces mots : *faits en fraude,* ce qui permettra de dispenser de ce versement les acheteurs qui pourront se dire de bonne foi. Un autre inscrit dans un article que la liquidation se fera « suivant les statuts et les règlements », ce qui est le contraire de l'amendement Fabre d'Églantine; enfin le délai de trois mois devient un délai de quatre mois. Ainsi du reste.

Cela fait, Delaunay alors bâtonne les deux premiers mots du titre : *Projet de*, ce qui transforme le projet en décret. Il écrit au-dessus de la signature de Fabre : *Ont signé*, et ajoute les noms de Cambon fils aîné, Chabot, Julien de Toulouse, Delaunay d'Angers et Ramel, puis il signe lui-même au-dessous, joignant à sa signature sa qualité de « rapporteur ».

La pièce ainsi arrangée est portée directement au secrétaire de la Convention, Louis du Bas-Rhin, lequel, sans autre examen, la reçoit comme le vrai décret, donne le *bon à expédier*, et le faux décret paraît dans le recueil des actes officiels sous le « numéro 1792, le dix-septième jour du premier mois de l'an deuxième de la République française une et indivisible ».

Le tour est joué, et les quatre compères s'applaudissent déjà du succès de leurs machinations. C'est vraisemblablement vers cette époque que Julien de Toulouse annonce à Bazire que l'affaire est en bonne voie, et que, sous peu, il lui remettra sa part de bénéfices, soit cent mille livres...

Il était fort possible, en effet, qu'au milieu des agitations de la France le faux passât inaperçu; mais le hasard, qui avait jusqu'alors si merveilleusement servi les faussaires, allait se retourner contre eux. Un petit incident fit tout dévoiler.

Un jour, Fabre d'Églantine, rencontrant Delaunay, lui dit :

— Eh bien, quand présentes-tu le projet de décret?

Puis il passa sans même attendre la réponse.

Mais cette question suffit à troubler Delaunay. Fabre n'était donc point d'accord avec eux? Est-ce que Chabot ne lui aurait point remis les cent mille livres, ainsi qu'il l'avait affirmé? Les avait-il donc gardées pour lui, heureux d'ajouter à ses bénéfices ce gain fait sur ses complices? Une explication était nécessaire. Elle eut lieu entre les deux collègues, et Chabot, qui n'était pas plus sot qu'il n'était honnête, comprit que les choses risquaient de fort mal tourner pour eux.

Il prit aussitôt son parti, et, résolu à se tirer, si faire se pouvait, d'un fort mauvais pas, aussi cyniquement qu'il les avait volés, il se décida à perdre ses complices. Il courut chez Robespierre et lui dénonça l'existence d'un complot contre la République. Les conspirateurs, pour s'assurer plus de chances de succès, avaient formé le dessein de corrompre des membres de la Convention. Lui-même avait reçu des offres, plus que des offres, — il montrait le paquet des cent mille livres. — Pour mieux pénétrer les abominables desseins de ces ennemis de la Révolution, et pour connaître le nom de ceux qui trahiraient, il avait feint d'accepter le rôle infâme qu'on lui proposait. Il avait gardé ce secret près de six semaines, mais aujourd'hui il n'avait que trop de preuves de l'infernal complot, et il le dénonçait, bravant ainsi deux factions également redoutables.

Robespierre, qui avait une peur énorme de se compromettre dans de pareils tripotages, et qui n'estimait guère l'ex-Capucin, l'engagea à aller porter ses confidences au Comité de sûreté générale.

Dans le même temps, Bazire, prévenu par Chabot,

agissait comme lui et essayait pareillement de se donner le rôle d'espion, expliquant le silence qu'il avait gardé jusque-là par le désir d'avoir des preuves suffisantes.

IV

L'ARRESTATION.

Le Comité de sûreté générale, en présence de ces dénonciations, ne vit point clair tout de suite dans l'affaire, mais jugea bon de s'assurer de la personne de tous les individus compromis, des dénonciateurs aussi bien que des dénoncés. Le baron de Batz, comme toujours, échappa, et Julien de Toulouse, averti à temps, sut se soustraire à l'arrestation. Delaunay d'Angers, Chabot et Bazire furent seuls appréhendés et conduits en prison. La Convention approuva la mesure du Comité de sûreté générale (28 brumaire-18 novembre 1793).

L'instruction commença aussitôt. On fit une perquisition chez Delaunay, rue Montmartre, 545. On trouva là une citoyenne Descoings, laquelle, d'instinct sans doute, joua pour le compte de l'homme avec qui elle vivait la même comédie que Chabot et Bazire. Elle offrit à Voulland de lui « donner les clefs de l'intrigue de Chabot et des autres ». Suivant elle, Delaunay évitait de fréquenter ces deux députés pour ne pas se compromettre.

On ne s'arrêta pas à ces dénégations de complices se rejetant mutuellement l'accusation, et on les maintint tous les trois dans la prison du Luxembourg. A quelque temps de là, l'examen des pièces fit découvrir le projet de décret portant les corrections de Fabre d'Églantine. Les apparences étaient contre lui : il fut regardé comme auteur des falsifications et arrêté (12 janvier 1794).

En vain il protesta de son innocence; en vain il expliqua que la pièce annotée par lui était un premier projet, qu'il avait modifié, ainsi qu'il devait le faire, en sa qualité d'auteur de l'amendement et de membre de la commission; en vain il déclara avoir signé la seconde pièce sans la lire, s'en rapportant à la déclaration de son collègue qu'elle n'était que la copie exacte de la première : il avait trop d'ennemis, parmi lesquels Robespierre, pour que sa voix fût entendue. Il fut maintenu en prison, et accusé de complicité dans une manœuvre dont il était entièrement innocent.

Cependant les choses tournaient mal pour les dénonciateurs eux-mêmes; toute leur bande était sous les verrous : d'Espagnac, compromis par des lettres trouvées chez Julien de Toulouse, Junius et Emmanuel Frey, par leur alliance avec Chabot, Diederichsen et Gusman, par leurs relations avec les Frey. Chabot était abandonné par ses amis : « Le club électoral séant au ci-devant évêché » votait contre l'ex-Capucin l'ordre du jour suivant :

« La société arrête de présenter une pétition à la Convention pour décréter l'*infamie* pour tout homme libre qui, depuis l'époque de 1789, aurait épousé ou épouserait femme étrangère, jusqu'à ce que la nation de la future fût devenue aussi libre que la nation française. »

L'époux de l'Autrichienne Léopoldine Frey cherchait à se justifier et écrivait à ses collègues de la Convention des mémoires volumineux, où il entassait pour sa défense les arguments les plus saugrenus et les plus honteux. Ainsi, déclarait-il, « un songe m'a appris (riez-en de pitié si vous voulez) que mon contrat de mariage était nul, ma femme étant mineure... ». Donc, il échappait à l'infamie d'avoir épousé une riche étrangère. Puis il insistait sur le rôle qu'il avait joué dans le soi-disant complot, il se vantait d'être un « espion ». Il feignait de s'applaudir de ce qu'il avait fait, « dût-il être victime de son dévouement, ce que la Providence ne semble pas vouloir » !

Le défroqué parlait ainsi le 28 nivôse (17 janvier 1794); c'était là une réminiscence de son langage de Capucin. Mais sa confiance en la Providence ne devait pas durer. Voyant que, loin de le relâcher, on se disposait à le faire comparaître devant le tribunal révolutionnaire, il se sentit perdu. Il n'eut plus qu'une idée : se soustraire par la mort à la honte d'une condamnation. Il demanda à Léopoldine Frey de lui apporter une petite bouteille de sublimé corrosif, sous prétexte de soigner une maladie de peau dont il était attaqué. La pauvre femme lui obéit.

En possession de cette « ciguë », Chabot rédige alors son testament, — un testament politique, ainsi qu'il convient à un personnage tel que lui, — sous forme de *Lettre aux Français*, puis il avale le contenu de la fiole. Mais des douleurs atroces le saisissent aussitôt; il n'a pas la force de résister, il sonne avec violence, il appelle au secours. On monte, on se précipite dans sa chambre : la première personne qui entre, c'est Benoît, le concierge du Luxembourg. En le voyant, Chabot, d'un ton emphatique, s'écrie :

— Prends mon testament qui est sur la table et portele au Comité de sûreté générale, et dis à mes oppresseurs que je leur pardonne, parce que je crois qu'ils n'ont prononcé mon arrêt de mort que pour sauver la patrie !

Benoît, sans s'arrêter à ces belles paroles, fait venir des médecins, qui administrent au malade de l'huile d'amande douce, du lait, du laudanum. Ces remèdes, pris à temps, combattent l'effet du poison. Chabot est sauvé, et conservé à la guillotine.

Le surlendemain (29 ventôse-19 mars 1794), la Convention nationale, informée de la guérison de Chabot, rendait un décret portant « qu'il y avait lieu à accusation contre Delaunay d'Angers, Julien de Toulouse, Fabre d'Églantine, Chabot et Bazire, pour être devenus auteurs ou complices de la suppression ou de la falsification du décret du 17 vendémiaire, concernant la *Compagnie des Indes* ».

Le décret, en ce qui concernait Julien de Toulouse, resta lettre morte : ce député avait su se dérober aux poursuites et ne fut pas repris.

Bazire, comme Chabot, avait essayé de se justifier, et, dans un long mémoire, il s'était efforcé d'établir son innocence aux dépens de ses complices. Seul de ces accusés, Fabre d'Églantine, véritablement innocent, n'écrivait rien. « Malade et faible, dit en parlant de lui Riouffe, un de ses camarades de prison, il n'était occupé que d'une comédie en cinq actes qu'il disait avoir laissée entre les mains du Comité de salut public, et de la crainte que Billaut-Varennes ne la lui volât (1). » Préoccupation bien digne de cet homme bizarre, assemblage

(1) *Mémoires d'un détenu pour servir à l'histoire de la tyrannie de Robespierre.*

curieux de qualités et de défauts contraires qui mêlait les plus petites choses aux grandes, ainsi qu'il en avait donné déjà une preuve, alors que, poussant aux massacres de Septembre, il avait eu soin de faire sortir de prison sa cuisinière qui y était détenue pour dettes. Il semblait qu'il traitât la vie comme une comédie, — une tragi-comédie, — et qu'il continuât à y jouer son rôle.

V

LE PROCÈS.

Le décret de la Convention était un arrêt de mort. D'ordinaire le tribunal révolutionnaire obéissait à ces ordres avec autant de célérité que de soumission.

Il n'en fut point ainsi cette fois, et les accusés ne parurent en jugement qu'une dizaine de jours plus tard.

Le motif de ce retard venait de ce que Robespierre, ayant résolu de perdre Danton, avait eu la machiavélique pensée de mêler le procès de celui-ci à une malpropre affaire, qui jetât sur lui le discrédit et le déconsidérât avant qu'il fût condamné. Danton ne fut arrêté que dans la nuit du 30 au 31 mars; le procès des accusés de l'affaire de la *Compagnie des Indes* ne s'ouvrit donc que le 13 germinal (2 avril).

Ce jour-là, le Palais de justice est envahi par une foule considérable, avide de voir juger le grand homme de la Révolution (1); mais le tribunal, toujours docile aux

(1) Bien que les accusés de l'affaire de la *Compagnie des Indes* et les Dantonistes aient comparu le même jour devant le tribunal révolu-

volontés de la faction triomphante, affecte de ne le considérer que comme le complice des tripoteurs qui vont paraître devant lui : c'est Chabot qui entre le premier, c'est Chabot qui occupe le fauteuil de chef de fournée. Après lui viennent Bazire et Fabre d'Églantine.

Malgré leur notoriété, les dantonistes sont confondus dans la troupe des comparses avec Delaunay, les frères Frey, d'Espagnac, Gusman, Diederichsen... Et c'est en vain que Danton s'indigne d'être accolé à des « voleurs » !

Le procès commence, le double procès, doit-on dire, car tantôt l'on passe des uns aux autres, sans ordre, sans suite, dans une confusion voulue qui permet de les traiter tous comme des complices des mêmes crimes.

En ce qui concerne les accusés de l'affaire de la *Compagnie des Indes,* leur défense est conforme à l'attitude qu'ils ont précédemment prise.

Fabre d'Églantine raconte en quelques mots sa participation à l'affaire, et comment il a été trompé par les manœuvres de Chabot. Il ajoute que celui-ci l'a implicitement reconnu, puisqu'il a déclaré que Delaunay voulait tromper la Convention, mais que lui, Fabre, « avait aperçu le piège tendu dans son rapport, et *qu'il avait craché sur son amorce.* » Enfin, il n'a pas reçu les cent mille livres que Chabot était censé lui avoir remises.

Pour des esprits non prévenus, une telle défense avait chance de triompher ; mais ici, le siège est fait, et l'accusation maintenue.

Chabot continue à montrer piteuse mine : il invoque la

tionnaire, le procès de ceux-ci fut distinct du procès de ceux-là. Aussi avons-nous cru devoir en faire deux récits séparés. Si ce procédé nous oblige à quelques répétitions, en revanche il nous permet plus de clarté.

dénonciation qu'il a faite de ses complices et le service qu'il a rendu ainsi à la cause de la Révolution.

Bazire imite ce bel exemple : il prétend n'avoir pris aucune part aux intrigues; il a seulement feint d'écouter les propositions des coupables pour les dévoiler en temps opportun.

Delaunay se borne à soutenir que tous les faits qui lui sont imputés sont calomnieux.

Le ci-devant abbé d'Espagnac nie également toute participation à l'affaire. Mais le président tire une lettre du dossier :

— Voici ce que vous écriviez le 9 avril 1793 à Julien de Toulouse, dit-il :

« Cher ami, je n'ai encore rien fait pour vous, et cependant je n'ai point oublié toutes les obligations que je vous ai.

« *Vous auriez de la peine à vous faire une juste idée des sacrifices que j'ai faits pour nombre de scélérats qui siègent à côté de vous*, et qui ne m'ont pas tenu parole. Je n'ai pu vous voir sans vous aimer, sans vous estimer; j'ai admiré votre perspicacité, vos talents en tout genre. Si je ne suis pas septembrisé, je vous ferai légataire de plusieurs sommes que j'ai su soustraire à l'avidité nationale (1)... »

D'Espagnac s'efforce d'atténuer, d'expliquer dans un sens favorable les expressions de cette lettre, mais le témoin Cambon donne des détails sur les relations très intimes qui existaient entre Julien de Toulouse et l'accusé, et, notamment, il rappelle les efforts du député en faveur de celui-ci au sujet de sa réclamation de quatre millions.

(1) *Bulletin du Tribunal révolutionnaire.*

Gusman nie toute participation aux agissements incriminés. Il ajoute ces paroles, que la situation rendait singulièrement étranges dans sa bouche :

— Ma naissance m'avait à la vérité placé parmi les premiers grands d'Espagne ; mais je n'en soupirais pas moins pour la liberté. Je me sentais l'âme faite pour goûter cette précieuse liberté, et c'était dans l'espoir d'en jouir que j'étais venu en France.

Diederichsen a une attitude plus digne.

Le président l'interroge :

— N'étiez-vous pas à Vienne en 1781 ? Ne viviez-vous pas avec les frères Frey ?

— Le fait est vrai, répond-il, et c'est ici le moment de payer à mes bienfaiteurs le tribut de reconnaissance que je leur dois. J'avoue donc avoir reçu des services essentiels des frères Frey.

A Junius Frey, on demande d'où lui venait l'argent qu'il a dépensé à Paris, notamment les deux cent mille livres données à Chabot.

— Ma femme, fille adoptive d'un homme opulent, avait à sa disposition près de deux millions, dit-il.

Quant à son jeune frère, sa réponse est à la fois courageuse et touchante.

— Emmanuel Frey, interroge le président, que veniez-vous faire à Paris ?

— Je venais y jouir de la liberté promise par les Français. J'ai suivi mon frère comme un fils accompagne son père, et je ne me repentirai point d'avoir suivi son exemple ; je mourrai même volontiers avec lui.

Le procès fut arrêté le quatrième jour, les jurés s'étant déclarés suffisamment éclairés ; le décret du 8 brumaire leur donnait ce droit. Le verdict n'était plus qu'une formalité ; Danton et ses amis étaient condamnés à mort : tous les accusés de l'affaire de la *Compagnie des Indes* avaient le même sort. Fabre d'Églantine, tout innocent qu'il fût, accompagna à l'échafaud Chabot, Bazire, Delaunay, d'Espagnac, les frères Frey, Gusman et Diederichsen (5 avril 1794).

La Convention, on le voit, n'était point indulgente aux tripoteurs, non plus que le Tribunal révolutionnaire. En ces temps-là, ceux qui tentaient « de détruire par la corruption le gouvernement républicain », aussi bien que les députés « convaincus d'avoir trafiqué de leur opinion comme représentants du peuple (1) », étaient considérés comme des criminels.

(1) Verdict du jury.

LE
PROCÈS DE DANTON

(16 GERMINAL AN II — 5 AVRIL 1794)

I

LE PROCÈS.

L'émotion est grande dans Paris et l'affluence considérable au Palais de justice. Ce 13 germinal an II, (2 avril 1794) commence le procès intenté à Danton, Camille Desmoulins, Hérault de Séchelles, Phélippeaux, Lacroix, membres de la Convention, que la Convention a livrés au triumvirat Robespierre, Saint-Just, Couthon, comme, quelques mois auparavant, les Girondins.

Toutes les mesures sont prises pour que le Tribunal justifie la confiance de ces trois hommes : c'est Herman qui préside ; on peut compter sur lui pour entraver la défense et, au besoin, la supprimer. Il est entouré de juges qui le valent : Masson, Foucault, Denizot et Bravet. L'accusateur public, c'est Fouquier, assisté de son substitut Lescot-Fleuriot.

Quant aux jurés, ils ne sont que sept, mais tous « jurés

solides », suivant l'expression consacrée : ce sont Renaudin, Desboisseaux, Trinchard, Dix-Août, Lumière, Ganney et Suberbielle.

Ce n'est pas tout encore : on sait qu'afin d'écraser Danton plus aisément, on a imaginé de l'impliquer dans l'affaire de la *Compagnie des Indes*. Les dantonistes, se trouvent donc sur les bancs du Tribunal à côté de maîtres fripons comme Bazire, Chabot, Delaunay d'Angers, ou d'aventuriers cosmopolites comme les frères Frey, Gusman, Diederichsen, etc.

II

DANTON ET SES AMIS.

Danton et ses amis avaient été arrêtés dans la nuit du 30 au 31 mars 1794, et écroués au Luxembourg.

On ne peut pas dire qu'ils aient été surpris. Depuis plusieurs jours, en effet, de vagues rumeurs circulaient, annonçant cette arrestation. Mais Danton, avec une superbe et imprudente assurance, n'en tenait aucun compte et plaisantait l'accusation de conspiration dont il semblait menacé.

— Un homme qui couche avec sa femme toutes les nuits ne conspire pas, disait-il.

L'acte de vigueur des Comités le déconcerta. On affirme qu'il fut « un peu honteux d'avoir été escamoté par Robespierre ».

Son entrée dans la prison fit sensation; il eut soin de

lui donner ce côté théâtral qu'il affectionnait en toutes choses :

— C'est à pareil jour que j'ai fait instituer le Tribunal révolutionnaire, mais j'en demande pardon à Dieu et aux hommes. Ce n'était pas pour qu'il fût le fléau de l'humanité ; c'était pour prévenir le renouvellement des massacres de Septembre.

Puis, s'adressant aux prisonniers qui le regardaient avec un étonnement quelque peu ironique :

— Messieurs, dit-il, je comptais bientôt pouvoir vous faire sortir d'ici ; mais malheureusement m'y voilà renfermé avec vous ; je ne sais plus quel sera le terme de tout ceci.

Enfermé dans un cachot voisin de celui de Lacroix, il causait à voix haute avec lui, heureux de pouvoir ainsi faire parvenir aux autres prisonniers, et par eux à la postérité, quelques-unes de ses réflexions.

On en a recueilli plusieurs :

« Je laisse tout dans un gâchis épouvantable ; il n'y en a pas un qui s'entende au gouvernement... »

« Ce qui prouve que le sieur de Robespierre est un Néron, c'est qu'il n'avait jamais parlé à Camille Desmoulins avec tant d'amitié que la veille de son arrestation. »

« Dans les révolutions, l'autorité reste aux plus scélérats. »

Parfois, son mépris dédaigneux s'exhalait en termes d'une énergie qu'on ne peut rapporter ici sans les adoucir :

« Si je laissais ma virilité à Robespierre et mes jambes à Couthon, ça pourrait aller encore quelque temps au Comité de salut public. »

Parfois, songeant à sa maisonnette d'Arcis-sur-Aube où l'attendait la douce jeune femme qu'il venait d'épouser, il oubliait tout pour parler, comme un héros de Florian, des arbres, de la campagne, de la nature...

« Il vaut mieux être un pauvre pêcheur que de gouverner les hommes. »

Les hommes! comme il les méprisait à cette heure!

« Les f... bêtes! Ils crieront : *Vive la République!* en me voyant passer... »

Dès le lendemain de l'arrestation, le juge Denizot avait procédé à l'interrogatoire.

Le soir même, les prisonniers étaient transférés à la Conciergerie, et le 13 germinal (2 avril), le procès commençait.

III

JOURNÉE DU 13 GERMINAL.

Il est dix heures du matin : quatorze accusés sont introduits, mais le chef de la fournée, celui qui a droit au fauteuil, ce n'est point Danton ; c'est le piteux Chabot. Puis viennent Bazire et Fabre d'Églantine. L'intention est ainsi bien marquée de noyer l'affaire de Danton dans celle de la *Compagnie des Indes*. Le farouche tribun ne paraît que le cinquième, après Lacroix.

Tous les regards se portent sur lui.

Le voilà, l'homme du Dix Août, des journées de Septembre, du Tribunal révolutionnaire. D'une force extraordinaire, d'une stature colossale, il semble encore sur ce banc des accusés être le « gentilhomme de la sans-culotterie ». Avec sa figure couturée par la petite vérole, son nez aplati, ses narines au vent, ses lèvres saillantes, ses yeux petits dardant des regards audacieux, il s'avance, décidé à la lutte et prêt à faire tonner dans ce prétoire sa voix rude et sonore, et à écraser l'accusation sous son éloquence violente, triviale et entraînante.

Delaunay d'Angers et le beau Hérault de Séchelles le séparent de Camille Desmoulins; Gusman, Diederichsen, Phélippeaux, d'Espagnac, Junius et Emmanuel Frey, prennent place à la suite.

Les jurés prêtent serment. A ce moment Camille Desmoulins déclare vouloir récuser Renaudin, par ce motif qu'ils ont eu une discussion « aux Jacobins pour leurs opinions », et que Renaudin « l'a pris au collet et a voulu l'assommer ».

Naturellement, le Tribunal passe outre, et Renaudin continue à siéger comme juré.

Le président pose aux accusés les questions d'usage.

Danton répond :

— Ma demeure, bientôt dans le néant, ensuite dans le Panthéon de l'histoire, importe peu.

Camille Desmoulins :

— J'ai l'âge du sans-culotte Jésus, trente-trois ans.

Hérault de Séchelles :

— Je m'appelle Marie-Jean, nom peu saillant même parmi les saints. Je siégeais dans cette salle où j'étais détesté des parlementaires.

L'accusateur public fait ensuite lire par le greffier, comme première partie de l'acte d'accusation, le rapport d'Amar concernant Chabot, Bazire, etc. Cette lecture et celle du décret d'accusation occupent toute la première audience.

IV

JOURNÉE DU 14 GERMINAL.

Au début, un incident : Westermann est amené et rangé au nombre des accusés.

Westermann est un ancien greffier de Haguenau, venu à Paris au moment de la Révolution; il s'est lié avec Danton, a coopéré à la journée du Dix Août, puis a été guerroyer en Vendée, où il a fait preuve d'un vrai courage; mais son amitié pour Danton efface les services rendus : il est « accusé de conspiration ».

Cette seconde séance débute par la lecture du rapport de Saint-Just à la Convention. Saint-Just s'entendait à ces œuvres de haine : il représente sérieusement Danton comme un partisan de la royauté.

Voici enfin un témoin : Cambon fils dépose longuement au sujet de l'affaire de la *Compagnie des Indes*. Danton bout d'impatience ; il interpelle Cambon :

— Nous crois-tu conspirateurs? Voyez! il rit, il ne le croit pas! — Ecrivez qu'il a ri.

Cependant on ne peut retarder indéfiniment son interrogatoire sur les faits qui lui sont reprochés. Le président se résigne à remplir ce devoir, mais il s'y prend de façon à irriter Danton et à l'amener à des violences qui lui permettront de couper court à sa défense.

— Danton, dit-il, la Convention nationale vous accuse d'avoir favorisé Dumouriez, de ne l'avoir pas fait connaître tel qu'il était, d'avoir partagé ses projets liberticides...

Danton va donc pouvoir parler. Les paroles se pressent confuses sur ses lèvres :

— Ma voix, qui tant de fois s'est fait entendre pour la cause du peuple, pour appuyer ou défendre ses intérêts, n'aura pas de peine à repousser la calomnie. Les lâches qui me calomnient oseraient-ils m'attaquer en face? Qu'ils se montrent et bientôt je les couvrirai eux-mêmes de l'ignominie, de l'opprobre qui les caractérisent! Je l'ai dit et je le répète : mon domicile est bientôt dans le néant, et mon nom au Panthéon. Ma tête est là : elle répond de tout. La vie m'est à charge; il me tarde d'en être délivré...

Le président l'interrompt :

— Danton, l'audace est le propre du crime et le calme est celui de l'innocence. Sans doute, la défense est de droit légitime, mais c'est une défense qui sait se renfermer dans les bornes de la décence et de la modération, qui sait tout respecter, même jusqu'à ses accusateurs.

— L'audace individuelle est sans doute réprimable, et jamais elle ne put m'être reprochée, reprend l'accusé, mais l'audace nationale, dont j'ai tant de fois donné l'exemple, dont j'ai tant de fois servi la chose publique, ce genre d'audace est permis... Est-ce d'un révolutionnaire comme moi, aussi fortement prononcé, qu'il faut attendre une .défense froide? Les hommes de ma trempe sont impayables; c'est sur leur front qu'est imprimé en caractères ineffaçables le sceau de la liberté, le génie républicain, et c'est moi que l'on accuse d'avoir rampé aux pieds des vils despotes, d'avoir toujours été contraire au parti de la liberté!... Et c'est moi que l'on somme de répondre à la justice inévitable, inflexible!... Et toi, Saint-Just, tu répondras à la postérité de la diffamation lancée contre le meilleur ami du peuple, contre son plus ardent défenseur!... En parcourant cette liste d'horreur, je sens toute mon existence frémir!...

Il va continuer; Herman l'arrête, et lui fait observer qu'il « manque à la Représentation nationale, au Tribunal et au Peuple souverain ».

— Marat, ajoute-t-il, fut accusé comme vous. Il sentit la nécessité de se justifier et établit son innocence en termes respectueux... Je ne puis vous proposer de meilleur modèle; il est de votre intérêt de vous y conformer.

Plus maître de lui, sinon plus calme, Danton reprend la parole :

— Je vais donc descendre à ma justification; je vais suivre le plan de défense adopté par Saint-Just...

Vaine résolution! La passion l'agite trop pour qu'il se maîtrise, et de nouveau il éclate :

— Moi, vendu à Mirabeau, à d'Orléans, à Dumouriez! Moi, le partisan des royalistes et de la royauté!... J'ai toute la plénitude de ma tête, lorsque je provoque mes accusateurs... Qu'on me les produise, et je les replonge dans le néant dont ils n'auraient jamais dû sortir! Vils imposteurs, paraissez, et je vais vous arracher le masque qui vous dérobe à la vindicte publique!

Herman intervient :

— Danton, ce n'est pas par des sorties indécentes contre vos accusateurs que vous parviendrez à convaincre le jury de votre innocence. Parlez-lui un langage qu'il puisse entendre.

— Un accusé comme moi, qui connaît les mots et les choses, répond devant le jury, mais ne lui parle pas, déclare-t-il orgueilleusement. Je me défends et ne calomnie point... J'ai des choses essentielles à révéler : je demande à être entendu paisiblement, le salut de la Patrie en fait une loi.

Mais Herman n'entend pas laisser cette défense embarrassante se développer librement ; il interrompt constamment l'orateur et visiblement cherche à le jeter hors des gonds. Danton crie, vocifère.

— N'entends-tu pas ma sonnette ? dit le président.

— Un homme qui défend sa vie, riposte Danton, se moque d'une sonnette et hurle.

C'est au milieu d'une telle confusion que se poursuit cette défense, arrêtée à tout moment par les interpellations du président ou des jurés. L'un d'eux l'interroge sur l'emploi des quatre cent mille livres de fonds secrets.

— J'ai électrisé les départements, dit-il.

Un autre lui demande pourquoi Dumouriez n'a pas poursuivi les Prussiens. Ainsi harcelé, le tribun ne répond plus que par des phrases incohérentes... Pendant ce temps-là, le président et l'accusateur public échangent entre eux leurs impressions et se communiquent leurs intentions sur un chiffon de papier qui se trouve au dossier.

« Dans une demi-heure, je ferai suspendre la défense de Danton. Il faudra prendre quelques-uns de détail », écrit Herman.

« J'ai une interpellation à faire à Danton, relativement à la Belgique, lorsque tu cesseras les tiennes », répond Fouquier.

« Il ne faut pas entamer, relativement à d'autres que Lacroix et Danton, l'affaire de la Belgique, riposte Herman, et, quand nous en serons-là, — il faut avancer. »

On « avança » en effet, et le *Bulletin du Tribunal révolutionnaire* explique comment on s'y prit : « Danton parlait depuis longtemps avec cette véhémence, cette énergie qu'il a tant de fois déployées dans les assemblées.

« En parcourant la série des accusations qui lui étaient personnelles, il avait peine à se défendre de certains mouvements de fureur qui l'animaient : sa voix altérée indiquait assez qu'il avait besoin de repos.

« Cette position pénible fut sentie de tous les juges, qui l'invitèrent à suspendre ses moyens de justification pour les reprendre avec plus de calme et de tranquillité.

« Danton se rendit à l'invitation et se tut. »

Ce résultat obtenu, le président passe à l'interrogatoire des amis de Danton : Hérault de Séchelles se défend avec autant de courage que de netteté ; Camille Desmoulins montre moins d'énergie.

Lacroix, interrompu par Herman, s'écrie :

— Je ne suis donc ici que pour la forme, puisque l'on veut me réduire à un rôle muet?

Fouquier intervient alors :

— Il est temps de faire cesser cette lutte, tout à la fois scandaleuse et pour le Tribunal et pour tous ceux qui vous entendent. Je vais écrire à la Convention pour connaître son vœu : *il sera bien exactement suivi.*

Cette menace, le plus sinistre des avertissements, ne trouble pas les dantonistes. Phélippeaux, pris à partie avec violence, fait cette noble et courageuse réponse :

— Il vous est permis de me faire périr, mais m'outrager, je vous le défends !

Il est à peine quatre heures ; le président, qui a hâte « d'avancer », lève la séance.

V

JOURNÉE DU 15 GERMINAL.

Nouvel incident au début de cette audience. Lhuillier, ex-procureur général syndic du département de Paris, est réuni aux autres accusés comme complice de Chabot, Bazire, etc.

L'interrogatoire continue. C'est au tour de Westermann. Cet homme, qui a si souvent risqué sa vie sur les champs de bataille, ne se laisse point intimider :

— Les bons soldats se louent de moi et me rendent justice ; le blâme des lâches qui se plaignent de moi et qui m'accusent ne peut que concourir à ma justification...

« Je demanderai à me mettre tout nu devant le peuple pour qu'on me voie : j'ai reçu sept blessures toutes par devant ; je n'en ai reçu qu'une par derrière : mon acte d'accusation. »

C'est alors que Gusman, ce grand d'Espagne de première classe, déclare que son amour pour la liberté l'a seul amené en France.

Danton, qui a recouvré son sang-froid, plaisante :

— Il fait des châteaux en Espagne.

Et, comme le président laisse à Gusman toute liberté pour exposer longuement une défense qui ne gêne personne :

— On lui fait la politesse comme étranger, ajoute Danton.

Cependant Herman a beau traîner les choses en longueur, Danton et ses amis insistent avec une énergie croissante pour qu'on entende leurs témoins. L'accusateur public est fort embarrassé; le secours tant attendu lui vient : à quatre heures, il est mandé hors de l'audience.

Il sort aussitôt et se trouve en présence de deux membres du Comité de sûreté générale, Amar et Voulland.

— Voilà ce que tu demandes, dit Amar à Fouquier.

Et il lui tend le décret voté d'urgence par la Convention.

— Voilà de quoi vous mettre à l'aise, ajoute Voulland.

— Ma foi, nous en avons besoin, répond Fouquier en souriant.

Puis il rentre aussitôt dans la salle d'audience, et, avec un grand air de satisfaction, il donne lecture du décret par lequel « tout prévenu de conspiration qui résistera ou insultera à la justice nationale sera mis hors des débats sur-le-champ ».

Un sentiment général de stupeur accueille cette lecture; mais le premier moment de surprise passé, les cris, les protestations éclatent. Danton s'élève avec véhémence contre la perfidie de ses ennemis. Les assistants crient *à la trahison...*

C'est au milieu de ce tumulte que le président lève la séance.

VI

JOURNÉE DU 16 GERMINAL.

Le lendemain, l'audience s'ouvre à huit heures et demie, Herman et Fouquier sont armés, et ils s'apprêtent à en finir promptement.

C'est en vain que Danton et Lacroix insistent encore pour que leurs témoins soient entendus. L'accusateur public leur répond que c'est inutile, et, par dérision, il ajoute qu'il a, lui aussi, « une foule de témoins à produire contre eux et qui tous tendraient à les confondre », mais qu'il s'abstiendra de les faire entendre, pour se conformer aux ordres de la Convention.

Le président veut reprendre l'interrogatoire des comparses, Gusman, Frey, Diederichsen... Danton et Lacroix protestent alors avec plus de violence ; il faut qu'on donne satisfaction à leur demande !... C'est ce qu'attend Herman ; aussitôt, il rappelle le décret du 8 brumaire, qui permet aux jurés, après trois jours de débats, de couper court au procès en se déclarant suffisamment instruits.

Les accusés se sentent perdus : de tous les bancs partent des cris : « A l'injustice ! à la tyrannie ! Nous allons être jugés sans être entendus ! » Et la forte voix de Danton domine le tumulte :

— Point de délibération ! Nous avons assez vécu pour nous endormir dans le sein de la gloire ; que l'on nous conduise à l'échafaud !

Fouquier se lève aussitôt et requiert l'application du décret de la veille, en raison des « brocards et blasphèmes que les accusés ont l'imprudence de prononcer contre le Tribunal ».

Il est immédiatement donné suite à sa réquisition : les accusés sont mis hors des débats et reconduits à la prison.

Herman et Fouquier se rendent aussitôt dans la salle de délibération du jury et insistent pour qu'il se déclare suffisamment instruit : le jury obéit.

Tous rentrent dans la salle du Tribunal, et le président pose les questions, mais, contrairement à l'usage, la première question est transformée en affirmation :

« CITOYENS JURÉS,

« *Il a existé* une conspiration tendante à rétablir la monarchie, à détruire la représentation nationale et le gouvernement républicain.

« Lacroix est-il convaincu d'avoir trempé dans cette conspiration ? »

Mêmes questions pour Danton, Camille Desmoulins, Phélippeaux, Hérault de Séchelles et Westermann.

Pour les autres accusés, la formule est différente :

« *Il a existé* une conspiration tendante à diffamer et à avilir la représentation nationale, et à détruire par la corruption le gouvernement républicain. »

La réponse du jury est affirmative pour tous les accusés, sauf pour Lhuillier.

Il est acquitté, tandis que les autres sont condamnés à mort. Le greffier se rend à la Conciergerie pour leur signifier le jugement.

VII

DERNIERS MOMENTS DES CONDAMNÉS.

A cette heure suprême l'intérêt se concentre sur Danton et ses amis.

Hérault de Séchelles, qui pas un instant ne s'est départi d'une sérénité quelque peu dédaigneuse, qui a accueilli la mise hors des débats par ces mots : « Cette tactique ne m'étonne point, elle est digne de ceux qui ont soif de notre sang », à la signification du jugement, dit simplement :

— Je m'y attendais.

Le pauvre Camille Desmoulins ne sait point opposer à la mort le calme du sage : « Les monstres, les scélérats ! s'écrie-t-il. Faut-il que j'aie été dupe de Robespierre ! » Il éclate en gémissements, en récriminations.

— Mon ami, montrons que nous savons mourir, lui dit Hérault de Séchelles.

Phélippeaux, le premier moment d'émotion passé, a recouvré tout son courage. Lacroix et Westermann n'ont témoigné aucune faiblesse.

Quant à Danton, il ne geint point comme Camille Desmoulins, mais il est incapable de se contenir. Il écume de rage et profère tout d'abord les plus abominables imprécations contre ses bourreaux. Les sons sortent si pressés de ses lèvres, qu'ils sont à peine intelligibles. Toutefois, l'on dirait qu'il craint de causer à ses ennemis trop de joie de sa mort s'il paraissait la redouter, et par moments il fait trêve à sa colère pour lancer quelques paroles destinées à être conservées et répétées :

« J'ai la douce consolation de croire que l'homme qui mourut comme chef de la faction des indulgents, trouvera grâce aux yeux de la postérité. »

« Qu'importe si je meurs! J'ai bien joui de la Révolution; j'ai bien dépensé, j'ai bien riboté, bien caressé des filles. Allons dormir! »

VIII

LE TRAJET — L'EXÉCUTION.

Les charrettes attendaient dans la cour de la Conciergerie. On y fait monter les condamnés, et le funèbre cortège se met en marche.

Danton a recouvré son sang-froid et même sa gaieté. Il console Phélippeaux, que la pensée de sa femme et de son enfant jette dans une douleur extrême; il plaisante Fabre d'Églantine qui, silencieux, semble enveloppé d'une sombre tristesse; il s'apitoie sur Camille Desmoulins.

Celui-ci, incapable de se maîtriser, s'agite malgré ses liens. Ses vêtements sont en désordre, et sa chemise déchirée laisse à nu sa poitrine. Il crie : « Peuple! peuple! on te trompe! » Il adresse des discours, des appels à la foule.

Danton cherche à le calmer.

— Reste donc tranquille et laisse là cette vile canaille!

A un moment, il s'adresse au bourreau et lui demande s'il est permis de chanter.

— Il n'y a pas de défense, dit Sanson.

— C'est bien, tâchez de retenir ce couplet que je viens de faire :

> Nous sommes menés au trépas.
> Par quantité de scélérats ;
>   C'est ce qui nous désole.
> Mais bientôt le moment viendra
> Où chacun d'eux y passera ;
>   C'est ce qui nous console.

Arrivées sur la place de la Révolution, les charrettes s'arrêtent. Hérault de Séchelles descend le premier. Avant de gravir les degrés de l'échafaud, il veut embrasser Danton ; les aides du bourreau l'en empêchent et l'entraînent.

— Misérables ! s'écrie Danton, vous n'empêcherez pas nos deux têtes de s'embrasser dans le panier !

Camille Desmoulins continue ses lamentations, que la mort seule interrompt.

Danton, lui aussi, sans rien perdre de son courage, à ce moment suprême, a un instant d'attendrissement :

— O ma femme, ma bien-aimée, je ne te reverrai donc plus !

Promptement il se reconquiert.

— Allons, Danton, point de faiblesse, murmure-t-il.

Il gravit les degrés, et s'adressant au bourreau :

— Tu montreras ma tête au peuple, elle en vaut la peine.

L'exécution est achevée : les impressions de la foule sont diverses. Au milieu des cris, beaucoup se demandent si le supplice de ces premiers républicains était, sinon juste, du moins nécessaire. Déjà commence à poindre la tendance de réaction qui emportera Robespierre et ses complices. Comme l'avait dit Danton, il « l'entraînait » dans sa chute.

Et des vers ne tardèrent pas à circuler, qui reflétaient cette opinion :

> Lorsqu'arrivés au bord du Phlégéton,
> Camille Desmoulins, d'Églantine et Danton
> Payèrent pour passer ce fleuve redoutable.
> Le nautonier Caron, citoyen équitable,
> A nos trois passagers voulut remettre en mains
> L'excédant de la taxe imposée aux humains.
> « Gardez, lui dit Danton, la somme tout entière ;
> Je paye pour Couthon, Saint-Just et Robespierre. »

LA
FÊTE DE L'ÊTRE SUPRÊME

(20 PRAIRIAL AN II — 18 JUIN 1794)

Les grandes fêtes de la Révolution furent toutes de magnifiques ou de curieux spectacles, avec les caractères les plus opposés ; mais le peuple, séduit par la grandeur et la pompe de ces cérémonies, accueillit les unes et les autres avec le même enthousiasme. La Fédération du 14 juillet 1790 eut un éclat incomparable : la monarchie et la religion y tenaient encore une place considérable. La fête de la Régénération (10 août 1793) fut franchement athée. Robespierre fit donner un caractère nettement déiste à la fête du 20 prairial an II, qu'on appela Fête de l'Être suprême.

C'était, comme pour la précédente, le grand peintre David qui avait été chargé d'en rédiger le programme. Docilement, il mettait son talent d'organisateur au service des inspirations les plus contraires : il s'ingénia à célébrer dignement l'Être suprême, comme l'année d'avant il avait célébré la Nature, comme quelques années plus tard il devait célébrer les pompes du couronnement de Napoléon I⁰ʳ à Notre-Dame.

David rédigeait ces sortes de projets, plus comme des comptes rendus que comme des programmes, car il ne semble pas qu'il ait pu venir à l'esprit de ces hommes autoritaires que leur volonté rencontrât des obstacles, ou que la Nature et l'Être suprême, dont on célébrait les bienfaits et la grandeur, s'abstinssent de coopérer à la pompe du spectacle dont le but était de les honorer. Aussi ce morceau de littérature mérite-t-il d'être reproduit : ce sont autant de tableaux, — de sujets de tableaux, — que trace le grand peintre, malheureusement pour sa gloire fourvoyé au Comité de sûreté générale.

« *Plan de la Fête de l'Être suprême qui doit être célébrée le 20 prairial, proposé par David et décrété par la Convention Nationale* (1).

« L'aurore annonce à peine le jour, et déjà les sons d'une musique guerrière retentissent de toutes parts, et font succéder au charme du sommeil un réveil enchanteur.

« A l'aspect de l'astre bienfaisant qui vivifie et colore la nature, amis, frères, époux, enfants, vieillards et mères s'embrassent et s'empressent à l'envi d'orner et de célébrer la fête de la Divinité.

« L'on voit aussitôt les banderoles tricolores flotter à l'extérieur des maisons; les portiques se décorent de festons de verdure; la chaste épouse tresse de fleurs la chevelure flottante de sa fille chérie, tandis que l'enfant à la mamelle presse le sein de sa mère, dont il est la plus belle parure; le fils au bras vigoureux se saisit de ses armes; il ne veut recevoir ce baudrier que des mains de son père; le vieillard, souriant de plaisir, les yeux

____

(1) *Gazette nationale* du 19 prairial an II.

mouillés des larmes de la joie, sent rajeunir son âme et son courage en présentant l'épée aux défenseurs de la liberté.

« Cependant l'airain tonne : à l'instant les habitations sont désertes, elles restent sous la sauvegarde des lois et des vertus républicaines. Le peuple remplit les rues et les places publiques, la joie et la fraternité l'enflamment ; ces groupes divers, parés des fleurs du printemps, sont un parterre animé dont les parfums disposent à cette scène touchante.

« Les tambours roulent ; tout prend une forme nouvelle. Les adolescents, armés de fusils, forment un bataillon carré autour du drapeau de leurs sections respectives. Les mères quittent leurs fils et leurs époux ; elles portent à la main des bouquets de roses ; leurs filles, qui ne doivent jamais les abandonner que pour passer dans les bras de leurs époux, les accompagnent et portent des corbeilles remplies de fleurs. Les pères conduisent leurs fils, armés d'une épée, les uns et les autres tiennent à la main une branche de chêne.

« Une salve d'artillerie annonce le moment désiré : le peuple se réunit au Jardin National : il se range autour d'un amphithéâtre destiné à la Convention...

« ... Au bas de l'amphithéâtre s'élève un monument où sont réunis tous les ennemis de la félicité publique : le monstre désolant de l'Athéisme y domine ; il est soutenu par l'Ambition, l'Égoïsme, la Discorde et la Fausse Simplicité, qui, à travers les haillons de la misère, laisse entrevoir les ornements dont se parent les esclaves de la royauté. Sur le front de ces figures on lit ces mots :

« *Seul espoir de l'Étranger.*

« Il va lui être ravi. Le président s'approche tenant

entre ses mains un flambeau : le groupe s'embrase; il rentre dans le néant avec la même rapidité que les conspirateurs qu'a frappés le glaive de la Loi.

« Du milieu de ses débris s'élève la Sagesse au front calme et serein. A son aspect, des larmes de joie et de reconnaissance coulent de tous les yeux. Elle console l'homme de bien que l'Athéisme voulait réduire au désespoir.

« La fille du ciel semble dire : « Peuple, rends hom-
« mage à l'auteur de la nature, respecte ses décrets
« immuables. Périsse l'audacieux qui oserait y porter
« atteinte. Peuple généreux et brave, juge de ta grandeur
« par les moyens que l'on emploie pour t'égarer. Tes
« hypocrites ennemis connaissent ton attachement sin-
« cère aux lois de la raison, et c'est par là qu'ils voulaient
« te perdre; mais tu ne seras plus dupe de leur imposture;
« tu briseras toi-même ta nouvelle idole que ces nouveaux
« druides voulaient relever par la violence. »

« Après cette première cérémonie, que termine un chant simple et joyeux, le bruit des tambours se fait entendre; le son perçant de la trompette éclate dans les airs; le peuple se dispose, il est en ordre, il part...

« Après avoir, durant la marche, couvert d'offrandes et de fleurs la statue de la Liberté, le cortège arrive au Champ de la Réunion. Ames pures, cœurs vertueux, c'est ici que vous attend une scène ravissante; c'est ici que la Liberté vous a ménagé ses plus douces jouissances.

« Une montagne immense devient l'autel de la patrie; sur sa cime s'élève l'arbre de la liberté. Les représentants s'élancent sous ses rameaux protecteurs; les pères avec leurs fils se groupent sur la partie de la montagne qui leur est désignée; les mères avec leurs filles se rangent de l'autre côté; leur fécondité et les vertus de leurs époux sont les seuls titres qui les y ont conduites.

« Un silence profond règne de toutes parts; les accords touchants d'une musique harmonieuse se font entendre...

« Tout s'émeut, tout s'agite sur la montagne; hommes, femmes, filles, vieillards, enfants, tous font retentir l'air de leurs accents...

« Une décharge formidable d'artillerie, interprète de la vengeance nationale, enflamme le courage de nos républicains; elle leur annonce que le jour de gloire est arrivé. Un chant mâle et guerrier, avant-coureur de la victoire, répond au bruit du canon. Tous les Français confondent leurs sentiments dans un embrassement fraternel; ils n'ont plus qu'une voix, dont le cri général: *Vive la République!* monte vers la Divinité. »

C'était le beau Hérault de Séchelles qui, l'emportant sur Robespierre, avait présidé la Convention, lors de la fête de la Régénération l'année précédente. Robespierre ne le lui avait pas pardonné, et le souvenir de cette injure n'avait pas peu contribué à perdre Hérault de Séchelles, lequel était monté sur l'échafaud le 5 avril, avec Danton. Cette fois, la Convention n'avait eu garde de refuser à l'Incorruptible l'honneur qu'il ambitionnait, et elle venait de le choisir pour son président. C'était donc lui qui devait jouer le premier rôle dans cette fête dont il avait eu l'idée, et offrir les hommages du peuple tout entier à l'Être suprême de son invention.

Le rendez-vous des membres de la Convention sur le

grand amphithéâtre élevé contre le pavillon central des Tuileries était fixé pour midi. A ce moment le cortège devait être rangé dans le jardin.

Dès cinq heures du matin, un rappel général avait été battu dans tout Paris. La journée s'annonçait splendide, et le ciel brillait d'un éclat radieux. « La Divinité semblait tout à la fois appeler les hommes à lui rendre leurs hommages, et descendre au milieu d'eux pour les consoler de leurs malheurs (1). » Les citoyens avaient procédé à la décoration de leurs maisons « aux couleurs chéries de la liberté ». Chaque section, conformément à l'ordre reçu, avait envoyé une délégation composée de dix vieillards, dix mères de famille, dix jeunes filles de quinze à vingt ans, dix adolescents de quinze à dix-huit ans, et dix enfants au-dessous de huit ans. Les vieillards et les adolescents portaient des branches de chêne, les adolescents étaient en outre armés de sabres. Les mères et les jeunes filles étaient vêtues de blanc, « avec un ruban tricolore en écharpe de droite à gauche ». Les jeunes filles avaient « les cheveux tressés de fleurs ».

A huit heures, une salve d'artillerie tirée sur le pont Neuf avait annoncé à ces groupes qu'ils devaient se rendre à l'ancien jardin des Tuileries, devenu jardin National. Les hommes s'étaient placés sur la terrasse des Feuillants, les femmes sur celle du bord de la rivière, les adolescents étaient massés dans la grande allée du centre.

Vers midi, tout le monde se trouvait au poste assigné, et les gradins de l'amphithéâtre étaient remplis des députés qui descendaient par le balcon du pavillon de

---

(1) *Causes secrètes de la révolution du 9 au 20 thermidor*, par VILATE.

l'Unité. On n'attendait plus que le président pour commencer la cérémonie.

Et Robespierre ne paraissait pas. Déjà des murmures s'élevaient parmi ses collègues, blessés de ce procédé qui rappelait un roi...

*
* *

Robespierre était prêt depuis longtemps, mais c'était à dessein qu'il se faisait attendre, sans doute pour donner à sa présence plus de solennité, à sa personne plus d'importance.

Vers dix heures du matin, il se trouvait déjà dans le palais des Tuileries où, depuis plusieurs mois, siégeaient la Convention et le Comité de salut public. Un de ses familiers, Vilate, nommé par son influence juré au Tribunal révolutionnaire, et auquel il avait fait donner un logement dans le pavillon de Flore, le rencontra dans la salle de la Liberté. Robespierre, « revêtu du costume de représentant du peuple, tenait à la main un bouquet mélangé d'épis et de fleurs ; la joie brillait, pour la première fois, sur sa figure (1) ».

Il n'avait pas déjeuné. Vilate avait chez lui un repas préparé pour Barère et Collot d'Herbois, qui avaient, au dernier moment, préféré se rendre dans un restaurant voisin avec Prieur et Carnot. Il offrit à Robespierre de déjeuner avec lui, invitation qui fut aussitôt acceptée.

Robespierre mangea peu : il regardait le jardin et paraissait émerveillé du concours immense de peuple qui s'agitait devant lui. Il ne détachait guère ses yeux d'un

(1) *Causes secrètes de la révolution du 9 au 20 thermidor,* par VILATE.

spectacle qui le ravissait. « On le voyait plongé dans l'ivresse de l'enthousiasme », dit Vilate.

S'il mangeait peu, il ne parlait guère. Peut-être méditait-il quelque phrase destinée à passer à la postérité. Toujours est-il qu'après un long silence il s'écria :

— Voilà la plus intéressante portion de l'humanité. L'univers est ici rassemblé. O Nature, que ta puissance est sublime et délicieuse ! Comme les tyrans doivent pâlir à l'idée de cette fête !

Ce fut tout. Vers midi et demi, il se décida à descendre. On le cherchait de tous côtés.

Dès qu'il parut, la cérémonie commença.

Du haut de la tribune, il prononça un discours destiné à faire « sentir les motifs de cette fête et à inviter le peuple à honorer l'Auteur de la nature ».

Mais, craignant sans doute qu'on n'interprétât comme le commencement d'une ère nouvelle cette manifestation déiste, il glissa dans la péroraison une phrase qui rappelait que la « Terreur » n'était que momentanément suspendue.

« Peuple, livrons-nous aujourd'hui, sous les auspices (de la Divinité) aux justes transports d'une pure allégresse. Demain, nous combattrons encore les vices et les tyrans. Nous donnerons au monde l'exemple des vertus républicaines, et ce sera l'honorer encore. »

Les musiques jouèrent une « symphonie », puis Robespierre, « armé du flambeau de la Vérité », s'approcha du monument représentant le monstre de l'Athéisme et y mit le feu.

Mais David n'avait pas prévu tous les effets de cet embrasement : lorsque les figures de l'Athéisme, de l'Ambition, de l'Égoïsme, de la Discorde et de la Fausse Simplicité eurent disparu dans les flammes, la statue de la Sagesse apparut atrocement enfumée et toute noircie.

Le président prononça alors son second discours, qui débutait par une affirmation fort étrange assurément :

« Il est rentré dans le néant ce monstre que le génie des rois avait vomi sur la France... »

On n'y regardait pas de si près, en ce moment, et la foule, sans s'inquiéter de voir la Sagesse si noire et d'entendre traiter d'athées ses anciens rois, salua ce discours de ses acclamations habituelles.

Puis le cortège se mit en route et sortit du jardin National par le pont tournant. Il était précédé d'un peloton de cavalerie. Au centre marchait la Convention nationale, « entourée d'un ruban tricolore, porté par l'Enfance ornée de violettes, l'Adolescence ornée de myrthe, la Virilité ornée de chêne, et la Vieillesse ornée de pampre et d'olivier (1) ».

Les députés, comme le président, portaient à la main des bouquets composés d'épis de blé, de fleurs et de fruits.

Sur un « char traîné par huit taureaux vigoureux, couverts de festons et de guirlandes », étaient placés les « instruments des arts et métiers et des productions du territoire français ».

Le cortège, arrivé sur la place de la Révolution, fit le tour de la statue de la Liberté, inaugurée le 10 août 1793, à la fête de la Régénération, puis il se dirigea, après avoir traversé le pont de la Révolution (pont de la Concorde), par le bord de l'eau jusqu'à la place des Invalides ; de là, par l'avenue de l'École militaire, il se rendit au Champ de la Réunion (Champ de Mars).

(1) Détails de la cérémonie. (*Gazette nationale*.)

Robespierre marchait en tête de la Convention.

Peu à peu, la distance devint assez grande entre lui et ses collègues, et il ne fit rien pour la diminuer, flatté de ce signe matériel de la puissance qu'il possédait. On a raconté que, pendant le trajet, quelques-uns des conventionnels, indignés de ces allures de roi, lui auraient lancé des paroles injurieuses et menaçantes : « Vois-tu cet homme ? Il ne lui suffit pas d'être maître, il faut qu'il soit Dieu ! — La roche Tarpéienne est près du Capitole. — Il y a encore des Brutus. » Mais bien que certains, comme Bourdon de l'Oise, s'en soient vantés, il est plus vraisemblable de s'en tenir au *Rapport* de Courtois, qui ne mentionne que cette phrase de Lecointre de Versailles :

— J'aime la morale de ton discours ; quant à toi, je ne t'estime guère (1).

Le cortège arrivé au Champ de la Réunion, tous défilèrent sous le niveau égalitaire élevé à l'entrée. La Convention se plaça sur la montagne, à l'ombre de l'arbre de la liberté ; puis, chaque groupe vint chanter un couplet de l'*Hymne à la Divinité*.

LES VIEILLARDS ET LES ADOLESCENTS

Dieu puissant, d'un peuple intrépide
C'est toi qui défends les remparts.
La victoire a, d'un vol rapide,
Accompagné nos étendards.

(1) *La révolution de Thermidor,* par Ch. D'HÉRICAULT.

Les Alpes et les Pyrénées
Des rois ont vu tomber l'orgueil ;
Au nord, nos champs sont le cercueil
De leurs phalanges consternées.
Avant de déposer nos glaives triomphants,
Jurons d'anéantir le crime et les tyrans.

LES FEMMES

Entends les vierges et les mères,
Auteur de la fécondité ;
Nos époux, nos enfants, nos frères
Combattent pour la Liberté.
Et, si quelque main criminelle
Terminait des destins si beaux,
Leurs fils viendront sur des tombeaux
Venger la cendre paternelle.
Avant de déposer vos glaives triomphants,
Jurez d'anéantir le crime et les tyrans.

LES HOMMES ET LES FEMMES

Guerriers, offrez votre courage ;
Jeunes filles, offrez des fleurs ;
Mères, vieillards, pour votre hommage,
Offrez vos fils triomphateurs.
Bénissez, dans ce jour de gloire,
Le fer consacré par leurs mains ;
Sur ce fer, vengeur des humains,
L'Éternel grava la victoire.

Avant de déposer { nos / vos } glaives triomphants,

{ Jurons / Jurez } d'anéantir le crime et les tyrans !

David avait prévu, ou du moins avait réglé l'effet que produisaient dans les âmes des spectateurs ces paroles et ces chants. A ce moment, disait-il, « les mères soulèveront dans leurs bras les plus jeunes de leurs enfants et les présenteront en hommage à l'Auteur de la nature. Pendant ce temps, les jeunes filles jetteront des fleurs vers le ciel, et, simultanément, les adolescents tireront leurs sabres et jureront de rendre partout leurs armes victorieuses. Les vieillards ravis apposeront leurs mains sur leurs têtes et leur donneront la bénédiction paternelle. »

Et ce qu'il y eut de vraiment admirable, c'est que tout se passa comme il était dit au programme ; l'enthousiasme officiellement commandé fut, chez la grande masse des assistants, sincèrement ressenti et naïvement exprimé, tant était profond, dans ces esprits surexcités par cinq années d'agitations qui avaient changé en misères les magnifiques espérances du début, le besoin de croire enfin à cet âge heureux, à cet âge d'or qu'on leur promettait sans cesse.

La fête se termina par un *Hymne à l'Être suprême* dont les paroles étaient de Marie-Joseph Chénier et la musique de Gossec. En voici la dernière strophe :

> Que notre Liberté planant sur les deux mondes,
> Au delà des deux mers guidant nos étendards,
> Fasse à jamais fleurir, sous ses palmes fécondes,
> Les Vertus, les Lois et les Arts !

Une décharge générale d'artillerie annonça la fin des diverses cérémonies de la fête.

Un cri universel de *Vive la République !* y répondit.

Vive la République ! mots magiques alors, possédant le don d'exprimer tous les sentiments, même les plus contraires, qui saluaient les têtes des victimes sur la place de la Révolution, les boulets sur les champs de bataille, et, dans les fêtes publiques, acclamaient les idées de fraternité et de liberté.

Et, pour que rien ne manquât à cette extraordinaire manifestation, cinquante jours ne s'étaient pas écoulés

que les mêmes vivats qui accueillaient Robespierre triomphant accompagnaient la chute du couteau qui tranchait
la tête de l'inventeur de l'Être suprême. C'était, cette
fois, le peuple qui portait la torche sur les vieilles idoles,
et, s'il ne découvrait pas du premier coup la « Sagesse »,
du moins il pouvait se flatter d'avoir détruit « l'Ambition, l'Égoïsme et la Fausse Simplicité ».

LES TROIS
JOURNÉES DE THERMIDOR

(1794)

PREMIÈRE JOURNÉE

VIII Thermidor an II — 26 juillet 1794.

I

PRÉLIMINAIRES DE LA RÉVOLUTION
DE THERMIDOR.

En thermidor an II, les destinées de la République se trouvaient aux mains de Maximilien Robespierre.

Sa personnalité n'avait émergé de l'ombre que depuis deux ou trois ans, et rien n'eût pu faire prévoir une pareille fortune.

Robespierre, alors âgé de trente-cinq ans, était petit de taille : cinq pieds deux pouces. Son visage était renfrogné, son teint pâle et bilieux, ses yeux mornes et éteints, sa voix aigre et criarde. Il rachetait cet extérieur peu avantageux par une tenue très soignée, mettant même une certaine affectation, au milieu de la plupart de ses collègues débraillés, à porter des habits d'une propreté élégante.

Au moral, il n'y avait de grand en lui que l'orgueil et l'ambition. Croyant à la puissance de la parole, il voulut être orateur ; malgré un travail acharné et une persévérance infatigable, il n'était parvenu qu'à parler médiocrement ; en revanche, il n'était point homme d'action ; jamais on ne l'avait vu payer de sa personne, et la bravoure n'était point son fait.

Son existence était modeste. En juillet 1791, il avait quitté la rue de Saintonge, au Marais, où il habitait avec sa sœur, pour accepter l'hospitalité de Duplay, rue Saint-Honoré, 366.

Duplay était, non point un menuisier, mais un « maître menuisier », riche de 15,000 livres de rente. Robespierre logeait chez lui dans une petite chambre dont la fenêtre donnait sur les hangars où travaillaient les nombreux ouvriers de son hôte.

Il s'était fiancé à sa fille aînée, Éléonore, une grande personne aux traits accentués ; mais cet amour était des plus calmes, et tous deux attendaient patiemment des temps paisibles pour célébrer leur mariage.

La seule passion de Robespierre était le pouvoir : il avait su manœuvrer assez habilement pour se débarrasser de tous ceux qui lui faisaient obstacle : girondins, hébertistes et dantonistes. Il semblait avoir réalisé son rêve : la Convention lui obéissait par peur ; la Commune le soutenait par conviction.

Mais dans la Convention il avait des ennemis. Cette grande Assemblée, qui siégeait alors aux Tuileries, renfermait un groupe de montagnards impatients du joug de Robespierre : c'étaient Billaud-Varennes, Collot d'Herbois, Barras, Fouché, Tallien, Fréron, Lecointre, etc. Se sentant menacés par celui qu'ils appelaient le « tyran », ils se préparèrent à la lutte.

Robespierre l'accepta, désireux de se délivrer par un dernier effort de ces derniers opposants. Il s'appuyait sur la Commune, docile à l'impulsion de Lescot-Fleuriot, maire de Paris, et de Payan, agent national, et sur le Tribunal révolutionnaire dont Dumas, président, et Coffinhal, vice-président, étaient ses créatures.

Quant à la Convention, il ne doutait pas de la mater une fois encore, grâce à ses amis Saint-Just, Couthon et Lebas, et grâce à son éloquence. Les chances lui paraissant favorables, il jugea le moment venu d'entrer en scène et de briser les tentatives de révolte contre son autorité.

II

CONVENTION NATIONALE.

Séance du 8 thermidor.

Le 8 thermidor, la Convention, présidée par Collot d'Herbois, est en séance. Robespierre, qui n'a pas paru depuis longtemps à l'Assemblée, monte à la tribune et prend la parole.

Suivant son habitude, il lit un long discours, dont on a retrouvé le manuscrit plein de ratures et de surcharges dans ses papiers ; c'est une œuvre abondamment méditée, qui ne vise qu'à vanter sa vertu, son patriotisme, son dévouement à la chose publique, et qu'à menacer ses adversaires en les présentant comme des ennemis de la Patrie et de la Révolution. C'est toujours le même système qui lui a réussi jusque-là.

Il se plaint d'être calomnié. « Ils m'appellent tyran ! Si je l'étais, ils ramperaient à mes pieds... On arrive à la tyrannie par le secours des fripons. Où courent ceux qui les combattent? Au tombeau et à l'immortalité... »

Il déclame contre les Comités de salut public, de sûreté générale, des finances. Il se plaint de l'importance que l'on donne au récit des opérations militaires : « On vous parle beaucoup de vos victoires avec une légèreté académique, qui ferait croire qu'elles n'ont coûté à nos héros ni sang ni travaux; racontées avec moins de pompe, elles paraîtraient plus grandes... Laissez flotter un moment les rênes de la Révolution, vous verrez le despotisme militaire s'en emparer et le chef des factions renverser la représentation nationale avilie... »

Il termine en affirmant de nouveau l'éternelle « conspiration contre la liberté publique »; et il indique les remèdes au mal : « Punir les traîtres, renouveler les bureaux du Comité de sûreté générale, épurer ce Comité lui-même et le subordonner au Comité de salut public; épurer le Comité de salut public lui-même, constituer l'unité du gouvernement sous l'autorité suprême de la Convention nationale, qui est le centre et le juge, et écraser ainsi toutes factions du poids de l'autorité nationale, pour élever sur leurs ruines la puissance de la justice et de la liberté. Tels sont les principes... Je suis fait pour combattre le crime et non pour le gouverner... Les défenseurs de la liberté ne seront que des proscrits, tant que la horde des fripons dominera. »

Toutes ces menaces d'épuration indiquent clairement le but de l'orateur. D'ailleurs, un de ses familiers, Vilate, juré au Tribunal révolutionnaire, avait pris soin de l'indiquer très nettement, quelques jours auparavant, en disant à haute voix dans la salle de la Liberté, voisine de celle où siégeait la Convention :

— Le Tribunal révolutionnaire attend une vingtaine de députés ; la bombe va éclater...

Cependant l'autorité de Robespierre est telle, que son discours est fort applaudi ; Lecointre en propose même l'impression.

Bourdon de l'Oise trouve que l'Assemblée va trop vite et demande qu'au préalable le discours soit soumis à l'examen des deux Comités. Barère, encore incertain de l'issue de la lutte, appuie la motion de Lecointre, mais en termes fort vagues. Couthon vient alors à la rescousse et demande non seulement l'impression du discours, mais l'envoi à toutes les communes. La double proposition est adoptée par la Convention.

Robespierre triomphe et croit la partie gagnée. Un incident rouvre le débat. Le vieux Vadier, membre du Comité de sûreté générale, se plaint du blâme jeté contre son rapport dans l'affaire de Catherine Théot ; Cambon, membre du Comité des finances, proteste avec véhémence contre les insinuations de Robespierre, qui faiblit en déclarant qu'il a « parlé en général ». Cette reculade enhardit ses adversaires. Billaud-Varennes revient à la charge et demande de nouveau le renvoi aux Comités.

Panis montre aux députés le danger qu'ils courent : « Il est temps, s'écrie-t-il, que je déborde mon cœur navré. » Il conte un dialogue échangé entre lui et quelqu'un qu'il ne peut nommer : « Vous êtes un homme de bien, lui a-t-on dit. Vous avez sauvé la Patrie. — Je n'ai pas l'honneur de vous connaître. — Je vous connais bien, moi; vous êtes de la première fournée. — Comment? — Votre tête est demandée. — Ma tête!... — Il ne voulut pas m'en dire davantage... Je demande que Robespierre s'explique. »

Robespierre se contente de répondre : « Je n'ai flatté personne, je ne crains personne, je n'ai calomnié personne. »

Il se défend au lieu d'attaquer. Ses adversaires redoublent les coups. Bentabole s'écrie : « L'envoi aux communes est très dangereux. La Convention aurait l'air d'approuver le discours de Robespierre! »

Charlier insiste dans le même sens.

Robespierre est étonné de cette résistance : « ... On renverrait mon discours à l'examen des membres que j'accuse? »

On commence à murmurer.

« Quand on se vante d'avoir le courage de la vertu, dit Charlier, il faut avoir celui de la vérité! Nommez ceux que vous accusez! »

On applaudit; on crie : « Oui, oui, nommez-les! »

Thirion intervient, Barère aussi; mais les murmures et les applaudissements lui ont indiqué le parti à prendre: il combat ce qu'il a proposé tout à l'heure, et la Convention se déjuge sans honte; le décret est rapporté.

Et, comme si elle tenait à bien marquer qu'elle se soucie peu de déplaire à Robespierre, l'Assemblée donne la parole à Barère, qui l'entretient des succès des armées. Puis la séance est levée à cinq heures.

III

LA SOIRÉE DU 8 THERMIDOR.

Robespierre aux Jacobins.

Le résultat de la journée était matériellement douteux, moralement il ne l'était point; car, pour la première fois, Robespierre avait vu son autorité méconnue par la Convention. Il s'était retiré, étonné et furieux. Le désir d'effacer son échec le conduisit, le soir, aux Jacobins. Dans ce milieu qui lui était entièrement acquis il était sûr d'être acclamé. Il relut son discours, que les auditeurs couvrirent d'applaudissements. Afin d'exciter davantage l'enthousiasme pour sa personne, il affecta de se poser en victime :

« Ce discours que vous venez d'entendre est mon testament de mort. Je l'ai vu aujourd'hui : la ligue des méchants est tellement forte que je ne puis pas espérer de lui échapper. Je succombe sans regret; je vous laisse ma mémoire; elle vous sera chère, et vous la défendrez. » Il parla de « boire la ciguë ». Réminiscence antique qui arracha au peintre David cette exclamation :

— Je la boirai avec toi !

Engagement que, d'ailleurs, il ne devait pas tenir.

Couthon proposa ensuite l'expulsion immédiate des députés qui avaient voté contre l'impression du discours de Robespierre, proposition qui fut aussitôt acclamée.

Billaud-Varennes et Collot d'Herbois, qui se trouvaient là, furent chassés au milieu des menaces, des injures et même des coups.

Au Comité de salut public.

Laissant Robespierre à son triomphe, Billaud et Collot se rendirent dans la salle du Comité de salut public, aux Tuileries. Là, autour de la grande table ovale, recouverte d'un tapis vert, ils trouvèrent Carnot et Saint-Just occupés tous deux à écrire.

Saint-Just passait, au fur et à mesure qu'il les avait remplies, les feuilles de papier à son secrétaire.

Billaud et Collot, échauffés de la scène des Jacobins, s'en prirent à l'ami de Robespierre et lui reprochèrent la conduite de ses partisans.

— C'est notre dénonciation que tu fais là, dirent-ils en s'efforçant de voir ce qu'il écrivait.

— Oui, répondit Saint-Just d'un air narquois. Et avisant Carnot, il ajouta : La tienne aussi peut-être.

Carnot tranquillement leva la tête :

— S'il en est ainsi, nous prendrons nos fusils, répliqua-t-il. Et il se remit à son travail.

Billaud et Collot n'eurent pas cette placidité, et une discussion violente s'engagea. Ils ne parlaient de rien moins que de surveiller Saint-Just et de l'enfermer jusqu'au lendemain. Saint-Just, pour les apaiser, fut obligé de leur promettre qu'il ne présenterait pas son rapport à la Convention avant de l'avoir lu au Comité. Mais c'était une fausse promesse qu'il n'avait nullement l'intention de tenir. Au matin, il s'esquiva et ne reparut plus au Comité, où les autres l'attendirent vainement jusqu'à onze heures du matin.

Les dispositions du « Marais ».

Pendant ce temps-là, les autres députés qui menaient l'attaque contre Robespierre songeaient à bien employer le temps qui leur restait avant la lutte, qu'ils jugeaient devoir être décisive. Il leur fallait, pour triompher, la majorité dans la Convention : ils ne pouvaient l'avoir sans l'appui de la droite et du centre, de ces députés qu'ils appelaient dédaigneusement les « crapauds du Marais ». Cette troupe, dont les chefs avaient presque tous été guillotinés, obéissait docilement à l'influence du plus fort. S'ils parvenaient à la détacher de Robespierre, ils avaient partie gagnée.

Toutefois ces Montagnards, coupables des mêmes excès que le triumvirat, se rendaient compte du peu de sympathie qu'ils inspiraient à cette masse honnête mais faible. Ils envoyèrent donc des émissaires chargés de sonder le terrain. Ces émissaires s'adressèrent à Palasne-Champeaux, Boissy d'Anglas et Durand-Maillane : ils leur firent valoir qu'ils deviendraient « responsables des nombreux assassinats de Robespierre, s'ils refusaient de concourir aux moyens de les faire cesser; que la protection politique que Robespierre leur avait accordée n'était que passagère, et que leur tour viendrait... ».

Prudents et méfiants, les députés renvoyèrent les émissaires, sans vouloir s'engager à rien. Ceux-ci revinrent à la charge. Enfin, à la troisième fois, ils furent plus heureux : « Nous cédâmes, dit Durand-Maillane. Il n'était pas possible de voir plus longtemps tomber soixante, quatre-vingts têtes par jour sans horreur. Le décret salutaire ne tenait qu'à notre adhésion; nous la donnâmes, et, dès ce moment, les fers furent au feu. »

Confiance de Robespierre.

Robespierre, bien qu'il eût organisé depuis quelque temps déjà une contre-police chargée d'espionner pour son compte les députés dont il se défiait, Lecointre, Thuriot, Tallien, etc., Robespierre ne se doutait de rien, et sa confiance restait entière. Après la séance de la Convention, on raconte qu'il avait été se promener aux Champs-Élysées avec Éléonore Duplay, sa fiancée, et son grand chien danois nommé Brount.

Éléonore était triste et rêveuse, et mélancoliquement caressait le chien. Robespierre lui montra le couchant, où le soleil disparaissait dans un nuage empourpré.

— Ah! c'est du beau temps pour demain! dit-elle, comme si elle eût vu là un présage heureux.

Ils rentrèrent rue Saint-Honoré, et l'on se mit à table. La promenade avait sans doute calmé le premier mouvement de pénible surprise éprouvée par Robespierre, car il fit montre d'une grande sérénité.

— Je n'attends plus rien de la Montagne, avait-il dit; ils veulent se défaire de moi comme d'un tyran, mais la masse de l'Assemblée m'entendra.

Infatué de la puissance de sa parole, il se croyait cer-

tain de reconquérir la Convention par un discours :
d'ailleurs, il ne savait guère manier que cette arme de
rhéteur. Le triomphe qu'il remporta aux Jacobins lui
donna toute assurance pour la lutte du lendemain ; et
lorsque, au matin du 9 thermidor, il quitta cette maison
hospitalière des Duplay, il semblait fort tranquille sur
l'issue du combat, et les dernières paroles qu'il adressa à
son hôte témoignent de sa confiance :

— La masse de la Convention est pure, rassure-toi :
je n'ai rien à craindre.

DEUXIÈME JOURNÉE

IX Thermidor — 27 juillet.

I

SÉANCE DE LA CONVENTION.

Pendant cette nuit du 8 au 9 thermidor la chaleur avait
été étouffante ; la journée du 9 s'annonçait comme brû-
lante, et cette température excessive n'était point propre
à calmer les esprits surexcités.

Dès le matin, tous les députés se rendent à la Convention : on sent que l'heure est décisive. Chaque partie
de la Montagne divisée compte sur la masse des députés
jusqu'alors dominés et dociles. Bourdon de l'Oise passe
à côté de Durand-Maillane, lui touche la main en disant :

« O les braves gens que les gens du côté droit! » Tallien s'apprête à les flatter, lui aussi, lorsque, jetant un coup d'œil dans la salle des délibérations, il voit que la séance est commencée :

— Voilà Saint-Just à la tribune, s'écrie-t-il; il faut en finir.

« Il faut en finir. » Si le mot n'est pas sur toutes les lèvres, la pensée est dans tous les esprits.

Saint-Just doit compléter le discours de Robespierre de la veille. Au lieu de se tenir dans les généralités, il va indiquer les mesures à prendre. Il monte à la tribune, mais, soit fatigue, soit incertitude sur le résultat final de la lutte engagée, il n'a ni l'aplomb, ni le calme froid qui lui sont ordinaires. On lui trouve la démarche incertaine, l'air égaré... Il commence à lire son discours :

— Je ne suis d'aucune faction : je les combattrai toutes...

Mais ses adversaires n'entendent point lui laisser la parole. Ils craignent toujours que le centre et la droite, si longtemps soumis, n'obéissent aux mêmes voix. Aussi Tallien interrompt-il avec véhémence :

— Je demande que le rideau soit entièrement déchiré!

Trois salves d'applaudissements accueillent ces paroles. On voit que l'Assemblée en a assez des insinuations de Robespierre et de ses amis. Collot d'Herbois, qui préside, donne la parole à Billaud-Varennes.

Celui-ci est décidé à tout. Il « déchire entièrement le rideau ». Il rappelle avec indignation la scène de la veille aux Jacobins. Lebas, ami de Robespierre, veut interrompre. « A l'Abbaye! » lui crie-t-on.

Billaud continue : « Je demande moi-même que tous les hommes s'expliquent dans cette Assemblée... Quand

Robespierre vous dit qu'il s'est éloigné du Comité parce qu'il y était opprimé, il a soin de ne pas vous faire tout connaître. Il ne vous dit pas que c'est parce qu'ayant fait dans le Comité sa volonté pendant six mois, il y a trouvé de la résistance au moment où seul il a voulu faire rendre le décret du 22 prairial, ce décret qui, dans les mains impures qu'il avait choisies, pouvait être si funeste aux patriotes ! (*Murmures d'indignation.*)

« Les patriotes sauront mourir pour la liberté. (*Oui ! oui ! Vifs applaudissements.*)

« Je le répète, nous mourrons tous avec honneur, car je ne crois pas qu'il y ait ici un seul représentant qui voulût exister sous un tyran. (*Non ! non ! Périssent les tyrans !*) Les hommes qui parlent sans cesse de justice et de vertu, à la Convention ou aux Jacobins, sont ceux qui les foulent aux pieds quand ils le peuvent. En voici la preuve. Un secrétaire du Comité de salut public avait volé 114,000 livres. J'ai demandé son arrestation, et Robespierre, qui parle sans cesse de justice et de vertu, est le seul qui l'ait empêché d'être arrêté. (*Nouveau mouvement d'indignation.*)

« ... On voulait détruire, mutiler la Convention... »

Il continue sur ce ton. Robespierre veut l'arrêter, parler à son tour. Il s'élance à la tribune. Aussitôt un grand nombre de cris : *A bas le tyran !* partent de tous côtés.

Collot d'Herbois lui refuse la parole et la donne à Tallien.

— Je demandais tout à l'heure, dit Tallien, qu'on déchirât le voile. Je viens d'apercevoir avec plaisir qu'il l'est entièrement, que les conspirateurs sont démasqués, qu'ils seront bientôt anéantis, et que la liberté triomphera. (*Applaudissements*.) J'ai vu se former l'armée du nouveau Cromwel, et je me suis armé d'un poignard pour lui percer le sein, si la Convention nationale n'avait pas le courage de le décréter d'accusation. (*Vifs applaudissements*.)

« Je demande que nous décrétions la permanence de nos séances jusqu'à ce que le glaive de la loi ait assuré la Révolution, et que nous ordonnions l'arrestation de ses créatures. »

Les deux propositions sont adoptées au milieu des applaudissements et des cris de : *Vive la République!*

Billaud-Varennes demande l'arrestation de Dumas, président du Tribunal révolutionnaire. Le décret est aussitôt rendu, aussitôt exécuté. Dumas est enlevé de son siège, au milieu de l'audience, et conduit en prison.

Delmas demande aussi qu'on arrête Hanriot, commandant en chef de la force armée.

Adopté.

Robespierre insiste pour avoir la parole.

— *A bas le tyran!* crient les députés.

— Tu n'auras pas la parole, répète le président.

Barère monte à la tribune et parle des armées. C'est une diversion : qu'en sortira-t-il?

Vadier, qui lui succède, Vadier, qui parle toujours de ses soixante ans de vertu, égare le débat de plus en plus. Tallien comprend le danger.

— Je demande la parole, dit-il, pour ramener la discussion à son vrai point.

— Je saurai bien l'y ramener, s'écrie Robespierre, au milieu des murmures qui étouffent sa voix.

Tallien s'empare de la tribune :

— Citoyens, ce n'est pas en ce moment sur des faits

particuliers que je dois porter l'attention de la Convention... Si je voulais retracer les actes d'oppression particuliers qui ont eu lieu, je remarquerais que c'est pendant le temps où Robespierre a été chargé de la police générale qu'ils ont été commis ; que les patriotes du Comité révolutionnaire de la section de l'Indivisibilité ont été arrêtés...

— C'est faux ! s'écrie Robespierre. Je...

Les cris, les murmures, qui s'élèvent de toutes parts, lui coupent la parole. Il se tourne vers les plus ardents Montagnards et les implore du regard : les uns détournent la tête, les autres restent immobiles. Il sent que la majorité l'abandonne. Il tente un dernier effort : il s'adresse à tous les côtés de l'Assemblée :

— C'est à vous, hommes purs, que je m'adresse, et non pas aux brigands...

Ce mot soulève de nouveaux orages. Robespierre interpelle Collot d'Herbois :

— Pour la dernière fois, président d'assassins, je te demande la parole !

Au milieu du bruit, Collot cède le fauteuil à Thuriot. Thuriot ne lui est pas plus favorable :

— Tu ne l'auras qu'à ton tour, dit-il.

De tous côtés éclatent des clameurs : *Non ! non !* Le bruit continue ; Robespierre s'épuise en efforts ; sa voix s'éteint.

. Alors, à ce moment, Garnier de l'Aube lance cette apostrophe :

— Le sang de Danton l'étouffe !

A ce nom, à ce souvenir, Robespierre, comme s'il voyait la tête sanglante du tribun qu'il a immolé, recule, étonné, saisi, plein d'effroi.

— C'est donc Danton que vous voulez venger ? dit-il.

L'instant décisif est arrivé. Louchet, un obscur député, se lève.

— Je demande le décret d'arrestation contre Robespierre.

LOISEAU. — Il est constant que Robespierre a été dominateur. Je demande par cela seul le décret d'accusation !

LOUCHET. — Ma motion est appuyée : aux voix l'arrestation !

ROBESPIERRE jeune. — Je suis aussi coupable que mon frère. Je partage ses vertus. Je demande aussi le décret d'accusation contre moi.

Cet acte de courage et de piété fraternelle passe inaperçu au milieu du tumulte. Robespierre continue à apostropher le président et les membres de l'Assemblée dans les termes les plus injurieux.

CHARLES DUVAL. — Président, est-ce qu'un homme sera le maître de la Convention ?

Cris. — Il l'a été trop longtemps !

FRÉRON. — Ah ! qu'un tyran est dur à abattre !

LOISEAU. — Aux voix l'arrestation des deux frères !

BILLAUD-VARENNES. — J'ai des faits positifs que Robespierre n'osera pas dénier. Je citerai d'abord le reproche qu'il a fait au Comité d'avoir voulu désarmer les citoyens...

ROBESPIERRE. — J'ai dit qu'il y avait des scélérats... (*Murmures.*)

BILLAUD-VARENNES. — Je disais qu'il a reproché au Comité d'avoir voulu désarmer les citoyens. Eh bien ! c'est lui seul qui a pris cet arrêté. Il a accusé le gouvernement d'avoir fait disparaître tous les monuments consacrés à l'Être suprême; eh bien! apprenez que c'est par Couthon...

COUTHON. — Oui, j'y ai coopéré. (*Nouveaux murmures.*)

Plusieurs membres. — Aux voix l'arrestation!

Elle est décrétée à l'unanimité. Tous les membres se lèvent et font retentir la salle des cris de : *Vive la Liberté! Vive la République !*

— La République, s'écrie Robespierre, elle est perdue, car les brigands triomphent!

On ne fait même plus attention à ses paroles, et les événements se précipitent.

LOUCHET. — Nous avons entendu voter pour l'arrestation des deux Robespierre, de Saint-Just et de Couthon.

LEBAS. — Je ne veux pas partager l'opprobre de ce décret. Je demande aussi l'arrestation. (*L'arrestation est votée.*)

FRÉRON. — Citoyens collègues, la Patrie en ce jour et la Liberté vont sortir de leurs ruines...

Robespierre tente de protester.

FRÉRON. — On voulait former un triumvirat qui rappelait les proscriptions sanglantes de Sylla; on voulait s'élever sur les ruines de la République, et les hommes qui le tentaient sont Robespierre, Couthon et Saint-Just.

Plusieurs voix. — Et Lebas!

FRÉRON. — Couthon est un tigre altéré du sang de la représentation nationale. Il a osé, pour passe-temps royal, parler dans la société des Jacobins de cinq ou six têtes de la Convention. (*Oui! oui! s'écrie-t-on de toutes parts.*) Ce n'était là que le commencement, et il voulait faire de nos cadavres autant de degrés pour monter au trône...

COUTHON. — Je voulais arriver au trône, oui !

Et il montre ironiquement ses pauvres jambes cotonneuses qui refusent de le porter.

FRÉRON conclut : — Je demande aussi le décret d'accusation contre Saint-Just, Lebas et Couthon.

La proposition est votée au milieu des plus vifs applaudissements, et les « individus décrétés d'accusation » descendent à la barre ; les gendarmes les emmènent.

Il semble qu'à ce moment-là la Convention soit pleinement victorieuse. Il est cinq heures ; elle suspend sa séance pour la reprendre à sept heures du soir.

Mais elle a compté sans la Commune.

II

SÉANCE DE LA COMMUNE DE PARIS.

La Commune de Paris était restée fidèle à Robespierre. Au moment où la Convention se disperse pour deux heures, elle se réunit et s'apprête à la lutte. Le maire, Lescot-Fleuriot, l'agent national Payan, prennent en main la direction du mouvement, et, sous leur impulsion, le Conseil vote les mesures les plus énergiques, y compris l'insurrection. Il se hâte d'envoyer à toutes les prisons l'ordre de refuser les prisonniers qu'on y amènera ; il fait sonner le tocsin, fermer les barrières et proclamer la révolte contre les scélérats qui oppriment la Convention.

A ces mesures le Conseil en ajoute une autre qui les paralysera toutes : il charge Hanriot de la direction militaire.

III

LES TROUBLES DANS PARIS.

Hanriot est ivre. Cet étrange commandant de la force armée s'est mis en campagne dès onze heures du matin ; mais, au lieu de masser les hommes dont il dispose, d'assurer la défense de l'Hôtel de ville et de préparer l'attaque contre la Convention, il court par la ville, le pistolet au point, débraillé, hurlant, appelant le peuple aux armes.

Cette mascarade inspire de-ci de-là l'effroi ; ailleurs, elle excite le mépris. Il suffit d'un homme de courage pour y mettre fin. Après avoir parcouru le faubourg Saint-Antoine, le Luxembourg, Hanriot et ses acolytes passent rue Saint-Honoré entre cinq et six heures du soir. Un député de l'Aube, Robin, qui dîne avec Courtois chez le traiteur Berger, l'aperçoit par la fenêtre. Il crie : « Arrêtez-le, il est décrété d'accusation ! »

Ces seuls mots déterminent une réaction parmi ceux qui l'entourent, et six gendarmes de son escorte lui mettent la main au collet. Robin descend et emmène le prisonnier au Comité de sûreté générale. Amar s'y trouvait ; à la vue d'Hanriot, il prend peur et se sauve. Robin conduit alors son captif au Comité de salut public.

Barère et Billaud-Varennes font moins mauvaise contenance qu'Amar, mais ne paraissent guère décidés à prendre une résolution.

— Veux-tu qu'on nomme une commission militaire pour le juger? dit Barère.

— Ce serait un peu vigoureux, répond Billaud-Varennes, qui a pourtant montré plus d'énergie à la Convention.

Leurs hésitations indignent Robin :

— A moins d'être ses complices, on ne se conduit pas de cette manière, s'écrie-t-il.

Mais lui-même commence à être embarrassé de son prisonnier; il cède au conseil que lui donnent ses collègues, et derechef va au Comité de sûreté générale.

Cependant, le bruit de l'arrestation d'Hanriot s'est répandu dans Paris. Coffinhal, un des vice-présidents du Tribunal révolutionnaire, réunit quelques hommes et accourt le délivrer; sa libération s'opère aussi facilement que son arrestation, et Hanriot, qui ne comprend rien aux événements dont il est le jouet, rentre avec Coffinhal à l'Hôtel de ville.

IV

LES DÉPUTÉS ARRÊTÉS.

L'Hôtel de ville est le centre de la résistance : c'est là que se réunissent tous ceux qui veulent lutter contre la Convention. Ils ne sont pas très nombreux; cependant, au milieu de la nuit, leur agitation peut faire illusion. De plus, la Convention a voté, mais elle ne semble pas agir ; elle laisse tout le temps de s'organiser à l'insurrection, qui déjà a retrouvé son général, Hanriot, et qui va recevoir d'autres appuis.

Les députés arrêtés ont été aussitôt dirigés sur diverses prisons : Robespierre au Luxembourg, Robespierre jeune à Saint-Lazare, Couthon à la Bourbe, Lebas à la Maison de justice du département, et Saint-Just aux Écossais. Mais, comme on l'a vu, la Commune a donné l'ordre de ne pas les recevoir, et l'ordre est exécuté.

Saint-Just, Lebas, Robespierre jeune, ainsi délivrés, se hâtent de gagner l'Hôtel de ville, où ils trouvent formé un comité d'exécution composé d'homme énergiques comme Lescot-Fleuriot, maire de Paris, Coffinhal, Payan, Châtelet, Desboisseaux, Arthur, etc.

L'arrivée des trois députés donne toute espérance à ces gens-là ; cependant Robespierre manque encore, et la présence de Robespierre serait un appoint considérable pour la lutte. Pourquoi ne vient-il pas ?

La chose lui serait facile cependant. A la porte du Luxembourg, il a trouvé un officier municipal qui s'est empressé de le conduire à la préfecture de police, et là, les rôles ont subitement changé. Robespierre est redevenu libre, et ce sont les gendarmes qui l'accompagnaient qui sont mis en arrestation. La nouvelle en a été aussitôt portée à ses amis, qui lui ont expédié un mot pour le presser de venir, de se joindre à eux :

« Le Comité d'exécution nommé par le Conseil a besoin de tes conseils. Viens sur-le-champ...

« PAYAN, MŒNNES, *substitut*.
« *Le maire de Paris*, LESCOT-FLEURIOT. »

Mais Robespierre ne semble nullement désireux de sortir du rôle effacé que les événements lui ont fait; il se borne à envoyer des conseils à ses partisans. On dirait qu'il désire assister en spectateur à la lutte, et se soustraire aux responsabilités. Il peut, en effet, encore à cette heure, envisager sans effroi une comparution devant le Tribunal révolutionnaire; il sait qu'il est composé de ses créatures, et un acquittement, qui équivaudrait à un triomphe, est infiniment probable. Le souvenir de Marat acquitté par ce même Tribunal lui donne toute confiance.

Pendant ce temps, le Comité d'exécution s'impatiente à l'Hôtel de ville. Il s'étonne de l'inertie de Robespierre, et Lescot-Fleuriot demande « qu'une députation soit chargée d'aller le chercher, et de lui observer qu'il ne s'appartient pas, mais qu'il doit être tout entier à la patrie, au peuple ». Coffinhal marche à la tête de la députation, résolu à vaincre les résistances de Robespierre. En effet, bon gré, mal gré, il l'entraîne, et l'amène vers les dix heures du soir à l'Hôtel de ville.

Sa présence réveille l'ardeur de ses partisans : on allume des lampions sur la place, et des groupes défilent jurant fidélité à la Commune.

Couthon seul manque : Robespierre agit à son égard comme on a agi vis-à-vis de lui. Il signe avec son frère et Saint-Just un billet pour le faire venir :

« *Commune de Paris, département de police.*

« Couthon, tous les patriotes sont proscrits; le peuple tout entier est levé; ce serait le trahir que de ne pas te rendre avec nous à la Commune, où nous sommes actuellement. »

Vers une heure du matin, Couthon arrive, et la délibération commence sur le parti à prendre. Tous comprennent qu'il n'y a plus à attendre de salut que de la force.

Couthon propose une proclamation aux armées. Robespierre, toujours incertain, semble étonné de la proposition :

— Au nom de qui? demande-t-il.

— Au nom de la Convention, répond Saint-Just; elle est partout où nous sommes.

Robespierre réfléchit un instant.

— Mon avis est qu'on écrive au nom du peuple français, dit-il.

A ce moment, il semble que le triomphe est assuré. Bien qu'une pluie d'orage, tombant sur Paris après une journée d'une excessive chaleur, ait quelque peu diminué le nombre des fidèles qui stationnent autour de l'Hôtel de ville, la Convention n'a pas encore agi, et ce temps perdu a rendu toute confiance au parti de la Commune.

Un appel adressé à la section des Piques en fait foi :

« Courage, patriotes de la section des Piques! La liberté triomphe. Déjà ceux que leur fermeté a rendus formidables aux traîtres sont en liberté. Partout le peuple se montre digne de son caractère. Le point de la réunion est à la Commune, où le brave Hanriot exécutera les ordres du Comité d'exécution créé pour sauver la patrie. »

Legrand, Louvet, Payan, Lerebours ont signé. Robespierre prend la plume et s'apprête à en faire autant. Déjà il a tracé les deux premières lettres de son nom. Des clameurs éclatent, une troupe armée s'approche : tout va en quelques instants changer encore une fois de face.

La Convention s'était enfin décidée à agir.

V

A LA CONVENTION.

Les députés, qui se sont séparés à cinq heures, croyant que leurs votes ont tranché toutes les difficultés, se réunissent de nouveau à sept heures du soir. L'enthousiasme a fait place à l'anxiété. C'est bien pis quand la séance commence ; de tous côtés les nouvelles arrivent, et mauvaises : les députés arrêtés sont en liberté ; Hanriot s'est échappé et a repris le commandement de la force armée : il est venu jusque sur la place du Carrousel, et il a débauché les canonniers placés là pour protéger la Convention.

Collot d'Herbois, qui préside, ne laisse à ses collègues aucun doute sur les périls du moment :

— Citoyens, voici l'instant de mourir à notre poste : des scélérats, des hommes armés ont investi le Comité de salut public et s'en sont emparés.

Il ne reste à la Convention d'autre asile que la salle même où elle siège, salle qui peut être envahie d'un moment à l'autre : aucune résistance ne semble possible. C'est bien de mourir qu'il s'agit, et, dit Thibaudeau, « pour mon compte, je ne doutais pas que notre dernier moment fût arrivé ».

Mais l'extrême danger pousse tous ces hommes aux résolutions extrêmes, et l'énergie du désespoir les soulève et les anime.

Vouland s'écrie :

— Il nous faut un chef. Nommons Barras : son courage acceptera.

Barras, ainsi acclamé, accepte la mission qu'on lui confie ; on lui adjoint douze députés, choisis parmi les plus énergiques : Fréron, Féraud, Bourdon de l'Oise, Léonard Bourdon, Legendre, etc.

Ceux-ci se retirent et reparaissent un instant après, l'écharpe à la ceinture et le sabre à la main. L'espérance renaît à leur vue.

— Allez, leur dit le président, et que le soleil ne se lève pas avant que les rebelles et les conspirateurs soient remis aux mains de la justice nationale !

Puis la Convention, résolue à lutter jusqu'au bout, décrète la mise hors la loi des députés qui se sont soustraits au décret d'arrestation, d'Hanriot, de la Commune tout entière : arme terrible dont Robespierre a si souvent usé et qui se retourne contre lui !

L'Assemblée se déclare en permanence, et elle attend.

VI

LES IMPRESSIONS DANS PARIS.

Dans la ville, les esprits continuent à être très partagés. Au fond, les partisans de Robespierre et de la Commune sont les moins nombreux, mais la peur rattache encore une grande masse de ceux qui ont vu si souvent triompher l'Incorruptible et qui tremblent au souvenir des vengeances dont chacune de ses victoires a été suivie. Cependant, cette fois, on sent vaguement que la lutte est plus sérieuse et le succès plus disputé. Fouquier-Tinville, qui d'ordinaire flaire le vent avec une singulière adresse, est hésitant, et, bien que son rôle doive être considérable, il se tient prudemment à l'écart.

Dans le centre, les opinions cependant commencent à se faire jour, et la haine de la Terreur se manifeste. Au Théâtre-Français, on joue ce soir-là une tragédie de Legouvé, *Epicharis et Néron*. Le public ne laisse échapper aucune occasion de montrer ses sentiments. Ses applaudissements soulignent toutes les allusions qu'on peut voir entre Néron et Robespierre :

> ...Tremble, Néron ! Ton empire est passé...
> Me voilà seul, portant la haine universelle...
> Et mourant dans la fange, on ne me plaindra pas...
> Ils osent conspirer et craignent de mourir !...

VII

LA NUIT DU 9 AU 10 THERMIDOR.

Marche de Barras et de Bourdon contre la Commune.

Pendant ce temps, Barras, investi du commandement, a rassemblé les quelques bataillons restés fidèles à la Convention, et en forme deux colonnes : l'une, qu'il dirige en personne, marche sur l'Hôtel de ville par la rue Saint-Honoré ; l'autre, sous Léonard Bourdon, suit les quais.

Dessiné par C. Monnet. Gravé par Helman, l'an VIII.

Cette colonne arrive la première sur la place, et se trouve en face du monument éclairé à l'intérieur et dont la masse imposante produit sur les assaillants un sentiment d'hésitation, sinon de terreur. Elle s'arrête.

Cependant des agents de police détachés en avant parmi les canonniers d'Hanriot répandent la nouvelle de la mise hors la loi de leur chef, des cinq députés et du Conseil général de la Commune. L'effet produit est presque immédiat : la foule, que l'heure avancée et l'orage ont déjà beaucoup diminuée, se disperse, pendant qu'à l'intérieur même de l'Hôtel de ville un pareil effet se produit, mais diversement amené.

L'agent national Payan, par bravade, a donné lecture de ce fameux décret de mise hors la loi; mais, s'imaginant sans doute enflammer pour la défense de la Commune les citoyens qui assistent en spectateurs à la séance, il ajoute à la liste de ceux qui y sont désignés : « et le public des tribunes. » Aussitôt ce public, composé de curieux qui ne se sentent point portés aux actes héroïques, se hâte de déguerpir, et le Conseil se trouve abandonné et comme isolé.

Hanriot, qui vient de descendre sur la place, a été surpris de voir ses fidèles soldats plus que tièdes, quelques-uns même tout à fait gagnés à la cause adverse ; il remonte précipitamment et annonce que la situation est perdue. C'est à ce moment que la plume tombe des mains de Robespierre étonné...

La Commune n'a plus de défenseurs : il semble qu'elle soit à la merci des assaillants; mais les assaillants ne paraissent pas. C'est qu'eux aussi sont quelque peu décontenancés par l'imprévu de la situation. Ils couraient à une lutte, à un combat; ils croyaient à une résistance organisée, ils ne rencontrent plus que quelques artilleurs inoffensifs.

Que veut dire ce silence? Que signifie cette facilité laissée aux soldats de la Convention? N'y a-t-il pas là-dessous quelque piège, et ne leur réserve-t-on pas une manœuvre infernale? Léonard Bourdon n'est pas éloigné de le croire :

— Ces gens-là sont décidés sans doute à se défendre jusqu'à la mort, et peut-être ont-ils préparé des poudres pour faire sauter les assaillants, dit-il à l'agent de police Dulac qui l'accompagne.

Cette situation, quelque peu ridicule, ne peut se prolonger indéfiniment, et le dénouement arrive d'une façon que nul n'a prévue. Un gendarme nommé Méda, qui depuis le matin s'agite et se donne une importance énorme, pénètre dans l'Hôtel de ville.

Robespierre est assis près de la table; Méda s'approche, et lui crie : « Rends-toi, traître ! » en lui présentant la pointe de son sabre; Robespierre relève la tête : « C'est toi qui es un traître, et je vais te faire fusiller », dit-il. A ces mots, Méda prend de la main gauche un de ses pistolets, tire et lui fracasse la mâchoire...

Blessé, Robespierre s'affaisse sur la table et tache de son sang le papier qui se trouve devant lui.

Son coup fait, Méda se retire précipitamment et va chercher Léonard Bourdon et sa troupe. Ceux-ci pénètrent alors dans la salle. A ce moment un second coup de pistolet retentit : c'est Lebas qui vient de se tuer.

Ces coups de feu, le bruit des cris amènent une panique universelle. Robespierre jeune, affolé, essaye de se sauver par une fenêtre; il suit un instant la corniche, perd l'équilibre et va se rompre les jambes sur le pavé.

Couthon, paralytique, blessé à la tête, se traîne dans un coin, où il reste immobile, contrefaisant le mort. Saint-Just ne bouge pas : il attend son sort, impassible. Hanriot, qui a trahi par sa faiblesse, sa stupidité, les espérances de ses amis, ne songe qu'à sauver sa vie : il veut s'enfuir par un escalier dérobé, mais Coffinhal, indigné de tant de lâcheté, court après lui, le rejoint et, désireux de venger sur lui leur commune défaite, le précipite par une fenêtre. Hanriot va tomber sur un tas de fumier, qui amortit la chute. Dégoûtant d'ordures, il se relève et va se cacher dans un égout, où on le déterre pour le joindre à ses complices. Coffinhal s'échappe et se réfugie dans l'île des Cygnes, d'où la faim le chassera deux jours plus tard, pour le livrer à l'échafaud.

Il est deux heures du matin : le parti de la Commune est vaincu. On apporte des civières, sur lesquelles on place Robespierre, Couthon, Robespierre jeune, le cadavre de Lebas; Saint-Just, Lescot-Fleuriot, Payan sont faits prisonniers. Le cortège se met en marche vers la Convention, et les portes de l'Hôtel de ville sont fermées.

La séance de nuit à la Convention.

La Convention, restée en séance après le départ de ses douze délégués, attendait; mais, à mesure que le temps s'écoulait, elle reprenait confiance. L'inaction de la Commune témoignait de sa faiblesse. Enfin les nouvelles arrivèrent : le peuple de Paris semblait indifférent à la lutte, et point disposé à prendre les armes pour soutenir Robespierre; le camp des Sablons, où se trouvaient trois mille jeunes soldats soumis à l'influence de Lebas, ne songeait nullement à marcher contre la Convention...

A trois heures du matin, les Douze reparaissent et annoncent solennellement que la Maison commune est en leur pouvoir. Comme en ces temps-là on ne se prive d'aucune accusation contre des adversaires vaincus, ils ajoutent qu'ils ont saisi un cachet nouvellement gravé portant une fleur de lis. C'est bien là une preuve que Robespierre était le chef d'une conspiration royaliste! On accueille avec indignation une pareille révélation.

Bientôt le président — c'est Charlier qui occupe le fauteuil — communique à ses collègues une autre nouvelle qui excite une indignation plus sincère, celle-là.

— Le lâche Robespierre est là. Vous ne voulez pas qu'il entre?

— Non! non! s'écrient les députés avec horreur.

— Apporter dans le sein de la Convention le corps d'un homme couvert de tous les crimes, clame Thuriot, ce serait enlever à cette belle journée tout l'éclat qui lui convient. Le cadavre d'un tyran ne peut que porter la peste. La place qui est marquée pour lui et ses complices, c'est la place de la Révolution. Il faut que les deux Comités prennent les mesures nécessaires pour que le glaive de la loi les frappe sans délai!

La Convention décrète toutes les mesures nécessaires au châtiment de ces hommes qui l'ont fait si souvent trembler; puis elle reçoit dans la salle des séances Léonard Bourdon, accompagné du gendarme Méda, et elle leur adresse ses félicitations.

Il est six heures du matin quand elle se sépare. Sa victoire est complète.

Robespierre au Comité de salut public.

Personne ne songe à envoyer Robespierre et ses complices dans les prisons de Paris. A quoi bon ? Tous ces gens-là sont hors la loi ; une simple formalité est nécessaire pour les livrer à l'échafaud, il n'y a pas de temps à perdre. On les mène donc tous au Comité de salut public.

Voici, à ce sujet, le récit d'un témoin :

« Robespierre est toujours porté de la même manière, par les mêmes hommes. Il se cache la figure avec son bras droit. L'espèce de cortège s'arrête un instant au pied du grand escalier ; des curieux viennent augmenter la foule ; plusieurs d'entre eux qui en étaient lèvent son bras pour voir sa figure.

« L'un dit : — Il n'est pas mort, car il est encore chaud.

« Un autre dit : — Ne v'là-t-il pas un beau roi ?

« Un autre dit : — Quand ce serait le corps de César, pourquoi ne pas l'avoir jeté à la voirie ?

« Les porteurs ne veulent pas qu'on le touche, et ceux qui tiennent les pieds disent à ceux qui sont à la tête de la tenir bien élevée, dans l'intention de lui conserver le peu de vie qui lui reste.

« L'on monte enfin avec le fardeau jusque dans la grande salle du Comité ; on le dépose sur une grande table, à l'opposé du jour, on pose sa tête sur une boîte remplie de morceaux de pain de munition moisis.

« Il ne remue pas, mais il respire beaucoup ; il pose sa main droite sur son front ; on voit qu'il cherche à se cacher le visage...

« Parmi ceux qui l'avaient amené il y avait un pompier et un canonnier qui ne cessaient de lui parler. Ils avaient toujours quelques mots plaisants à lui adresser.

« L'un lui disait : « Sire, Votre Majesté souffre? » L'autre : « Eh bien! il me semble que tu as perdu la « parole; tu n'achèves pas ta motion, elle était bien « commencée. Ah! il faut que je dise la vérité : tu m'as « bien trompé, scélérat. » Un autre citoyen a dit : « Je « ne connais qu'un homme qui ait bien connu l'art des « tyrans : cet homme est Robespierre. »

Il porte encore l'habit bleu ciel et la culotte de nankin comme au jour de la fête de l'Être suprême, mais ses vêtements sont en désordre, sa chemise est ensanglantée. Il n'a ni chapeau, ni cravate; ses bas de coton blanc sont rabattus sur les talons.

Vers les quatre heures du matin, on s'aperçoit qu'il tient à la main un sac de peau blanche portant cette inscription : *Au Grand Monarque. Lecourt, fourbisseur du roi et de ses troupes, rue Saint-Honoré, près celle des Poulies, à Paris,* et sur le revers ces mots : *A. M. Archier.* Il se sert de ce sac pour étancher le sang caillé qui sort de sa bouche.

Vers les six heures du matin, Élie Lacoste vient dans la salle avec un chirurgien auquel il dit de panser Robespierre, « afin de le mettre en état de pouvoir être puni ».

« Ceux qui environnaient le corps continuaient à se venger en propos libres; et pendant ce temps on prépare du linge et de la charpie. Lorsque tout est prêt, le chirurgien s'avance et dit : « Portez le blessé sur le bord de « la table. » On le lève sur son séant. Il se porte lui-même sur ses mains. Le chirurgien lui lave la figure. On le tourne du côté du jour pour le panser facilement. Le chirurgien lui met une clef entre les dents ; il cherche avec les doigts dans l'intérieur de la mâchoire ; il trouve deux dents déracinées, et les prend avec une pince. Il dit que la mâchoire inférieure est cassée. Il enfonce dans la bouche plusieurs tampons de linge pour pomper le sang dont elle est remplie ; il passe à plusieurs reprises un lardoir par le trou de la balle et le fait sortir par la bouche ; il lave encore la figure et met ensuite un morceau de charpie sur la plaie, sur quoi il pose un bandeau qui passe autour du menton ; il coiffe la partie supérieure de la tête avec un linge. Pendant cette opération chacun disait son mot ; lorsqu'on lui pose le bandeau sur le front, un homme dit : « Voilà que l'on pose le diadème à « Sa « Majesté ! » Un autre dit : « Le voilà coiffé comme une « religieuse ».

« Il devait entendre toutes ces choses, car il avait quelques forces et ouvrait souvent les yeux.

« Le pansement fini, on le recoucha, en ayant soin de remettre la boîte sous sa tête pour lui servir, disait-on, d'oreiller en attendant qu'il aille faire un tour à la petite fenêtre. »

Tout à coup, il se met sur son séant, relève ses bas, se glisse prestement en bas de la table et va se placer dans un fauteuil. A peine assis, il demande par signe de l'eau et du linge blanc.

Il regarde fixement les gens qui l'environnent ; parfois, il lève les yeux au plafond ; son teint, habituellement bilieux, est livide. De temps en temps, il a des mouvements convulsifs, mais il fait montre d'une grande impassibilité.

Saint-Just, qui a été amené au Comité quelques instants après Robespierre, conserve une attitude silencieuse. Ses vêtements ne sont nullement endommagés : sa cravate

même est bien mise. Il porte un habit de couleur chamois,
un gilet fond blanc et une culotte de drap gris blanc.
Malgré sa volonté, toutefois, sa figure trahit l'abattement,
l'humiliation, et « ses yeux grossis peignent le chagrin ». ·

Autour d'eux sont Dumas, Payan et quelques comparses. Le fidèle danois Brount n'a pas quitté son maître.

———

TROISIÈME JOURNÉE

X thermidor — 28 juillet.

L'EXÉCUTION.

Vers les neuf heures du matin, les prisonniers sont conduits à la Conciergerie. Couthon, Robespierre jeune,
Lescot-Fleuriot, Hanriot et quelques autres membres de
la Commune s'y trouvent déjà. Quand Saint-Just pénètre
dans la salle où est affiché le tableau contenant la Déclaration des droits de l'homme : « C'est pourtant moi qui ai
fait cela! » dit-il. Seules paroles qui lui soient échappées
durant ces longues heures de captivité.

Quant à Robespierre, les sarcasmes et les injures pleu-
vent autour de lui; on raconte même que certains de ses
collègues des Comités, non contents de l'insulter, lui cra-
chent au visage; des commis le piquent de leurs canifs.

A un moment, il demande, toujours par signe, au guichetier de lui apporter une plume et de l'encre; mais le
guichetier brutal lui répond :

— Que diable en veux-tu faire? As-tu dessein d'écrire à ton Être suprême?

Cependant le Tribunal est en séance : sauf son président Dumas, qui, arrêté la veille, figurera parmi les accusés, les juges sont les mêmes, toujours dociles, toujours prêts à obéir aux ordres des puissants du jour.

Mais aujourd'hui leur tâche est bien simplifiée : la mise hors la loi supprime toute discussion, tout procès. Le Tribunal n'a qu'à constater l'identité et à envoyer à l'échafaud.

Toutefois une difficulté se présente, et Fouquier-Tinville s'empresse de la signaler à la Convention, qui est rentrée en séance à neuf heures du matin : l'identité doit être constatée devant deux officiers municipaux; or tous les officiers municipaux sont eux-mêmes hors la loi.

La Convention charge les Comités de salut public et de sûreté générale de parer à cette difficulté. Elle ne les embarrasse guère : les deux Comités dispensent le Tribunal de l'assistance des deux officiers municipaux, et ordonnent que l'exécution aura lieu sur la place de la Révolution.

Le Tribunal n'a qu'à obéir, et les accusés qui comparaissent devant lui entendent simplement prononcer leur condamnation à mort.

L'exécution n'a pas lieu immédiatement : le cortège ne se met en route que vers le soir. Sans doute il a fallu ce temps-là pour ramener l'échafaud, qui, depuis plusieurs semaines, est dressé sur la place du Trône-Renversé.

Les vingt-deux condamnés sont entassés dans trois charrettes : Hanriot, mal dégrisé, est à côté de Robespierre jeune, au fond de la charrette; Robespierre sur un banc à côté de Dumas; Saint-Just est près de Lescot-Fleuriot; Couthon est couché dans la troisième charrette.

Hanriot et Robespierre jeune sont couverts de sang et de boue. Robespierre a la tête enveloppée d'un linge sanglant. Couthon semble à demi mort.

Le cortège marche lentement : il suit la rue Saint-Honoré. Devant la maison des Duplay, où a habité Robespierre, il s'arrête, et un groupe de femmes se met à danser en rond.

Aucun outrage n'est épargné aux condamnés. Carrier — l'homme des noyades de Nantes — suit la charrette de Robespierre, criant : *A bas le tyran!*

« La foule est innombrable : les accents d'allégresse, les applaudissements, les cris de : *A bas le tyran!* de : *Vive la République!* les imprécations de toute espèce retentissent de toutes parts le long du chemin. Le peuple se venge ainsi des éloges commandés par la terreur, ou des hommages usurpés par une longue hypocrisie... » (*Journal de Perlet.*)

Les condamnés continuent à montrer la même impassibilité, ils restent muets. La foule interprète leur silence comme une suprême lâcheté : « Les conspirateurs qui les ont précédés ont su mourir, dit-elle. Ceux-ci n'ont pas même la force de se parler ni d'adresser la moindre parole au peuple. »

Il est sept heures et demie quand le cortège arrive sur la place de la Révolution. Couthon est exécuté le premier, puis Robespierre jeune. Saint-Just monte les degrés de l'échafaud toujours calme, énigmatique...

Déjà vingt têtes ont roulé dans le panier : voici Robespierre. Le bourreau enlève brusquement le linge qui entoure son visage ; la douleur lui arrache un cri, un rugissement qui est entendu sur toute la place. On le couche sur la bascule, le couteau glisse. Sa tête est montrée au peuple. Des cris de : *Vive la Convention ! Vive la République !* sortent de toutes les bouches : la joie éclate parmi les assistants.

Quelques instants après, Tallien prononce, à la Convention, les paroles suivantes :

« Ce jour est un des plus beaux pour la liberté : la tête des conspirateurs vient de tomber sur l'échafaud. (*Vifs applaudissements.*) La République triomphe et du même coup ébranle les trônes des tyrans du monde... Allons partager l'allégresse commune. Le jour de la mort d'un tyran est une fête à la fraternité. »

Cette révolution du Neuf Thermidor, qui semble un des points culminants de l'histoire de la Révolution française, ne mérite la grande place qu'elle occupe que par les événements qui en découlèrent, événements qu'aucun des acteurs de ce drame héroï-comique n'avait ni souhaités, ni préparés, ni même prévus.

Elle n'a pour point de départ ni une pensée politique, ni un sentiment d'humanité. Elle marque la fin de la Terreur, parce que la poussée de l'opinion publique se donna libre cours alors et réclama l'abolition des supplices; mais les thermidoriens ne valaient pas mieux que ceux qu'ils abattirent.

Ce fut une simple querelle entre jacobins qui mit tout en branle, et, si l'édifice bâti par Robespierre tomba, c'est qu'il n'avait aucun fondement.

Tout fut incohérence, surprise et lâcheté dans ces trois journées. A part deux ou trois hommes qui montrèrent de l'énergie et de la décision au milieu du désarroi général, tous agirent comme des fantoches inconscients. Le hasard seul amena une solution à cet imbroglio ridicule.

Il n'y a point lieu de s'en étonner : les grands hommes de la Révolution, les Mirabeau, les Danton avaient disparu ; Robespierre seul restait, mais Robespierre n'était point grand ; il ne parut tel un instant que parce qu'il était seul.

Dépourvu de toute conception politique, admirant Rousseau plus qu'il ne le comprenait, il n'eut d'autre but que d'arriver à la puissance suprême et d'autre moyen que d'abattre ses adversaires ; c'est encore à cette besogne que se réduisait le coup qu'il méditait en thermidor. En dehors de cela, il ne se signala que par son invention de l'Être suprême.

Il n'a laissé qu'une médiocre figure : c'est qu'il n'eut ni les grands vices ni les grandes qualités des héros de la Révolution, qu'il avait pourtant vaincus.

Austère et surnommé l'*Incorruptible*, il ne reçut point comme tant d'autres de l'argent de la Cour ; il n'en prit ni dans les caisses publiques, ni dans la poche de ses concitoyens. Il ne contribua jamais qu'à les dépouiller de la vie. Il avait soif de puissance et non d'argent : qu'en eût-il fait, d'ailleurs, n'ayant pas de besoins ?

Il ne sut pas atténuer l'odieux de son rôle par la grandeur du but à atteindre, et sa cruauté froide ne visa jamais que ses ennemis personnels. Son œuvre ne fut qu'une œuvre de mort : c'est ce qu'exprime une épitaphe fabriquée peu après son supplice :

> Passant, qui que tu sois, ne pleure pas mon sort :
> Si je vivais, tu serais mort.

LE PROCÈS
DE FOUQUIER-TINVILLE

I

Le policier Sénart raconte qu'un soir de messidor an II, vers les dix heures, l'accusateur public Fouquier-Tinville, ayant à se rendre au Comité de salut public, qui siégeait alors dans l'aile des Tuileries la plus voisine de la Seine, demanda deux gendarmes pour l'accompagner. Malgré cette escorte, malgré la présence de Sénart, Fouquier éprouva une faiblesse sur le pont Neuf et se trouva mal ; il dit alors à ceux qui l'entouraient :

— Je ne suis pas à mon aise. Je crois voir les ombres des morts qui me poursuivent, surtout celles des patriotes que j'ai fait guillotiner.

Surpris lui-même d'un pareil aveu, il sentit le besoin de se justifier aux yeux de ses compagnons et à ses propres yeux, et il ajouta aussitôt qu'il était esclave de son devoir, et qu'en agissant comme il le faisait il obéissait aux ordres du Comité et appliquait la loi du 22 prairial.

Le mois de messidor an II fut, en effet, celui où la Terreur, sévissant avec le plus de violence, multiplia les

supplices avec une férocité inouïe. Le Tribunal révolutionnaire, créé en mars 1793, avait prononcé douze cent
quatre-vingt-dix-sept condamnations à mort dans l'espace
de quinze mois; du 22 prairial au 9 thermidor, c'est-à-
dire en six semaines, il dépassa ce chiffre : le nombre des
victimes s'éleva à treize cent soixante-six. Durant ces
tristes jours, Fouquier, grisé par l'odeur du sang et pris
comme d'un impérieux désir

> De laver dans le sang ses bras ensanglantés,

ne rêvait qu'hécatombes nouvelles, si bien qu'il encourut
les reproches de Collot d'Herbois !

— Veux-tu donc démoraliser le supplice? lui dit un
jour celui-ci en apprenant que l'accusateur public méditait de faire passer le même jour trois cents individus en
jugement.

Cette fureur de tueries, c'était aussi la peur qui l'en-
fantait au cœur de Fouquier. Craignant à tout instant
d'être assassiné par quelque vengeur de ceux qu'il envoyait si facilement à l'échafaud, il ne se sentait rassuré
que sur son siège au tribunal, environné d'un appareil
formidable, et certain de ne trouver là, en face de lui,
que des victimes désarmées. Une suite d'entraînements
l'avait peu à peu amené à cet état moral de ne plus distinguer le juste de l'injuste, à ne voir partout que des
coupables; car cet homme, dans les débuts de sa vie,
n'était point sanguinaire, et rien, assurément, n'eût pu
faire prévoir ce qu'il deviendrait.

Né dans les premiers jours de juin 1746 (1), au village
d'Hérouel, près de Saint-Quentin, Antoine-Quentin Fou-

---

(1) *Le Tribunal révolutionnaire de Paris,* par M. CAMPARDON.

quier était le fils de cultivateurs aisés. Pour se distinguer de ses frères, il prit, suivant l'usage du temps, le nom de Fouquier de Forest, qu'il quitta bientôt pour celui de Fouquier de Tinville. Il se maria en 1775 avec sa cousine, dont il eut quatre enfants. Entre temps, il acheta une charge de procureur au Châtelet. Devenu veuf en 1782, il vendit sa charge. Il n'était point alors républicain; il manifesta même, à cette époque, des sentiments royalistes dans une poésie qu'il envoya à un journal que dirigeait l'abbé Aubert. Celui-ci trouva les vers trop médiocres pour être publiés, mais il les conserva, et, pendant la Terreur, il les porta constamment sur lui, comptant s'en faire une arme de défense dans le cas où il serait arrêté; plus tard, il les communiqua à l'abbé Delille.

Delille les inséra dans les notes placées à la suite de son poème de *la Pitié*, et c'est ainsi que le désir de Fouquier s'est trouvé exaucé dans des conditions qui n'étaient point assurément celles qu'il avait souhaitées.

Vers que l'on prie Messieurs les Rédacteurs du Journal d'insérer dans leur feuille.

D'une profonde paix nous goûtions les douceurs,
Même au milieu des fureurs de la guerre,
Louis sut en tout temps la donner à nos cœurs.
En l'accordant à la fière Angleterre,
Louis admet ses ennemis
Au rang de ses enfants chéris.
Sous l'autorité paternelle
De ce prince ami de la paix,
La France a pris une splendeur nouvelle
Et notre amour égale ses bienfaits.

FOUQUIER DE TINVILLE, *abonné*.

Sur la vie publique de Fouquier, de 1782 à 1792, on n'a pas de détails. En ce qui touche sa vie privée, on sait qu'il se remaria avec Mlle Érard d'Haucourt, fille d'un colon de Saint-Domingue. Lorsque la Révolution éclata, il n'était plus dans les mêmes sentiments politiques que traduisaient très clairement ses mauvais vers de 1781, et il se jeta avec ardeur dans le parti de l'opposition, comme tous les mécontents qui n'ont pas réussi. Il prit, à l'en croire, une grande part à l'insurrection du 14 juillet 1789; néanmoins, il ne sortait point de son obscurité. Ce n'est qu'en 1792 qu'il parvint à se faire nommer commissaire de sa section (district Saint-Merry). Il fallut le renversement de la monarchie et l'arrivée au pouvoir de Danton pour que s'ouvrissent devant lui les portes jusque-là fermées à son ambition. S'autorisant d'une parenté, assez vague d'ailleurs, avec son compatriote Camille Desmoulins, il s'adressa à ce député influent pour solliciter une place quelconque qui le mît enfin à l'abri du besoin. Le 22 août 1792, il lui écrivit une lettre fort humble, dont voici le principal passage :

« Je me flatte que vous voudrez bien intercéder pour moi auprès du ministre de la justice (Danton) pour me procurer une place soit dans ses bureaux, soit partout ailleurs. Vous savez que je suis père d'une nombreuse famille et peu fortuné; mon fils aîné, qui a volé aux frontières, m'a coûté et me coûte beaucoup...

« FOUQUIER, homme de loi,

« Rue Saint-Honoré, 356, vis-à-vis de l'Assomption (1). »

Camille Desmoulins accueillit sa demande et le fit nommer directeur du jury d'accusation du tribunal du

---

(1) *Camille Desmoulins,* par Édouard FLEURY.

17 août 1792. Fouquier avait ainsi le pied à l'étrier : il sut si bien faire valoir son zèle et ce qu'on appelait alors son patriotisme, qu'il ne tarda pas à devenir, après le 15 mai 1793, premier adjoint de l'accusateur public Faure, et, quand celui-ci donna sa démission, il lui succéda tout naturellement.

Alors commença pour lui une période d'extraordinaire activité. Il porta la parole dans tous les grands procès : il requit la peine de mort contre Charlotte Corday, Marie-Antoinette, les girondins, les dantonistes...

A côté de Danton, son protecteur, figurait Camille Desmoulins, son ami et son parent. Le père de Camille, qui se souvint du service rendu par son fils à Fouquier, l'implora au moment du procès, mais Fouquier renia l'ami, le parent, oublia le service demandé et reçu, et se montra aussi impitoyable envers Camille et Danton qu'envers leurs coaccusés.

Il donna une autre preuve de l'indépendance de son cœur le 10 thermidor, lorsqu'on amena devant le Tribunal Robespierre et ses complices. Robespierre l'avait soutenu, lui avait accordé sa confiance. Fouquier était sur son siège, ce jour-là, et ce fut lui qui réclama l'application de la loi contre le puissant déchu. Il n'eut qu'un bon mouvement : quand il arriva au nom de Lescot-Fleuriot, qui avait été son substitut, il céda l'écharpe à Liendon.

Une pareille docilité le rendait précieux pour les hommes au pouvoir; lui-même croyait avoir acquis, par cet éclectisme dans l'exercice de ses fonctions, le droit de conserver sa place. Dans les premiers jours qui suivirent Thermidor, l'événement sembla confirmer son espérance, et il fut maintenu comme accusateur public. La chose, d'ailleurs, n'avait rien d'extraordinaire, car les thermidoriens n'étaient, en réalité, que des terroristes qui avaient voulu sauver leurs têtes contre Robespierre, Saint-Just et Couthon, mais qui n'entendaient pas changer le système révolutionnaire en vigueur. Ce fut, comme nous l'avons déjà dit, la poussée de l'opinion publique, écœurée de tant de supplices, indignée de tout le sang versé, qui, plus forte que leurs volontés, transforma en réaction plus clémente le mouvement commencé.

Fréron, le premier, manifesta son étonnement de voir Fouquier figurer sur la liste des membres composant le Tribunal, reformé après la chute de Robespierre. Dans la séance du 14 thermidor, il exprima en termes énergiques sa surprise indignée :

— Vous avez envoyé au Tribunal révolutionnaire l'infâme Dumas et les jurés qui, avec lui, partageaient les crimes du scélérat Robespierre. Je vais vous prouver que Fouquier est aussi coupable qu'eux. Car si le président, si les jurés étaient influencés par Robespierre, l'accusateur public l'était également puisqu'il rédigeait les actes d'accusation dans les mêmes vues. Je demande que Fouquier-Tinville aille cuver dans les enfers le sang qu'il a versé. Je demande contre lui le décret d'accusation.

A ce moment, Turreau se lève :

— Je m'oppose au décret d'accusation. Ce serait faire trop d'honneur à ce scélérat. Je demande qu'il soit mis simplement en arrestation et en jugement, traduit au Tribunal révolutionnaire.

La motion est votée au milieu de l'approbation générale.

La nouvelle en est aussitôt portée à Fouquier, qui se

trouvait au Palais de justice. Il se leva de son siège et disparut. On crut qu'il s'était enfui, et l'on éprouva une vive émotion à la pensée qu'il pourrait ainsi échapper à de trop justes représailles. Mais l'alerte n'était pas justifiée : l'accusateur public, devenu accusé, était-allé se constituer prisonnier à la Conciergerie (1).

II

A quels mobiles obéissait Fouquier en se livrant ainsi lui-même ? Il est à croire, en premier lieu, qu'il sentit quelle difficulté ce lui serait, ou de se sauver, n'ayant guère d'argent à sa disposition, ou de se cacher dans Paris, n'ayant point d'ami capable de se dévouer pour lui. Une autre raison dut aussi le guider, c'est qu'en dehors de sa complaisance pour tous les partis au pouvoir, il en était arrivé par une pente insensible à se considérer comme l'exécuteur inconscient et surtout irresponsable des horreurs auxquelles il avait prêté les mains. Il n'avait été, selon lui, qu'un agent d'exécution, et il invoquait déjà ce système de défense qu'il reproduira pendant toute la procédure, et qu'il développera devant ses juges, système résumé dans cette phrase : « Je n'ai été que la hache de la Convention ; punit-on une hache ? »

En se comparant ainsi, non pas même au bourreau, mais à l'instrument inerte du supplice, il se diminuait singulièrement, et cherchait à se donner une attitude

(1) *Histoire du Tribunal révolutionnaire de Paris,* par H. WALLON.

effacée, ce qui n'était pas maladroit; cependant, par une inconséquence dont il n'apprécia pas immédiatement les effets, il demanda à être entendu par la Convention. Cette comparution solennelle devant l'Assemblée entière rendait à sa personne l'importance qu'il avait voulu lui enlever et mettait son rôle en pleine lumière. Sur la motion de Lecointre, on consentit à l'entendre. Le 21 thermidor, il fut admis à présenter ses observations. Naturellement, il se déclara l'humble et fidèle agent du Comité de salut public et de Robespierre : c'étaient alors les puissances reconnues, et qui tenaient de la Convention elle-même leurs pouvoirs; en leur obéissant, il obéissait donc en réalité à la Convention.

Cette affirmation souleva des contradictions. Merlin de Thionville lui reprocha la conspiration de l'étranger et la conspiration des prisons, pour lesquelles Fouquier n'avait reçu aucun ordre et qui étaient sorties tout entières de son imagination. Mais Tallien qui présidait ne laissa pas la discussion s'engager. Il déclara que l'ex-accusateur public n'était là que pour présenter ses observations, et non pour répondre aux questions, et il ajouta : « Je pourrais aussi lui reprocher des faits; mais il est inutile de l'accuser : toute la France l'accuse. »

Fouquier esquissa un essai de justification sur ces divers points, puis il fut ramené dans son cachot.

Fouquier s'aperçut alors pour la première fois que le régime des prisons laissait fort à désirer pour les prisonniers. Il se trouvait mal à la Conciergerie ; « il manquait d'air », et la présence d'un gendarme comme surveillant lui était importune. Il s'en plaignit vivement au Comité de sûreté générale, sans paraître se rendre compte de ce qu'un pareil langage, de sa part, dénotait d'audace et de cynisme. On obtempéra à ses désirs, non pour lui être agréable, mais parce que la Conciergerie n'était qu'une prison de passage, et parce qu'on prévoyait qu'il faudrait de longs mois pour instruire son procès. On le transféra à Sainte-Pélagie.

Là, il eut tout le temps de préparer sa défense. Il rédigea un volumineux mémoire destiné à ses juges, et comme, ainsi que l'avait dit Tallien, « toute la France l'accusait », il le fit imprimer et répandre dans la pensée de retourner l'opinion publique.

« Tel est donc le cours des vissicitudes humaines, que des fonctions redoutables à la vérité autant que pénibles, mais voulues et commandées par la loi, ont tout à coup provoqué sur ma tête le choc presque inévitable des passions politiques et privées », s'écrie-t-il avec emphase dans son début. Puis il reprend son argument favori. « Je n'étais qu'un rouage, le rouage docile et soumis à l'action de la mécanique du gouvernement. Le ressort était-il trop violent? C'était au gouvernement, à la Convention même à l'arrêter... »

Il entre ensuite dans le long détail des faits qui lui sont reprochés. Il se défend d'avoir jamais prévariqué et se targue de sa pauvreté pour le prouver. Sur ce point, certaines accusations viendraient lui donner un démenti, si elles pouvaient s'appuyer de preuves solides; mais, comme il n'en est rien, mieux vaut croire qu'à tous ces crimes il n'ajouta pas celui d'être un voleur. Pour les autres actes incriminés, il invoque toujours les ordres reçus, les injonctions des Comités, les exigences de la loi de prairial, etc.

Malheureusement pour lui, si abominables que fussent les exigences de la loi de prairial, si cruelles que fussent les injonctions des Comités et si formels que fussent les ordres reçus, Fouquier ne s'était pas borné à obéir ; il avait dépassé de son chef les services qu'on lui imposait, et, en maintes circonstances, exagéré les fureurs meurtrières des tyrans terroristes.

On avait notamment trouvé dans son cabinet quantité de lettres, de pièces, de documents destinés à la défense des accusés : les paquets étaient encore cachetés. Nombre de jugements étaient signés à l'avance; par contre, les actes d'accusation n'existaient pas toujours; des erreurs de personnes avaient été commises à plusieurs reprises; on avait enfin constaté son intervention dans le choix des juges et des jurés pour amener plus sûrement la condamnation, etc.

Le nouvel accusateur public, Leblois, rédigea l'acte d'accusation contre son prédécesseur : il passait en revue toutes ses actions et ne le ménageait pas.

« Investi pendant près de dix-huit mois de l'obligation pénible de rechercher le crime et de le poursuivre, mais honoré pendant le même temps aussi de la sainte et consolante mission de s'élever en faveur de l'innocence, de la défendre et de la protéger, on dirait que Fouquier-Tinville se serait fait un jeu cruel de bouleverser ces deux destinations et de les prendre en sens inverse...

« Les longues cruautés de Fouquier-Tinville avaient pour but sans doute, d'une part, de satisfaire la férocité de son caractère, d'autre part, de seconder ceux des conspirateurs et des monstres qui, comme les Robespierre, les Saint-Just, les Couthon et autres, s'étaient promis de dépeupler la France et d'en faire disparaître surtout le génie, les talents, l'honneur et l'industrie...

« Fouquier et plusieurs de ces conspirateurs se rassemblèrent et firent des orgies dans des maisons particulières aux époques où fut découverte leur conspiration...

« Il se permit différentes ironies et des plaisanteries qui ne pouvaient appartenir qu'à la cruauté d'une âme dégradée et altérée de sang...

« Fait à Paris le 25 frimaire an III (1).

« LEBLOIS. »

Certaines des plaisanteries auxquelles il est fait allusion sont connues. Un jour, c'était la vieille maréchale de Mouchy qui comparaissait devant le Tribunal : elle ne répondait point à la question qu'on lui posait. On fit observer qu'elle était sourde.

— Très bien, dit Fouquier au greffier. Écrivez qu'elle a conspiré sourdement.

Lors de l'affaire des *chemises rouges* (Cécile Renault, Sainte-Amaranthe, etc.), quand on fit endosser aux condamnés la chemise rouge réservée aux assassins :

— Cela fera une fournée de cardinaux, dit-il joyeusement.

Dans cette fournée se trouvaient plusieurs jeunes femmes aussi remarquables par leur beauté que par la sérénité de leur courage. Fouquier les regardait à travers une fenêtre basse du Palais de justice, alors qu'elles prenaient place dans les charrettes.

— Parbleu! voilà des bougresses bien effrontées, s'écria-t-il. Il faut que j'aille les voir monter sur l'échafaud pour voir si elles garderont jusqu'au bout cette insolente attitude, dussé-je manquer mon dîner!

(1) Archives nationales, W 499-500.

Ces faits et beaucoup d'autres dévoilés, répétés et commentés, excitaient au plus haut degré l'indignation contre leur auteur. Aussi apprit-on avec joie qu'il allait enfin comparaître devant le Tribunal, le 28 frimaire an III (18 décembre 1794).

A dix heures du matin, l'audience s'ouvrit sous la présidence de Rudler, assisté des juges Bidaut, Forestier, Perrin et Joly.

Fouquier se présenta avec son défenseur Lafleuterie, le même qui, un an auparavant, avait assisté Mme du Barry; mais l'accusé avait à peine décliné ses nom, prénoms et profession que Granger, substitut de l'accusateur public, se levait et requérait la lecture du décret qui suspendait toutes les procédures commencées par le Tribunal. L'affaire était renvoyée à une date indéterminée.

Ce coup de théâtre avait été amené par le scandale récent dont le Tribunal s'était rendu coupable, et, certes, il y avait là de quoi amplement justifier l'émotion de la Convention et la mesure quelque peu arbitraire qu'elle venait de prendre.

L'abominable proconsul de Nantes, Carrier, avait été traduit en justice avec ses complices. Les débats avaient montré à quelles horreurs ces monstres s'étaient livrés. Mais, à la suite des questions posées aux jurés, le président avait ajouté celle-ci, ainsi, d'ailleurs, qu'il en avait le droit : « Les accusés... ont-ils agi avec des intentions criminelles et contre-révolutionnaires? » Or, pour un certain nombre de complices de Carrier, la réponse avait été négative, ce qui entraînait l'acquittement. En bonne logique, Carrier et ses deux acolytes les plus compromis, Grandmaison et Pinard, auraient dû bénéficier d'une semblable indulgence, car il était bien évident que tous trois n'avaient point agi dans des intentions contre-révolutionnaires. L'excès de leurs crimes avait seul arrêté le jury. Malgré ces trois condamnations, l'opinion publique avait été violemment frappée de voir des hommes, déclarés coupables de noyades, de fusillades, de pillages, renvoyés indemnes sous un pareil prétexte. La Convention avait senti le danger qu'il y avait à faire passer Fouquier-Tinville devant un tel tribunal, car l'ancien agent trop servile du Comité de salut public ne pouvait guère être considéré comme un suppôt de la réaction. De là le décret rendu aussitôt par l'Assemblée, décret qui suspendait le Tribunal et en ordonnait le renouvellement.

Le 8 nivôse (28 décembre), la loi qui établissait le nouveau Tribunal fut promulguée. Le président devait bien poser au jury, la question de fait une fois résolue, la question d'intention, mais les termes en étaient changés. Les jurés devaient simplement dire si l'accusé était convaincu d'avoir agi « volontairement ou avec mauvaise intention ». La possibilité d'acquittements aussi scandaleux que ceux des complices de Carrier se trouvait ainsi, sinon supprimée, du moins rendue plus difficile.

III

Le nouveau Tribunal, auquel on conservait encore le nom de Tribunal révolutionnaire, fut installé le 8 pluviôse an III (27 janvier 1795), mais il ne s'occupa point tout d'abord de Fouquier-Tinville. Dans le temps qui s'était écoulé depuis le premier acte d'accusation, la procédure avait été élargie ; ce n'était plus contre le seul accusateur public qu'elle était dirigée, et, sous la pression de l'indignation générale, des juges, des jurés avaient été successivement englobés dans les poursuites : c'était à présent le procès de tout un système, et, en quelque sorte, le procès de la Terreur.

Le nouvel accusateur public, Antoine Judicis, avait repris l'acte d'accusation de Leblois ; il l'avait complété en relevant les faits reprochés à ceux qu'on appelait les complices de Fouquier. Une phrase, qui s'applique aux jurés, mérite d'être reproduite : « La sublime institution des jurés doit être l'objet de la vénération de tous les citoyens ; l'exercice de cette institution ne seraitbientôt plus que des armes assassines, si des jurés pouvaient, à la faveur de ce titre, faire commettre impunément toutes sortes de crimes dans l'exercice public ou secret de leurs fonctions... »

Les temps étaient bien changés, on le voit. L'allocution du nouveau président, prenant possession de son siège, en avait été une peuve éclatante.

« Nous montons avec effroi sur un tribunal de sang qui naguère, en frappant comme au hasard quelques têtes coupables, envoyait incessamment à la mort des milliers d'innocentes victimes. Les sièges que nous occupons, ces tristes gradins exposés à nos regards, ce fauteuil où la vertu a subi tant de fois la destinée du crime, toutes les parties de cette enceinte rappellent à chacun de nous des souvenirs déchirants, peut-être, hélas! des sujets personnels de deuil et d'amertume (1)... »

____

(1) *Histoire du Tribunal révolutionnaire de Paris,* par H. WALLON.

Enfin, le 8 germinal (28 mars 1795), s'ouvrirent les débats du procès de Fouquier et de ses complices. Le tribunal était présidé par Liger, vice-président, assisté des juges Bertrand d'Aubagne, Godard, Gaillard-Lécart et Legrand. Le substitut Cambon occupait le siège de l'accusateur public; le commis greffier était Josse. Aux jurés titulaires Lapeyre, Bressand, Husson, Tournier, Taillerat, Lebrun, Mésange, Bouygues, Duprat, Vignalet et Laporte, on adjoignit, en prévision de la longueur des débats, quatre jurés supplémentaires, Bouit-Borel, Abadie-Verduisant, Cadet et Gabriel Saint-Horrent.

On sait que, sur les gradins occupés par les accusés, un fauteuil était placé qu'on réservait à celui qu'on appelait le chef de fournée. Cette fois, par un ironique et singulier retour des choses d'ici-bas, c'était à Fouquier-Tinville qu'était destiné cet honneur. Il dut faire d'amères réflexions en venant s'asseoir ainsi en face du siège d'où, pendant si longtemps, il avait foudroyé des malheureux, coupables et innocents, de son éloquence emphatique, grossière et impitoyable.

On ne le ménageait guère maintenant qu'il n'inspirait plus de terreur, et Mercier (1) le dépeint en termes qui n'ont rien de flatteur : « Ce monstre à figure humaine avait la tête ronde, les cheveux noirs et unis, le front étroit et blême, les yeux chatoyants, ronds et petits, le visage plein et grêlé, le regard tantôt fixe, tantôt oblique, la taille moyenne, la jambe assez forte. »

L'avocat auquel il avait d'abord confié le soin de sa défense, Lafleuterie, ne l'assistait plus à ce moment. Il avait dû se récuser, étant cité comme témoin au procès.

____

(1) *Paris pendant la Révolution.*

Il avait été remplacé par le citoyen Gaillard, nommé d'office. Mais peu importait à Fouquier, qui se considérait comme son meilleur défenseur.

La liste des accusés était longue; la voici :

1° Fouquier-Tinville;

2° François-Louis-Marie Delaporte, quarante-cinq ans, marchand gantier parfumeur, juge au Tribunal révolutionnaire, entré en fonction le 28 messidor an II, mais n'ayant siégé que trois ou quatre fois;

3° Étienne Foucault, cinquante-cinq ans, cultivateur-fermier jusqu'en 1787, juge depuis la création du Tribunal jusqu'au 15 thermidor;

4° Antoine-Marie Maire, cinquante ans, avocat au parlement, juge jusqu'au 13 nivôse;

5° Gabriel-Toussaint Scellier, trente-neuf ans, homme de loi, juge, puis vice-président jusqu'au 9 thermidor;

6° Charles Harny, soixante-cinq ans, homme de lettres, juge jusqu'au 9 thermidor;

7° Gabriel Deliège, cinquante-trois ans, avocat, juge et vice-président jusqu'au 13 nivôse;

8° François-Pierre Garnier-Launay, soixante et un ans, homme de loi, juge du 22 prairial au 9 thermidor;

9° Marc-Claude Naulin, cinquante et un ans, homme de loi, substitut, puis vice-président jusqu'au 14 messidor;

10° Jean-Baptiste Lohier, cinquante-sept ans, épicier, juré, puis juge, n'ayant siégé que trois ou quatre fois;

11° François Trinchard, trente-trois ans, dragon du régiment ci-devant Bourbon, menuisier, juré. Il siégea lors du procès de Marie-Antoinette, dont il annonçait à son frère la condamnation en ces termes : « Je taprans mon frerre que jé été un des jurés qui ont jugé la bête féroche qui a dévoré une grande partie de la République, celle que lon califioit si deven de raine. »

12° Pierre-Nicolas Le Roy, dit Dix-Août, cinquante-deux ans, vivant de son bien, juré. Le Roy, marquis de Montflabert, avait troqué son nom trop compromettant contre celui de Dix-Août en souvenir de la journée qui avait vu le renversement de la monarchie. C'était un des plus forcenés, un de ceux que Fouquier appelait les *jurés solides;* toujours porté à voter la condamnation des accusés, il n'entendait point la défense, et pour cause : il était sourd ;

13° Léopold Renaudin, quarante-six ans, luthier, juré ;

14° Nicolas Pigeot, quarante-cinq ans, ciseleur, puis coiffeur, juré (1) ;

15° Pierre-Nicolas Chrétien, trente-quatre ans, limonadier, juré ;

16° Georges Ganney, quarante ans, perruquier, juré ;

17° Pierre Aubry, quarante-cinq ans, tailleur, juré (2) ;

18° Joachim Vilate, vingt-six ans, professeur à Guéret, juré. Vilate, bien que fanatique révolutionnaire, avait été arrêté dès le 3 thermidor par ordre du Comité du sûreté générale ; il espérait que cette situation de victime de ceux qu'on avait renversés au 9 thermidor lui vaudrait son acquittement. Il avait écrit, en prison, une brochure intitulée : *Causes secrètes de la Révolution du 9 thermidor,* dans laquelle il dénonçait les crimes — dont il avait été le complice ;

19° Maurice Duplay, cinquante-huit ans, menuisier, juré. Duplay, qui se donnait comme menuisier, était, en

____

(1) Mis hors de cause pour maladie.
(2) *Id.*

réalité, un entrepreneur de menuiserie, propriétaire à Paris et riche d'une quinzaine de mille livres de rente. C'est lui qui avait recueilli Robespierre, après l'échauffourée du Champ de Mars (17 juillet 1791), et lui avait donné l'hospitalité dans sa maison, rue Saint-Honoré, 366;

20° Jean-Louis Prieur, trente-six ans, peintre d'histoire, juré. Marie-Antoinette, captive à la Conciergerie, consentit à poser devant lui; il fit d'elle un portrait qu'on peut voir aujourd'hui au Musée Carnavalet et qui, témoignant des ravages exercés par les douleurs morales et physiques sur la beauté de la Reine, est comme la transition entre les images radieuses de Versailles et l'esquisse crayonnée par David, le 16 octobre, jour de son supplice;

21° Claude-Louis Châtelet, quarante-cinq ans, peintre, juré;

22° Jean-Étienne Briochet, quarante et un ans, garde dans la connétablie, juré;

23° Pierre-François Girard, trente-six ans, militaire, juré;

24° Benoît Trey, trente-quatre ans, tailleur, juré.

A cette liste déjà longue devaient bientôt s'ajouter d'autres noms. Certains témoins se trouvèrent gravement compromis, et, le 25 germinal, neuf accusés nouveaux parurent sur les fameux gradins. C'étaient :

1° Pierre-Joseph Boyaval, vingt-six ans, tailleur, puis lieutenant d'infanterie légère;

2° Jean-Baptiste-Toussaint Beausire, trente-trois ans, vivant de son bien;

3° Pierre-Guillaume Benoît, quarante-quatre ans;

4° Marie-Emmanuel Lanne, trente-deux ans, homme de loi;

5° Joseph Vernet, vingt-huit ans, perruquier-coiffeur,

porte-clefs au Luxembourg, puis concierge à Saint-Lazare;

6° Jean Guyard, quarante-trois ans, employé aux fermes, concierge au Luxembourg;

7° François Dupaumier, trente-cinq ans, bijoutier, administrateur à Bicêtre;

8° Aman-Marial-Joseph Herman, trente-six ans, président du Tribunal révolutionnaire jusqu'au 18 messidor an II, devenu en prairial commissaire des administrations civiles, police et tribunaux. Herman était d'abord entré daus la Congrégation de l'Oratoire, qu'il avait abandonnée pour devenir avocat à Paris. D'opinions modérées, il avait été peu à peu entraîné par l'influence de Robespierre. Il avait présidé le procès de Marie-Antoinette, celui de Danton. Il avait contribué à faire condamner les malheureux englobés dans la prétendue conspiration dite des Prisons;

9° Jean-Louis Valagnos, vingt-huit ans, peintre, précédemment condamné à douze ans de fers pour vol à la Commission des ateliers publics.

Boyaval, Beausire, Benoît et Valagnos avaient joué le rôle de dénonciateurs dans cette conspiration des Prisons, dont Herman, Lanne, Dupaumier et les autres avaient été les inventeurs, sur les inspirations de Fouquier-Tinville.

Les débats, dirigés avec impartialité et fermeté par le président, eurent toute l'ampleur que pouvaient souhaiter et l'accusation et les accusés. Bien différente en cela de la justice du tribunal du 10 mars, la justice du nouveau tribunal laissa à chacun toute la liberté de présenter sa défense, de produire ses pièces et de faire entendre ses témoins. Le nombre de ceux-ci atteignit le chiffre de quatre cent dix-neuf : c'est dire le soin avec lequel ou chercha à faire la lumière sur tous les actes reprochés aux accusés. Pour certains d'entre eux, l'impression fut favorable; en dehors d'un entraînement que les circonstances excusaient, si elles ne le justifiaient point, on ne découvrit dans leurs faits aucune intention vraiment criminelle; pour d'autres, au contraire, cette lumière projetée éclaira les plus abominables machinations. Fouquier-Tinville en fut écrasé.

Il serait trop long de rapporter ici la liste de tous ses méfaits. Ils prouvent que, non content d'appliquer les lois les plus cruelles avec la plus cruelle rigueur, l'ancien accusateur public se faisait un jeu de la vie des malheureux amenés devant le tribunal. Ainsi l'on vit comparaître, parmi les témoins, une pauvre veuve dont le fils âgé de seize ans avait péri le 6 thermidor. Mme de Maillé n'avait dû la vie qu'à une erreur de l'accusation : on avait condamné et exécuté à sa place « une citoyenne Maillet ». Cette similitude de noms parut à Fouquier une excuse bonne à invoquer.

La veuve Mégret-Sérilly, condamnée à mort en même temps que son mari dans la fournée qui comprenait Madame Élisabeth, avait obtenu un sursis pour grossesse constatée. Elle n'en avait pas moins été comprise dans le procès-verbal d'exécution, et elle put ainsi présenter au tribunal son propre extrait mortuaire, qui lui avait été délivré par la police administrative de Paris.

Amélie de Saint-Pern raconta comment son frère, âgé de dix-sept ans, qui n'était point compris dans l'acte d'accusation, avait été condamné et exécuté à la place de leur père, âgé de cinquante-cinq ans. Le pauvre enfant protestait en vain contre une erreur aussi apparente. Un gendarme, nommé Huel, a laissé le récit de cette scène affreuse : « J'étais assis sur les gradins, à côté du jeune Saint-Pern, le jour qu'il fut condamné à mort. Je l'avais rassuré à cause de son âge ; il me serrait la main. Il demanda au président de lire son extrait de baptême pour prouver qu'il n'avait que dix-sept ans, et que le 10 août il n'était pas à Paris : le président lui coupa la parole en disant qu'il n'avait pas besoin de ses certificats. Je vis par le propos du président et par un geste expressif d'un juré en cheveux ronds que ce malheureux jeune homme était perdu. Je retirai ma main ; il me dit : « Je suis innocent, « je ne crains rien, mais ta main n'est pas ferme (1). »

On le condamna ; toutefois, par une rectification qui prouvait la mauvaise foi du tribunal, on inscrivit son âge véritable : donc l'erreur était reconnue ; mais qu'importait à ces gens ? Par une lacune assez fréquente, le nom des jurés ne figurait pas ce jour-là sur le procès-verbal d'audience : ils auraient échappé à la responsabilité de leur crime si le hasard ne s'était fait leur dénonciateur. Amélie de Saint-Pern était mariée à un sieur Cornuiller, lequel avait été condamné en même temps que son beau-frère : il avait envoyé à sa femme, avant de mourir, une mèche de ses cheveux enveloppée dans un papier ; or, ce papier, c'était la liste des jurés. On sut ainsi le nom de quelques-uns des coupables : Renaudin, Châtelet, Prieur...

Fouquier-Tinville, dont la signature se trouvait sur le procès-verbal, se contenta de répondre qu'il n'avait pas siégé dans cette affaire. Pourquoi alors avait-il signé ?

Après le fils exécuté pour le père, voici maintenant le père mourant à la place du fils. La déposition de cet enfant

(1) *Procès Fouquier,* cité par H. WALLON.

sauvé par un sacrifice sublime fut singulièrement émouvante. C'était le jeune Loizerolles, fils d'un ancien lieutenant général du bailliage de l'Arsenal.

« Le 8 thermidor, dit-il, mon père paraît à l'audience avec trente compagnons d'infortune. On lit l'acte d'accusation : on prononce le nom de Loizerolles fils. Qu'aperçoit-on alors ? Un vieillard vénérable couvert de cheveux blancs qui se présente à ses juges, je veux dire à ses bourreaux !

« Je demanderai pourquoi l'accusateur public ne le fit pas retirer des débats. Comment le tribunal a-t-il pu confondre un vieillard de soixante-deux ans avec un jeune homme de vingt-deux ? En m'assassinant comme complice de conspiration imaginaire, l'apparence des formes légales n'aurait point été violée ; mais elle l'a été d'une manière bien criminelle à son égard, puisqu'il n'y a contre lui ni acte d'accusation ni questions aux jurés.

« Mon père alla donc, dans l'après-midi du 8 thermidor, expier sur l'échafaud soixante-deux ans de vertus ; il allait mourir pour son fils, et son fils l'ignorait ! (*Des sanglots étouffent la voix du malheureux Loizerolles...*) Il y avait trois mois qu'il n'était plus... Ma mère et moi, nous sommes mis en liberté. Mais que cette liberté fut cruellement achetée ! Qu'elle m'eût été précieuse si j'avais pu la partager avec mon père !...

« Ce ne fut que plusieurs jours après mon élargissement que, passant rue Saint-Antoine, je rencontrai le citoyen Pranville, qui avait vu mon père à la Conciergerie. Le citoyen Pranville me dit : « Embrassez-moi, mon ami ; « nous sommes deux échappés du naufrage. Savez-vous « qui vous a sauvé la vie ? — Non, lui répliquai-je. Expli- « quez-moi cette énigme. — C'est votre père, reprit-il. « Voici ses dernières paroles : — Ces gens-là sont si bêtes,

« ils vont si vite en besogne qu'ils n'ont pas le temps de
« regarder derrière eux. Il ne leur faut que des têtes, peu
« importe lesquelles, pourvu qu'ils aient leur compte. Au
« surplus, je ne fais pas de tort à mon fils; tout le bien
« est à sa mère (1). Si, au milieu de ce tourbillon d'orages,
« il arrive un jour serein, mon fils est jeune, il en profitera.
« Je persiste dans ma résolution. »

« Ces paroles m'atterrèrent; je ne comprenais pas comment ce dévouement sublime avait été possible. Le lendemain, j'en eus la preuve incontestable. Je traversais le
pont de l'Hôtel-Dieu. Un mouvement de curiosité, mêlé
d'horreur, me fait jeter les yeux sur un mur couvert
d'affiches contenant les noms des victimes immolées par
le Tribunal révolutionnaire. Je cherche... Enfin, je me
vois condamné à mort et je sais, pour la première fois, que
si j'existe encore, c'est au prix d'une vie que j'aurais voulu
racheter de tout mon sang (2). »

Fouquier-Tinville essaya de prouver qu'il n'y avait eu
là qu'une erreur d'écriture, que c'était réellement le père
qui était visé, que l'acte d'accusation aurait dû porter son
nom, et non point celui du fils. Ce système est inadmis-
sible : l'accusation de conspiration était bien dirigée contre
le fils. « Au reste, ajouta Fouquier, je n'assistais pas à
l'audience; j'étais remplacé par mon substitut Liendon. »

Liendon, dans cette affaire, était, de vrai, plus coupable
que lui. On regrettait qu'il ne se trouvât pas aux côtés
de son chef sur les fatals gradins; mais, plus habile que
lui, il avait su se soustraire par la fuite au juste châtiment
de ses crimes.

----

(1) La condamnation entraînait la confiscation des biens du condamné.
(2) BUCHEZ et ROUX, *Histoire parlementaire de la Révolution française*.

Parmi les faits reprochés à Fouquier, deux sont encore à citer. C'est d'abord celui concernant la marquise de Feuquières ; elle était accusée d'avoir provoqué une émeute à Chatou. Elle demanda qu'on fît venir certaines pièces ; un huissier fut envoyé les prendre, mais le procès n'en continua pas moins ; ce ne fut qu'après son exécution que l'huissier apporta les pièces nécessaires à sa défense.

L'autre cas est celui de J.-F. Pérès, conseiller au parlement de Toulouse, qui fut guillotiné sans avoir été jugé. Il ne figure ni sur la liste des accusés, ni sur celle des condamnés dans le jugement.

Plusieurs des coaccusés de Fouquier étaient complices des faits reprochés à celui-ci, et leur procès s'instruisait eu même temps que son procès. Contre certains d'entre eux, cependant, existaient des griefs particuliers, notamment contre deux peintres nommés jurés par l'influence de David. Prieur, paraît-il, avait l'habitude, pendant les débats, de dessiner des têtes couvertes de sang ; il indiquait par là d'avance son opinion. Il invoqua, pour sa défense, ces piteuses excuses :

« On me calomnie ; jamais un juré ne prit avec plus de soin des notes sur tout ce qui se passait à l'audience. Quelquefois j'ai dessiné des caricatures, des cochonneries, des petites bêtises, voilà tout. »

Quant à Châtelet, il avait une façon à lui de faire connaître son vote. Il inscrivait un grand F en face du nom de chacun des accusés ; les F, pourrait-on dire en parodiant *Vert-Vert*, voltigeaient sous sa plume.

Renaudin comprenait à sa manière ses fonctions de juré. Il ne dédaignait pas de quitter son banc, de déposer comme témoin et de reprendre sa place parmi le jury.

Ces trois forcenés, on l'a vu, avaient fait partie de

la fournée qui avait condamné Saint-Pern fils pour le père.

Joachim Vilate ne dessinait pas, comme Prieur, des « cochonneries et des petites bêtises », mais cet ex-prêtre, cet ex-professeur imitait les facéties de Fouquier. Il avait coutume de dire : « Quant à moi, je ne suis jamais embarrassé : je suis toujours convaincu. » Un jour que l'audience se prolongeait, il s'écria : « Les accusés sont doublement coupables, car en ce moment ils conspirent contre mon ventre. » Et il tira sa montre, indiquant par là au président Dumas (1) qu'il était l'heure de dîner.

Trinchard, l'ancien dragon illettré, se défendit par une exclamation qui sut toucher le cœur des jurés. Au fond, il était sincère, et sa « férochité » était celle de son époque plus que la sienne.

« Un juré révolutionnaire n'est pas un juré ordinaire ; nous n'étions pas des hommes de loi, nous étions de bons sans-culottes, des hommes purs, des hommes de la nature ! »

Les plus coupables étaient ceux qui avaient confié à de telles gens le soin de prononcer sur la vie de leurs semblables.

Dans le long défilé des témoins, il s'en trouva qui citèrent quelques faits à la décharge des accusés. Ainsi il fut établi que Fouquier avait sauvé son greffier, Fabricius, un ancien président du tribunal, Montané, et quelques clients de l'avocat Lavaux, royaliste, dont il était resté l'ami. Mais que pouvaient ces rares traits

(1) Dumas, lui aussi, était un président facétieux autant que cruel, comme Coffinhal : tous deux avaient été guillotinés à la suite de la révolution de Thermidor.

d'humanité à côté des actes infâmes dont il n'était que trop convaincu ?

Malgré les charges accablantes, il lutta pied à pied contre l'accusation. Lui qui avait fait si bon marché de la vie des autres tenait à sa tête, et il déploya, pour la sauver, une énergie, une ténacité incroyables. Mercier nous a laissé la description de son attitude pendant ces longues audiences : « Placé sur le premier gradin du tribunal où il avait condamné tant d'innocents, deux gros cartons lui servaient de pupitre. Il écrivait sans cesse, et sa plume semblait suivre la parole... Il était, comme l'Argus de la fable, tout yeux et tout oreilles...

« Il est vrai qu'il affecta de sommeiller pendant le résumé de l'accusateur public ; mais ce sommeil simulé n'était que pour donner le change aux spectateurs. Il voulait avoir l'air calme, lorsque déjà l'enfer était dans son cœur. Son regard fixe faisait, malgré soi, baisser les yeux ; lorsqu'il s'apprêtait à parler, il fronçait le sourcil et plissait le front. Sa voix était haute, rude et menaçante ; elle passait soudainement de l'aigu au grave et du grave au ton le plus remisse. Il s'écoutait parler quand il proposait une question. On ne pouvait mettre plus d'assurance dans les dénégations, plus d'adresse à dénaturer les faits, à les isoler et surtout à placer à propos un alibi. Quand un juge lui présentait un jugement en blanc signé de sa main, il niait d'une voix ferme sa signature et ne tremblait pas devant le témoin accusateur. Lorsque la preuve était péremptoire, il couvrait tout l'auditoire d'épouvantables rugissements. L'imposture, l'audace, l'opiniâtreté, la colère étaient les seules armes qu'il opposait à la puissance de la vérité ; toutes les passions criminelles s'échappaient à la fois du fond de sa conscience et le mettaient, pour ainsi dire, à jour aux yeux des spectateurs. »

Le défilé des témoins fut terminé le 12 floréal (1ᵉʳ mai). A cinq heures de relevée, le substitut Cambon prononça son réquisitoire. Il rappela avec soin toutes les charges de l'accusation et demanda le châtiment suprême pour les coupables.

Il fut décidé ensuite que les accusés prendraient la parole les premiers, avant les avocats. A huit heures du soir, Fouquier-Tinville commença sa défense; son plaidoyer, suspendu à dix heures, fut repris par lui le lendemain et dura jusqu'à onze heures. Il discuta l'accusation sur tous les points, mais le fond de sa défense ne varia pas : « il n'avait fait qu'obéir, il n'était qu'un instrument ».

Les autres accusés parlèrent à leur tour, mais ce fut en vain qu'ils s'efforcèrent d'émouvoir l'auditoire ; les plus compromis n'obtinrent par leurs cris ou leurs sanglots que le triste avantage de soulever les murmures et l'indignation.

Le 15 floréal, les avocats firent leur métier. Ils n'eurent aucun succès, et leur verbiage fut généralement trouvé oiseux; le 16, le président résuma les débats et posa les questions au jury.

A ce moment, un petit incident fut soulevé : à côté de la question de fait, on avait inscrit la question d'intention; mais elle était posée en ces termes : « X... a-t-il agi *volontairement?* » Le mot était peu clair : on y substitua ceux-ci : « avec mauvaise intention ». C'était permettre aux jurés d'apprécier la culpabilité de chacun, non plus au seul point de vue révolutionnaire, comme pour les complices de Carrier, mais au point de vue de la justice en elle-même et de la morale.

A neuf heures du soir, le jury entrait dans la chambre des délibérations.

Toute la nuit fut employée à examiner la part de chacun dans cette longue série d'actions criminelles; ce n'est qu'à midi, le lendemain 17, qu'il en ressortit.

Les débats du procès avaient duré trente-neuf jours.

IV

L'audience est reprise; le chef du jury donne alors lecture du verdict. C'est un résumé fidèle de toutes les infractions aux lois commises par le Tribunal révolutionnaire : c'en est une écrasante condamnation, et une condamnation prononcée par des hommes qui n'étaient ni des royalistes ni des ennemis de la Révolution.

Le jury déclare :

« A l'unanimité, qu'il est constant qu'il a été pratiqué au Tribunal révolutionnaire séant à Paris, dans le courant de l'an deuxième de la République française, des manœuvres et complots tendant à favoriser les projets liberticides des ennemis du peuple et de la République, à provoquer la dissolution de la représentation nationale et le renversement du régime républicain et à exciter l'armement des citoyens les uns contre les autres;

« Notamment en faisant périr, sous la forme déguisée d'un jugement, une foule innombrable de Français de tout âge et de tout sexe;

« En imaginant à cet effet des projets de conspiration dans les diverses maisons d'arrêt de Paris et de Bicêtre;

« En dressant ou faisant dresser dans ces différentes maisons des listes de proscription ;

« En rédigeant, de concert avec certains membres des anciens comités de gouvernement, des projets de rapport sur ces prétendues conspirations, propres à surprendre la religion de ces comités et de la Convention nationale et à leur arracher des arrêtés et des décrets sanguinaires ;

« En amalgamant dans le même acte d'accusation, mettant en jugement, faisant traduire à l'audience et en justice plusieurs personnes de tout âge, de tout sexe, de tous pays, et absolument inconnues les unes aux autres ;

« En requérant et ordonnant l'exécution de certaines femmes qui s'étaient dites enceintes et dont les gens de l'art avaient déclaré ne pouvoir pas constater l'état de grossesse ;

« En jugeant en deux, trois ou quatre heures au plus, trente, quarante, cinquante et jusqu'à soixante individus à la fois ;

« En encombrant sur des charrettes destinées pour l'exécution du supplice, des hommes, des femmes, des jeunes gens, des vieillards, des sourds, des aveugles, des malades et des infirmes ;

« En faisant préparer ces charrettes dès le matin et longtemps avant la traduction des accusés à l'audience ;

« En ne désignant pas dans les actes d'accusation les qualités des accusés d'une manière précise, de sorte que par cette confusion le père a péri pour le fils, et le fils pour le père ;

« En ne donnant pas aux accusés connaissance de leur acte d'accusation, ou la leur donnant au moment où ils entraient à l'audience ;

« En livrant avant la rédaction des jugements sa signature aux greffiers sur des papiers blancs, de sorte qu'il s'en trouve encore plusieurs dans le préambule et le vu desquels se trouvent rappelées grand nombre de personnes qui toutes sont exécutées, mais contre lesquelles ces jugements ne renferment aucune disposition;

« En n'écrivant pas ou ne faisant pas écrire la déclaration du jury au bas des questions qui lui étaient soumises;

« Lesquelles deux dernières prévarications, suite nécessaire de la précipitation criminelle des juges dans l'exercice de leurs fonctions, ont pu donner lieu à une foule d'erreurs ou de méprises, dont une se trouve parfaitement constatée dans la personne de Pérès;

« En refusant la parole aux accusés et à leurs défenseurs, en se contentant d'appeler les accusés par leurs nom et qualité et leur interdisant toute défense;

« En faisant rendre, sous prétexte d'une révolte qui n'exista jamais, des décrets pour les mettre hors des débats;

« En ne posant pas les questions soumises au jury en présence des accusés;

« En choisissant les jurés, au lieu de les prendre par la voix du sort;

« En substituant aux jurés de service d'autres jurés de choix;

« En jugeant et condamnant des accusés sans témoins et sans pièces, en n'ouvrant pas celles qui étaient envoyées pour leur conviction ou leur justification, en ne voulant pas écouter les témoins qui étaient assignés;

« En mettant en jugement des personnes qui ont été condamnées et exécutées avant la comparution des témoins et l'apport des pièces demandées et jugées nécessaires pour effectuer leur mise en jugement;

« En faisant conduire sur le lieu destiné au supplice un grand nombre d'accusés, et rester exposé pendant leur exécution le cadavre d'un de leurs coaccusés qui s'était poignardé pendant la prononciation du jugement;

« En donnant une seule déclaration sur tous les accusés en masse;

« En proposant de saigner les condamnés pour affaiblir le courage qui les accompagnait jusqu'à la mort;

« En corrompant la morale publique par les propos les plus atroces et les discours les plus sanguinaires;

« En entretenant des liaisons, des correspondances et des intelligences avec les conspirateurs déjà frappés du glaive de la loi. »

Ces déclarations de principes faites, le jury avait examiné alors le cas de chacun des accusés, et il faut reconnaître qu'on était loin des pratiques du tribunal du 10 mars, car le verdict, impitoyable pour les plus coupables, est empreint d'une indulgence peut-être excessive pour quelques autres. La faute en est plutôt à la loi, qui ne permettait, en cas d'affirmative, que l'application de la peine de mort. C'est cette sévérité même qui poussa le jury à déclarer que Maire, Harny, Deliège, Naulin, Lohier, Delaporte, Trinchard, Brochet, Chrétien, Ganney, Trey, Guyard et Valagnos, reconnus comme complices des crimes ci-dessus énumérés, avaient agi « sans mauvaise intention ». Ils étaient donc tous acquittés.

Acquittés pareillement, Beausire et Duplay, mais avec cette différence que pour eux la réponse fut négative sur la question de complicité.

Par contre, Fouquier-Tinville, Foucault, Scellier, Garnier-Launay, Leroy Dix-Août, Renaudin, Vilate, Prieur, Châtelet, Girard, Boyaval, Benoît, Lanne, Ver net, Dupaumier et Herman furent condamnés à mort.

L'exécution de la sentence devait avoir lieu dans les vingt-quatre heures sur la place de Grève.

Il était six heures du soir quand le jugement fut rendu. Fouquier-Tinville l'accueillit par une explosion de colère, et vomit les injures les plus grossières contre les juges. Scellier avait son chapeau sur la tête ; un gendarme l'engagea à se découvrir : Scellier prit son chapeau et le jeta par la fenêtre. Herman saisit un livre et le lança à la tête du président. Foucault déclara emphatiquement qu'il « léguait au peuple sa femme et ses enfants ». Quant à Renaudin, il s'écria : « Je péris innocent ! » Vilate ne se contint pas : la rage le fit extravaguer : « Il est bien inconcevable qu'on soit assez injuste pour me confondre avec un individu tel qu'un Fouquier ! »

Celui-ci ne parut pas sensible à cette injure. Il demanda encore une fois la parole sur l'application de la peine :

— Après avoir fait une procédure dans laquelle les seuls auteurs des crimes que l'on nous imputait n'ont point paru, on prononce contre nous la mort, quoique les vrais coupables n'aient été que déportés (1). Où est la justice ? Mais la postérité jugera. Je n'ai plus qu'un mot à dire : je demande que l'on me fasse mourir sur-le-champ et que vous montriez autant de courage que j'en ai.

(1) Allusion à Collot d'Herbois et à Billaud-Varennes, déportés à la Guyane.

Châtelet, — le grand F était pour lui, cette fois, — Châtelet montra plus de dignité dans son malheur, trop mérité d'ailleurs. Comme il descendait l'escalier qui mène à la Conciergerie, un homme s'approcha de lui et dit :

— Fais donc un peu ta propre caricature.

— Si je faisais la vôtre, monsieur, je ferais celle d'un lâche !

Le lendemain 18 floréal (7 mai 1795), une foule immense était accourue pour assister à l'exécution du grand coupable et de ses complices; elle couvrait les vastes degrés du Palais de justice et s'étendait jusqu'à la place de Grève, redevenue depuis Thermidor le lieu de supplice. Quand Fouquier-Tinville parut, un cri unanime d'indignation s'éleva. Les voix accusatrices de ce peuple assemblé « furent autant de flèches qui frappèrent à la fois sa poitrine découverte. Son regard, impénétrable comme le marbre, défia tous les regards; on le vit même sourire et proférer des paroles menaçantes. Mais, au pied de l'échafaud, lorsqu'il sentit les serres de la mort, il parut ne comprendre qu'en cet instant terrible qu'il était coupable. Ce terroriste sans entrailles trembla à son tour sous le glaive impitoyable, et sa vie s'éteignit dans le sang du panier (1). »

Il fut exécuté le dernier. Fidèle à la tradition, le bourreau saisit la tête par les cheveux, et montra à la foule ce visage sinistre devant lequel tant de malheureux et tant d'innocents avaient tremblé.

(1) *Paris pendant la Révolution*, par MERCIER.

LOUIS XVII

(8 JUIN 1795)

I

Il y a eu, le 8 juin 1895, cent ans qu'un grave événement s'est accompli dans la tour du Temple : un enfant de dix ans est mort, qui a porté successivement les noms de duc de Normandie, de Dauphin, et de Louis XVII, et que l'acte de décès nomme « Louis-Charles Capet ».

Tout d'abord il semble que le défunt a bien droit à ces noms ; d'ailleurs, il n'y a pas lieu de s'étonner que la Révolution, qui a tué le père et la mère, ait désiré achever son œuvre en tuant l'enfant, en supprimant « le louveteau ». On sait quel gardien féroce a trouvé dans Simon l'innocente victime, et, bien que, depuis l'exécution de cette brute méchante le 10 thermidor, ceux qui lui ont succédé aient montré plus d'humanité, il n'est que trop vraisemblable que les mauvais traitements subis dans un âge si tendre aient produit leurs déplorables effets. On ne souvient également que son frère aîné (1781-1789), le premier Dauphin, est mort à peu près vers le même âge. La nouvelle de la fin du petit roi attriste les uns, réjouit les autres, suivant leurs sentiments politiques ; elle ne surprend guère.

Cependant quelque temps s'écoule, et l'opinion publique commence à se modifier au sujet de cet événement. On est encore à une époque où les droits héréditaires ont conservé leur importance : la race des Bourbons n'est pas éteinte par la mort de Louis XVII; elle a des représentants à l'étranger. Lui disparu, c'est le frère du Roi, le comte de Provence, qui devient roi de droit, et qui le deviendra de fait, si un jour les circonstances rétablissent la monarchie en France.

Le comte de Provence, qui de tout temps a nourri l'ambition de monter sur le trône, qui a caressé ce rêve pendant les longues années où l'union de Louis XVI et de Marie-Antoinette est restée stérile, le comte de Provence reçoit avec une joie profonde la nouvelle que son neveu est mort. Il prend aussitôt le titre de roi, le nom de Louis XVIII, et il commence à régner *in partibus*. Ce n'est pas lui qui mettra jamais en doute l'authenticité de l'acte de décès concernant l'enfant du Temple, et, d'avance, il est hostile à tout ce qui pourrait en infirmer l'autorité.

Par contre, dans le peuple, des doutes se font jour insensiblement. Comment! Voilà un enfant au sort duquel des milliers de gens s'intéressent : c'est le représentant du droit monarchique pour lequel se bat la Vendée, et pour lequel, dans Paris même, tant de conspirations sont ourdies ; et nul n'aurait osé tenter de l'arracher à ses bourreaux? D'autre part, la haine contre tout ce qui est Bourbon s'est bien apaisée; les révolutions successives ont changé plus d'une fois le personnel gouvernemental; les illusions sont tombées, et, parmi les hommes mêmes que la République a mis à la tête des affaires, il s'en trouve qui n'ont pas une foi aveugle dans ses destinées et qui prévoient déjà peut-être une réaction. Et, parmi ceux-là

LOUIS XVII,
Roi de France et de Navarre.
Né à Versailles 27 M.e 1785, mort au Temple 3 J.n 1795.
Tiré du Cabinet
de S. A. R. Madame, Duchesse d'Angoulême.
Kucharsky, pinx 1792 Manceau del. et sculp.

comme parmi ceux-ci, aucun n'aurait agi, aucun n'aurait tenté un coup facile pour sauver l'enfant royal?

Et vaguement l'opinion se répand que la chose a été faite; on ignore les détails, mais qu'importe? Et dans la masse, une croyance grandit qui veut que Louis XVII ne soit pas mort le 8 juin au Temple. Des renseignements de police en font foi; il suffira de citer cet extrait du rapport d'un indicateur, rédigé en nivôse an IV (décembre 1795) : « Des particuliers s'entretenaient, au bas du pont Neuf, sur le départ de la fille Capet (partie le 28 frimaire à quatre heures du matin), et son arrivée en Autriche. Un de ces particuliers, prenant la parole, dit « que son frère que « l'on disait mort ne l'était pas; que, le jour de cette pré- « tendue mort, il était de garde au Temple; qu'il vit passer, « tandis qu'il était en faction, plusieurs baignoires cou- « vertes qui sortaient de la tour; qu'un de ceux qui por- « taient ces baignoires ayant fait un faux pas, il a entendu « un cri d'enfant sortir d'une de ces baignoires (1) ».

La possibilité d'une évasion est bientôt reconnue, et les imaginations, amies du mystérieux, accueillent volontiers cette idée que le fils de Louis XVI a été sauvé. Le terrain est ainsi préparé, et bientôt des aventuriers, exploitant la crédulité publique, se déclarent Louis XVII, échappé par miracle à ses geôliers. Ils parviennent à faire quelques dupes, mais leur imposture est promptement dévoilée, et ils finissent leur carrière de prétendant dans une cellule ou dans un cabanon.

Cependant, vers 1810, un Louis XVII s'est révélé, qui ne ressemble point aux autres. Cet homme habite Berlin : on l'appelle Charles-Guillaume Naundorff, d'après le passe-

---

(1) *Tableaux de la Révolution française,* par SCHMIDT, t. III, p. 5.

port dont il est porteur, et sur lequel il figure comme étant né à Weimar en 1767. Cela lui donnerait quarante-trois ans, et, manifestement, il ne les a pas. Il paraît tout au plus être dans sa vingt-cinquième année, âge qu'aurait le fils de Louis XVI. Ceci seul suffit à prouver que le passeport n'est pas le sien.

Sans ressources aucunes, il cherche du travail pour vivre. Il sait le métier d'horloger, comme Louis XVI, et il entre en relation avec deux horlogers de Berlin, Pretz et Weiller; mais les autres horlogers, jaloux de ce nouveau concurrent dont on ignore la vraie origine, le dénoncent à la police. Naundorff comparaît devant un sieur Lecoq, chef du bureau des passeports, et plus tard chef de la police, et il déclare qu'il est l'enfant du Temple; à l'appui de son dire, il décout le collet de sa redingote et en tire un écrit relatant les signes corporels que possédait le Dauphin, signes corporels qui se retrouvent sur sa personne.

M. Lecoq, sans doute, l'engage à taire, pour le moment, une pareille révélation, et l'envoie à Spandau...

Naundorff y vit dans la plus grande obscurité pendant quelques années; il se marie et a des enfants.

Pendant ce temps, Napoléon est tombé, la monarchie a été rétablie en France. Naundorff élève la voix et commence, pour recouvrer ce qu'il dit être son véritable nom, une lutte qui ne cessera point, et qu'après sa mort, arrivée en 1845, continueront ses descendants et, pour eux, quelques courageuses personnes convaincues de la bonté de cette cause (1).

---

(1) Il faut citer en première ligne M. Gruau de la Barre, ancien procureur du Roi, et l'auteur du *Dernier roi légitime de France*, Henri Provins.

Voici, résumé d'après leurs déclarations et leurs dires, le récit des péripéties de cette dramatique et mystérieuse aventure.

Après la chute de Robespierre, la future impératrice des Français, Joséphine de Beauharnais, dont les opinions royalistes n'étaient pas douteuses, se serait intéressée au sort du petit roi enfermé au Temple. Elle aurait su faire partager ses sentiments à Barras, avec lequel elle avait des relations qui ne sont plus aujourd'hui un mystère pour personne. Barras, aussi rempli d'ambition que dépourvu de scrupules, se serait laissé gagner au projet de sauver l'héritier de la couronne de France, non point par une pitié chevaleresque, mais dans un but tout personnel. Nul, à ce moment, ne prévoyait Napoléon : Barras, qui voyait de près les hommes et les choses de la Révolution, sentait qu'une réaction était proche, réaction qui amènerait le rétablissement du trône et le retour des Bourbons. Dans ce cas-là, sauveur du Roi, il devenait tout-puissant sous le nouveau régime. Si le comte de Provence, par ses intrigues, arrivait à supplanter son neveu, Barras, possesseur d'un secret terrible pour le souverain usurpateur, voyait, dans ce cas encore, le moyen de conserver toute son influence.

Donc Barras et Joséphine se seraient entendus pour délivrer le petit roi. A l'appui de cette affirmation, on cite la visite que fit au Temple Barras, dès le 10 thermidor, ainsi que le soin qu'il prit plus tard de mettre comme gardien du prisonnier royal un homme qui lui était tout dévoué, Laurent.

Voici maintenant comment les choses se seraient accomplies.

La tour du Temple comprenait quatre étages et des

combles. Au second étage était enfermé Louis XVII ; au troisième, Marie-Thérèse, sa sœur. Il s'agissait de faire disparaître le captif; mais, afin que la disparition restât secrète, il était nécessaire qu'il fût remplacé par un enfant de son âge et de sa taille. On aurait donc transféré Louis XVII dans les combles, pendant qu'un petit sourd-muet, nommé Tardif, prenait sa place au second étage. Par là s'expliquerait le silence que garda pendant plusieurs mois le prisonnier, silence que certains écrivains royalistes ont attribué à l'horreur et à l'indignation qu'avait éprouvées le fils de Marie-Antoinette lorsqu'il se fut rendu compte des accusations infâmes qu'Hébert lui avait arrachées contre sa mère, le 3 octobre 1793.

Mais, cette substitution opérée, il importait que l'enfant substitué mourût, afin que le décès constaté du prisonnier permît de faire sortir l'enfant sauvé. Or, le petit Tardif, si malade qu'il fût, ne mourait pas. On aurait eu alors recours à une nouvelle substitution, et un malheureux petit scrofuleux, rachitique et voué à une mort prompte, aurait pris la place du Dauphin. Ce serait cet enfant qui serait mort le 8 juin 1795.

Louis XVII aurait été alors mis dans le cercueil qu'on emportait au cimetière. En route, une troisième substitution se serait opérée dans la voiture funéraire, et l'on n'aurait enterré qu'une bière vide remplie de cailloux et de terre.

Quelque temps après, le cadavre de l'enfant mort, conservé secrètement dans les combles, aurait été enseveli nuitamment au pied de la tour du Temple. Et, de fait, en 1801, le général comte d'Andigné, prisonnier au Temple, rapporte que, lors du creusement d'un fossé destiné à établir une seconde enceinte, un des détenus déterra un cadavre enfoui dans de la chaux vive et presque entièrement consumé.

Délivré par les soins de Barras et de Joséphine, Louis XVII aurait vécu caché, puis prisonnier pendant plusieurs années. Sur ce temps-là on n'a pas de détails : Naundorff, paraît-il, se réservait de les produire en justice lorsqu'il lui serait enfin permis de faire régler par un jugement la question de sa filiation. C'est en 1810, comme on l'a vu, qu'on le retrouve à Berlin.

Il faut reconnaître que, lorsque ce prétendant se mit en devoir de revendiquer la royale origine à laquelle il affirmait avoir droit, il agit au rebours de tous les faux Dauphins reconnus, des Hervagault, des Richemont, etc. Loin de fuir la justice de son pays, il y fit constamment appel, et, par contre, ses adversaires, au lieu de le poursuivre comme ils avaient fait pour les autres, s'ingénièrent à lui fermer tous les prétoires.

Il eût été difficile de le faire condamner, d'abord, parce que les hommes qui se dévouèrent à sa cause furent des croyants et non des dupes; en outre, parce que certains faits vraiment extraordinaires semblaient corroborer ses dires. Et, sur ce point, il est important de noter la reconnaissance de Mme de Rambaud.

Mme de Rambaud avait été attachée au service du duc de Normandie depuis sa naissance. Le 10 août 1792, elle manqua être tuée aux Tuileries, et ce fut Cléry qui l'aida à se sauver. Elle se réfugia à Versailles dans sa famille. A partir de ce moment, elle ne revit plus le Dauphin, mais les sept ans qu'elle avait passés près de lui donnent à son témoignage une certaine valeur.

C'était en août 1833. Naundorff était à Paris. Par l'entremise d'un ancien secrétaire de la maison des pages de Charles X, M. Fernand Geoffroy, il fut conduit chez Mme de Rambaud, dont on lui avait laissé ignorer le nom. A la suite de cette entrevue, cette dame rédigea la déclaration suivante :

« Dans le cas où je viendrais à mourir avant la reconnaissance du prince fils de Louis XVI et de Marie-Antoinette, je crois devoir affirmer ici par serment, devant Dieu et devant les hommes, que j'ai retrouvé, le 17 août 1833, Mgr le duc de Normandie, auquel j'eus l'honneur d'être attachée depuis le jour de sa naissance jusqu'au 10 août 1792 ; et, comme il était de mon devoir d'en donner connaissance à S. A. R. Madame la duchesse d'Angoulême, je lui écrivis dans le courant de la même année...

« Les remarques que j'avais faites dans son enfance sur sa personne ne pouvaient me laisser aucun doute sur son identité partout où je l'eusse retrouvé...

« C'est enfin identiquement le même personnage que j'ai revu, à l'âge près.

« Le prince fut inoculé au château de Saint-Cloud, à l'âge de deux ans et quatre mois, en présence de la Reine, par le docteur Jouberton, inoculateur des Enfants de France ; et de la Faculté, les docteurs Brunier et Loustonneau. L'inoculation eut lieu pendant son sommeil, entre dix et onze heures du soir, pour prévenir une irritation qui aurait pu donner à l'enfant des convulsions, ce qu'on craignait toujours. Témoin de cette inoculation, j'affirme aujourd'hui que ce sont les mêmes marques que j'ai retrouvées, auxquelles on donna la forme d'un triangle.

« Enfin, j'avais conservé, comme une chose d'un grand prix pour moi, un habit bleu que le prince n'avait porté qu'une fois. Je le lui présentai en lui disant, pour voir s'il se tromperait, qu'il l'avait porté à Paris. « Non, madame, je ne l'ai porté qu'à Versailles, à telle « époque. »

« Nous avons fait ensemble des échanges de souvenirs qui, seuls, auraient été pour moi une preuve irrécusable que le prince actuel est véritablement ce qu'il dit être : l'orphelin du Temple. »

Cette déclaration si nette, si formelle, Mme de Rambaud l'adressa à la duchesse d'Angoulême, à la sœur de celui qu'elle prétendait avoir reconnu ; mais Marie-Thérèse ne pouvait, ni ne voulait, par aucune démarche publique, laisser s'accréditer la croyance que son frère était vivant. Les exigences de la politique lui interdisaient toute recherche, car le fait seul d'écouter un soi-disant Louis XVII impliquait chez elle, sinon la conviction que l'orphelin du Temple avait été sauvé, du moins un doute sur sa mort. Or, il fallait, pour l'honneur et pour la sécurité des Bourbons, qu'il n'y eût à cet égard aucune divergence d'opinion dans la famille royale.

Naundorff ne put donc jamais approcher celle qu'il déclarait sa sœur, et à laquelle il se réservait de donner une preuve victorieuse de son identité en lui révélant certains détails intimes se rapportant aux temps de leur enfance et connus seulement d'elle et de lui. Cette épreuve lui fut refusée. Naundorff, après des aventures bizarres et mystérieuses, — il paraît assez certain qu'on tenta de l'assassiner, et peut-être de l'empoisonner, — Naundorff alla mourir à Delft, en Hollande, le 10 août 1845. Le nom et le titre qui lui furent obstinément refusés pendant toute sa vie figurent sur sa tombe, et, mort, il possède, en plus du repos qu'il n'a guère goûté durant son existence, cet état civil objet de ses constantes revendications.

On lit, en effet, sur la pierre qui recouvre ses restes, cette inscription :

ICI REPOSE

LOUIS XVII, ROI DE FRANCE ET DE NAVARRE,

(CHARLES-LOUIS, DUC DE NORMANDIE),

NÉ A VERSAILLES, LE 27 MARS 1785;

DÉCÉDÉ A DELFT, LE 10 AOUT 1845.

II

L'histoire est plus embarrassée que la Hollande pour donner un nom à ce mystérieux personnage. On l'appelle Naundorff, bien que certainement ce ne soit pas là son nom; mais il a été impossible de lui reconstituer un état civil, et de prouver par là, *à priori*, sa supercherie, comme on a fait pour les faux Dauphins. C'est même un des points sur lesquels s'appuient ses partisans pour soutenir la véracité de ses prétentions.

Cependant, bien des objections ont été faites. En matière si grave, des raisonnements ne suffisent pas; il faut des preuves directes. Sans méconnaître la valeur relative des preuves données, quelques lignes signées de Joséphine ou de Barras (1) seraient autrement puissantes pour

(1) En ce qui concerne Barras, le témoignage tant attendu ne vient-il pas de se produire ? Ses *Mémoires* ont été récemment livrés au public, et, loin d'y découvrir la moindre affirmation en faveur de la thèse sou-

lever les doutes des uns ou forcer la conviction des autres.

Il eût été difficile de raisonner une pareille hypothèse dans le commencement de ce siècle, alors que la question historique se doublait d'une question politique. Aujourd'hui la branche aînée des Bourbons est éteinte ; la monarchie n'existe plus, et la puissance du droit héréditaire

tenue par les partisans de Naundorff, on y trouve rapportée une déclaration, qui semble très nette, au sujet de la mort de Louis XVII au Temple. La voici, telle que M. George Duruy la donne en note dans l'*Introduction générale* (page XIV) : « Rendu au Comité de salut public, je leur parlai de ma visite au Temple, de la négligence, même de la mauvaise tenue des appartements qu'occupaient le prince et la princesse, de la maladie grave dont était atteint le premier, qu'il était urgent d'envoyer des médecins et de redoubler de soins dans l'état de faiblesse où il se trouvait, que j'en rendrais compte à la Convention. « Garde-toi bien, me répondit-on ; nous allons nous (en) occuper et donner « des ordres pour que les prisonniers soient bien traités et soignés. » Je m'assurai que ces ordres furent donnés et exécutés. *Mais le jeune prince était travaillé par une maladie humorale qui avait déjà fait des progrès, de sorte que, malgré tous les soins qu'on lui porta, il succomba.* »

Malheureusement ce témoignage si précis est infirmé par ce fait qu'il est contenu dans des *Mémoires* où l'auteur, presque à chaque page, peut être pris en flagrant délit de mensonge. N'oublions pas non plus que Barras rédigea sous la Restauration les notes qui servirent à Rousselin de Saint-Albin pour confectionner les susdits Mémoires, et qu'à cette époque il n'eût pas été prudent de paraître douter de la mort de Louis XVII au Temple. Enfin, ne faut-il pas rapprocher de cette affirmation mise sous le nom de Barras d'une autre affirmation rapportée par la marquise de Broglio-Solari et constatée par-devant notaire à Londres, le 6 juillet 1840 ? Barras aurait dit, en présence de la marquise et de quelques autres personnes : « Je vivrai pour voir pendre ce scélérat « de Corse, à cause de son ingratitude envers moi, qu'il a exilé ici pour « l'avoir fait ce qu'il est ; mais il ne réussira pas dans ses projets ambi- « tieux, *car le fils de Louis XVI existe !* »

Ces paroles auraient été prononcées en 1803. La contradiction est flagrante : que croire ? Il faut donc reconnaître que des doutes sur l'identité de l'enfant décédé au Temple le 8 juin 1795 peuvent encore subsister.

n'est pas d'un grand poids en face du droit populaire. On peut donc parler de ces choses en toute liberté, et sans être obligé de ménager ou de combattre des intérêts quelconques. C'est dans ces conditions qu'on peut procéder à un rapide examen de la question.

Il existe un acte de décès de l'enfant du Temple, qui est qualifié de « fils de Louis Capet ». Les actes de l'état civil font foi de leur contenu : n'est-ce pas là un document décisif en l'espèce ?

Cet acte est ainsi rédigé :

« Du 24 prairial de l'an III de la République. — 364. — Acte de décès de Louis-Charles Capet, du vingt de ce mois, trois heures après midi, profession —, âgé de dix ans deux mois, natif de Versailles, département de Seine-et-Oise, domicilié à Paris, aux Tours du Temple, section du Temple, fils de Louis Capet, dernier roy des Français, et de Marie-Antoinette-Josèphe-Jeanne d'Autriche.

« Sur la déclaration faite à la Maison commune par Étienne Lasne, âgé de trente-neuf ans, profession gardien au Temple, domicilié à Paris, rue et section des Droits de l'Homme, n° 48 ; le déclarant a dit être voisin ; et par Remy Bigot, âgé de cinquante-sept ans, profession employé, domicilié à Paris, vieille rue du Temple, n° 61 ; le déclarant a dit être ami.

« Vu le certificat de Dussert, commissaire de police de ladite section, du vingt-deux de ce mois. »

La lecture de cet acte suggère diverses observations. D'abord, il faut remarquer cette date du 24 prairial, alors que le décès remonte au 20. On constate ainsi qu'il y a eu une infraction à la loi en vigueur alors stipulant que « la déclaration du décès sera faite par les deux plus proches parents ou voisins de la personne décédée, à l'officier public, *dans les vingt-quatre heures* ».

Pourquoi ce retard, d'autant plus extraordinaire que le décès est survenu dans une prison, et que le premier devoir des gardiens était d'avertir la municipalité d'un événement de cette importance. Il est bien évident que la faute n'en incombe pas aux agents subalternes pré-posés à la garde de l'enfant. On a attendu les ordres des Comités pour rédiger l'acte, et le temps qui s'est écoulé entre la mort du prisonnier et la rédaction autorise à penser qu'il y a eu ou des hésitations ou des divergences d'opinions également suspectes.

De plus, le choix du second témoin est bizarre. Quel est ce « Remy Bigot » qui figure pour la première fois dans cette histoire, et qui se donne pour « ami » du défunt, dont assurément il n'était point l'ami, et que peut-être il n'avait jamais vu?

Ce n'est pas tout : en dehors de l'affirmation contenue dans cet acte, entaché d'irrégularités, quelles mesures a-t-on prises pour constater l'identité du mort? Sur ce point, il faut reconnaître qu'on n'en a pris aucune, et les certificats des médecins aussi bien que le procès-verbal d'autopsie, qui auraient dû, en l'espèce, fournir les preuves les plus claires, prêtent, au contraire, à toutes les ambiguïtés. On connaît la phrase célèbre des quatre docteurs Dumangin, Pelletan, Jeanroy et Lassus, parlant du cadavre soumis à leur examen : « Parvenus au deuxième étage, dans un appartement dans la seconde pièce duquel nous avons trouvé dans un lit le corps mort d'un enfant qui nous a paru âgé d'environ dix ans, que *les commissaires nous ont dit être celui du fils du défunt Louis Capet*, et que deux d'entre nous ont reconnu pour être l'enfant auquel ils donnaient des soins depuis quelques jours... »

On ne peut qu'être frappé de la précaution très manifeste que prennent les quatre médecins de ne rien affirmer et de s'abriter derrière la déclaration des commissaires. Ceux-ci, qu'ils fussent ou non convaincus, ne pouvaient parler autrement qu'ils l'ont fait. D'ailleurs, connaissaient-ils le Dauphin de longue date et étaient-ils en état de certifier son identité?

Enfin, il est une interrogation qui se pose naturellement en présence de toutes ces incertitudes : comment se fait-il qu'on n'ait pas obéi aux prescriptions de la loi qui demande, pour la constatation du décès, « la déclaration des deux plus proches parents »? Le petit roi avait tout au moins très près de lui une parente dont le témoignage eût défié toutes les suspicions. A l'étage supérieur de la Tour du Temple, Marie-Thérèse était toujours prisonnière. Il était si simple de la faire descendre à ce moment et de la mettre en présence du cadavre! Elle aurait reconnu aisément si c'était bien celui de son frère.

La chose n'a pas été faite, et l'on a même laissé ignorer quelque temps à la jeune fille une mort qui la touchait de si près, puisque, dans le récit qu'elle a laissé des événements survenus au Temple pendant sa captivité, elle place le décès de son frère le 9 juin.

Pourquoi a-t-on écarté ainsi Marie-Thérèse du lit funèbre où reposait l'enfant du Temple?

Trois hypothèses sont plausibles :

1° Il y avait eu substitution de personne, et le cadavre n'était pas celui de Louis XVII. On ne pouvait s'exposer à voir la supercherie découverte aussitôt, avant peut-être que l'évasion du petit roi eût été accomplie;

2° Le cadavre était celui de Louis XVII, mais ceux qui possédaient alors le pouvoir désiraient se ménager des moyens d'influence pour plus tard; dans ce cas, ils auraient été poussés par cette pensée qu'il était de leur intérêt de laisser planer des doutes sur la fin de l'héritier du trône, afin d'avoir un moyen toujours prêt pour menacer les survivants de la famille royale;

3° Le cadavre était celui de Louis XVII, et l'absence de mesures plus strictes et plus complètes, l'inobservance des prescriptions légales, ne proviendraient que d'une série de négligences, sans autre intention de la part de leurs auteurs.

Ces trois hypothèses sont également raisonnables et peuvent également se soutenir par les meilleurs arguments. Elles ont été déjà souvent et longuement présentées au public avec une ardeur, un talent, une conviction considérables. Si la vérité ne semble point encore avoir jailli, — lumineuse, indiscutable, — de ces discussions brillantes, c'est qu'apparemment elle était, sinon impossible, du moins fort difficile à découvrir.

En l'absence de documents nouveaux dans la cause, nous ne recommencerons pas les débats de ce procès toujours pendant; nous avons simplement voulu, après cent ans écoulés, remettre sous les yeux des lecteurs, qui s'intéressent aux choses du passé, les données d'un problème jusqu'à ce jour insoluble et rappeler un des événements restés mystérieux de notre histoire.

S'il nous fallait formuler une conclusion, nous nous bornerions à celle-ci, forcément négative : « Il n'est pas prouvé que Louis XVII soit mort au Temple; le contraire ne nous semble pas prouvé davantage. » Mais, pour la masse, cette timide affirmation est trop ou trop peu ; il est admis que Louis XVII est mort au Temple. Si donc Fontenelle a raison quand il soutient que l'histoire c'est la fable convenue, rien ne s'oppose à ce que l'on considère cette opinion simple et commode comme une vérité historique.

LE

TREIZE VENDÉMIAIRE AN IV

(5 OCTOBRE 1795)

On a vu que le 9 thermidor avait été, malgré le passé, les idées et la volonté des thermidoriens, le signal d'une réaction assez vive contre la folie sanguinaire déchaînée depuis près de deux années sur la France entière. La Convention, longtemps asservie à Robespierre, avait secoué le joug; les anciens proscrits de la Gironde, qui y étaient venus reprendre leur place, avaient contribué à former une majorité décidée à mettre fin à la Terreur.

Cette sorte d'accalmie, survenant après de si terribles orages, avait eu ce double résultat de réveiller, d'une part, les espérances et le courage des royalistes, et, d'autre part, d'alarmer sur les destinées futures de la Révolution tous les patriotes partisans du régime terroriste. Mais ces espérances aussi bien que ces craintes fussent sans doute demeurées impuissantes à amener de nouveaux bouleversements, si l'état-major des partis, qui n'est jamais qu'une infime minorité incapable de faire seule un mouvement sérieux, n'avait trouvé dans la masse du peuple, généralement indifférente aux formules politiques, un auxiliaire plus ou moins conscient.

Or, à ce moment, les circonstances restaient propices pour les agitateurs : la misère était grande à Paris. Les troubles des années précédentes avaient amené les plus graves perturbations dans les esprits et dans les situations sociales; de plus, la vie matérielle était entravée, dans les relations quotidiennes, par le discrédit toujours croissant des assignats; enfin la disette, aggravée sinon causée par les spéculations d'agioteurs effrénés, mettait à la disposition des meneurs la foule des hommes qui avaient faim. Le procès intenté aux thermidoriens Billaud-Varennes, Collot d'Herbois et Barrère parut au parti jacobin une occasion favorable pour tenter un soulèvement populaire analogue à ceux qui avaient si souvent réussi, et qui, cette fois encore, remettrait le pouvoir aux mains des vrais révolutionnaires.

Le 1ᵉʳ avril 1795 (12 germinal an III) les distributions ayant manqué, les meneurs dirigèrent sur la Convention une foule affamée qui réclamait, comme aux grands jours, « du pain, la Constitution de 93 et la liberté des accusés ». La Convention fut envahie, mais quelques bataillons de la garde nationale accoururent et délivrèrent l'Assemblée.

Celle-ci prit aussitôt les mesures les plus énergiques et décréta d'accusation un certain nombre de montagnards complices du mouvement. Une nouvelle émeute essaya le 20 mai (1ᵉʳ prairial) d'arracher ces nouvelles victimes aux tribunaux; le peuple envahit la salle des séances, massacra le député Féraud, pris pour Fréron, et des forcenés présentèrent sa tête à Boissy d'Anglas, président, qui s'inclina devant cette victime, mais non devant les assassins, auxquels il résista avec une fermeté et un courage admirables.

Les désordres durèrent trois jours. Les révolutionnaires n'avaient pas de chefs qui les pussent diriger : ils laissèrent le temps à la Convention de réunir vingt mille hommes des sections fidèles et de faire entrer dans Paris six mille dragons. Cette force imposante eut raison du mouvement : la multitude jacobine était vaincue.

Toute défaite du parti avancé faisait les affaires du parti royaliste : celui-ci, d'ailleurs, n'avait pas ménagé son appui à la Convention, et avait contribué avec un vif empressement à détruire l'influence d'une populace qui avait figuré avec succès dans tous les assauts donnés à la monarchie; aussi bien le moment lui semblait propice de reprendre pour son compte la lutte contre le gouvernement républicain, et les temps étaient venus où la Convention, dont les pouvoirs touchaient à leur terme, allait avoir à subir une journée semblable à celle du 10 août, qui avait donné le coup de grâce à la monarchie expirante.

Par une coïncidence curieuse, la situation était presque identique. La Convention occupait le palais des Tuileries, où elle avait succédé à Louis XVI. Stratégiquement, l'attaque devait être menée comme l'avait été celle du 10 août, et les moyens de défense étaient les mêmes. Si le résultat fut autre, cela tint à un homme qui mit dans la balance le poids de son jeune génie, et qui fit triompher la cause qui avait su se l'attacher : où était le général Bonaparte, là devait être la victoire.

Donc, vers le mois d'août 1795, la situation était celle-ci : les terroristes et les thermidoriens déchus de la puissance, la Convention composée des épaves de tous les partis tour à tour victorieux et vaincus, mais où dominait encore l'esprit républicain, et les royalistes qui commençaient à relever la tête et à s'agiter pour ramener le régime de leur choix.

Malgré leurs échecs nombreux, aussi bien sur les frontières du Rhin avec l'armée de Condé, qu'en Vendée avec Charette et qu'en Bretagne avec Puisaye, ils ne désarmaient point, et comptaient sur la trahison pour faciliter la revanche qu'ils rêvaient, en même temps qu'ils se berçaient de l'espoir que de nouvelles élections amèneraient beaucoup des leurs parmi les législateurs.

La Convention était, en effet, sur le point de se dissoudre et de rendre au pays la puissance dont elle avait fait un si terrible usage. Une Constitution nouvelle, inspirée par les girondins et surtout par Daunou, un homme de bien et un savant, allait permettre aux royalistes de forcer l'entrée des fonctions publiques. C'est alors que la Convention, qui avait assurément moins de passion généreuse que la Constituante, mais en revanche plus d'esprit politique, sentit la nécessité d'opposer une digue au royalisme revenu à l'offensive, et, par un de ces décrets dont elle avait usé et abusé pendant les trois années de son existence, elle se réserva la faculté de veiller à la mise en pratique de la nouvelle Constitution : les deux tiers des législateurs à nommer devaient être pris dans son sein. Si les électeurs ne pouvaient ou ne voulaient faire ce choix, elle-même le ferait. Elle se survivrait ainsi.

Une pareille mesure frappa d'étonnement les chefs de la réaction, qui ne pensaient plus que de tels obstacles se dresseraient en face de leurs espérances. Un d'entre eux, et non des moindres, Lacretelle, a révélé ses impressions et celles de son parti (1) : « Nos succès nous avaient tourné la tête ; nous nous étions trop habitués à considérer la Convention réformée comme un instrument docile, et que nous pourrions non pas briser, mais écarter dès qu'elle cesserait de se prêter à nos vœux. Nous voyions de la magie dans le mot d'*opinion publique*, nous lui prêtions en quelque sorte une force matérielle, et le prestige que nous cherchions à répandre réagissait d'abord sur nous-mêmes ; nous ne savions pas voir que la Convention exerçait encore une puissance supérieure à celle des rois les plus absolus, que sa vieillesse était celle des politiques rusés, et qu'elle saurait bien se garder du vertige de désintéressement patriotique qui avait eu pour l'Assemblée constituante l'effet du plus lamentable suicide. »

Cependant la Convention avait soumis à la sanction des électeurs, et la constitution de l'an III, et le fameux article additionnel, cause de tant de rumeurs et de mécontentements. La Constitution fut adoptée à la presque unanimité, mais l'article additionnel fut repoussé à Paris ; la province n'imita point la capitale et l'approuva à une grande majorité. C'était le triomphe de la Convention.

Il ne restait plus aux opposants qu'à s'incliner devant le verdict des électeurs ou à recourir à l'émeute : ils pri-

(1) *Dix années d'épreuves pendant la Révolution.*

rent ce dernier parti. Le centre de l'opposition se trouvait dans la section Lepeletier; les habitants de ce riche quartier (qui correspond à celui de la Bourse) formaient un bataillon célèbre dans les fastes de la guerre civile : celui des Filles-Saint-Thomas. Dernière troupe fidèle à la monarchie, ce bataillon avait figuré parmi les défenseurs du Château au 10 août; plus tard, il avait marché le premier, le 9 thermidor, contre Robespierre appuyé par la Commune; c'était encore lui qui était accouru au secours de l'Assemblée, le 1ᵉʳ prairial.

A cette heure, il prenait la tête du mouvement. Bientôt, sous son impulsion, les membres de la section Lepeletier, usurpant les pouvoirs constituants, lancèrent dans Paris une proclamation qui appelait tous les électeurs à se réunir et à délibérer en commun (10 vendémiaire an IV — 2 octobre 1795).

« Considérant, disaient-ils, qu'aux termes de la nouvelle Constitution, la convocation des assemblées électorales doit être faite vingt jours après celle des assemblées primaires; que déjà ce temps est passé et que les circonstances exigent impérieusement la prompte formation du nouveau Corps législatif...;

« Considérant que les exemples fréquents donnés jusqu'à ce jour de l'usurpation doivent faire présumer de nouveaux attentats...;

« Considérant qu'il est constant que c'est à l'impéritie et au brigandage des gouvernants actuels que nous avons été redevables de la disette et de tous les maux qui l'ont accompagnée...;

« Considérant que tous les caractères de la tyrannie se développent, que tous les moyens de terreur sont prodigués, etc. :

« ARTICLE PREMIER. — Demain 11, à dix heures du matin, sans nul délai, les électeurs de toutes les assemblées primaires se réuniront dans la salle du Théâtre-Français. »

Et comme en ces temps on ne pouvait se défendre des réminiscences et des imitations, la proclamation se terminait par un article, assez pâle reproduction du serment du Jeu de paume : « Les assemblées primaires de Paris jurent que, regardant cette mesure comme la seule qui puisse sauver la Patrie, en mettant promptement en activité la constitution républicaine, elles ne désempareront pas leurs séances de demain que le corps électoral ne soit définitivement installé (1). »

Les temps étaient changés, et ce qui se passait alors ne semblait que la parodie des premiers jours de la Révolution. Cet appel était signé « Bonhommet, président, et Saint-Julien, secrétaire ». Ces noms obscurs en témoignent hautement.

D'ailleurs, la masse était lasse des agitations, car elle était bien revenue des illusions du début. Qu'avaient produit tant de sang versé, tant de paroles enflammées jetées dans la foule ? Un témoin oculaire rend compte de cette apathique indifférence : « Paris offrait alors à l'observateur des passions publiques un contraste frappant entre l'agitation des partis et la tranquille indifférence du peuple. Les corps délibérants étaient en guerre ouverte, et tout allait dans la ville comme auparavant. Cette époque rappelait celle de la Fronde, lorsqu'on sortait des bals et des soupers pour aller se battre dans les faubourgs ou dans les plaines de la banlieue, et que les

____

(1) *Essai sur les journées des 13 et 14 vendémiaire,* par P.-F. RÉAL.

adversaires, se retrouvant le soir dans les cercles, se racontaient leurs exploits de la journée (1). »

Si la masse de la population ne partageait point les passions des politiciens, ceux-ci, avec cette confiance aveugle qui est le propre des agitateurs, n'en poursuivaient pas moins leur plan d'insurrection ; mais, faute d'une idée nette, et surtout faute de chefs éclairés et énergiques, ils se perdaient en démarches maladroites ou inutiles.

Que signifiait cette réunion dans la salle du Théâtre-Français (Odéon), et quels résultats en pouvait-on raisonnablement espérer ? Des discussions, des paroles vagues et confuses. Ce ne sont pas les assemblées qui prennent des résolutions, ce sont des individus qui les imposent aux assemblées.

A quoi bon cette solennelle déclaration de guerre ? Mieux eût valu assurément commencer les hostilités et frapper les premiers coups.

La réunion, qui devait avoir lieu dans la matinée, ne se tint que le soir. Avant de se rendre au Théâtre-Français, une trentaine des plus déterminés opposants dînèrent chez un restaurateur du Luxembourg. Lacretelle s'y trouvait. « A chaque verre qui s'avalait, dit-il, une ardeur belliqueuse nous montait à la tête, et moi, pour payer mon écot d'héroïsme, je m'avisai de citer le mot de Léonidas aux Thermopyles : *Dînons bien, mes amis, nous souperons ce soir chez Pluton.* L'abbé Morellet, électeur comme nous, se trouvait l'un des convives. Accoutumé à des repas plus substantiels que ceux que l'on prend

(1) *Histoire parlementaire de la Révolution française,* par BUCHEZ et ROUX.

dans l'empire des ombres : « Que signifie, s'écria-t-il, ce fatras de collège ? Je ne veux ni du brouet noir ni des soupers de Pluton. M'attaque avec la plume qui voudra. Un abbé octogénaire ne connaît point d'autre arme. Je pourrais bien, en restant chez moi, prier pour les combattants, mais je crains que les prières d'un philosophe ne vaillent pas grand'chose. »

Malgré cette réflexion peu encourageante, les conjurés, si l'on peut leur donner ce nom, se rendirent à la réunion. On avait eu la singulière idée de la faire présider par le vieux duc de Nivernais, qui ne montrait pas plus d'enthousiasme que le vieil abbé Morellet. « Vous me menez à la mort », disait-il à ceux qui l'entraînaient (1).

Sous une pareille présidence, la réunion fut extraordinairement confuse ; « la salle, qui n'était presque point éclairée, avait quelque chose de sépulcral (2) ». On prononça discours sur discours sans conclure ; et, au lieu de préparer le mouvement dans la rue, qui seul pouvait donner la victoire, on rédigea un manifeste.

Pendant ce temps-là, la Convention, qui s'était déclarée en permanence, comme aux grands jours, avait envoyé les administrateurs de Paris proclamer ses décrets sur la place de l'Odéon, en leur donnant mission de dissoudre le rassemblement. Les administrateurs, précédés de porteurs de torches, s'efforcèrent d'accomplir leur devoir ; mais, accompagnés d'une force militaire insuffisante, ils ne le purent. Hués par la foule, ils durent se retirer, laissant le champ libre aux émeutiers.

Ceux-ci se montrèrent plus embarrassés que fiers de

(1) D'après Thibaudeau. Réal déclare, au contraire, qu' « à la vue du péril il sentait fondre les glaces de l'âge ».

(2) LACRETELLE.

cette victoire. Ils continuèrent à pérorer; puis enfin, las de ce verbiage inutile, et « ne sachant plus que faire, ils se retirèrent vers deux heures du matin (1) ».

La Convention se trouvait ainsi obéie; cette préface de l'insurrection s'achevait dans le ridicule et l'impuissance. Et, afin qu'aucun des deux partis n'eût le monopole de l'imprévoyance, Menou, qui commandait l'armée de Paris, s'imagina que tout était terminé, et renvoya la plus grande partie de ses troupes au camp des Sablons.

La journée du 12 vendémiaire ne devait pas ressembler à la précédente.

Pendant la nuit, les comités, effrayés des nouvelles qui leur sont apportées sur le nombre croissant des adhérents au mouvement dirigé par la section Lepeletier, songent à accroître leurs défenseurs, et c'est dans les prisons qu'ils vont les chercher. Ordre est donné de relâcher quinze cents environ de ceux qu'on a incarcérés à la suite des journées de Prairial; ces fougueux jacobins répondent avec empressement à cet appel, et viennent former le *Bataillon sacré des patriotes de* 89; ils retrouvent pour la circonstance l'énergie des jours révolutionnaires et la phraséologie niaise et sentimentale de l'époque. « Le moment où, sur la terrasse des Feuillants ou dans la cour du Manège, dit Réal, ces bras désarmés reçurent des fusils, ne sortira jamais de ma mémoire. Ils semblaient rentrer dans leur patrie et reprendre leurs droits. J'ai toujours devant les yeux un vieillard véné-

____

(1) LACRETELLE.

rable, saisissant le fusil qu'on lui donnait, le pressant contre ses lèvres, contre son cœur, levant au ciel ses yeux mouillés de larmes et s'écriant : « Je suis donc encore libre! »

Cette rentrée en scène d'hommes compromis dans les pires excès de la Révolution, produit un effet auquel étaient loin de s'attendre ceux qui avaient recours à eux. Les sections hostiles l'exploitent habilement : leurs meneurs se répandent dans la ville, et proclament bien haut « que la Convention ne cache plus son jeu, qu'elle rassemble autour d'elle tous les suppôts de Robespierre, et prétend recommencer avec eux le régime affreux de la Terreur (1) »!

Les chefs militaires qui, précisément quelques mois auparavant, ont marché contre ces individus, ne se soucient guère de combattre avec eux leurs anciens soldats; aussi certains, tels que le général Desperrières, le général Debar et le général Duhoux, ou se font porter malades, ou ne se rendent pas à leurs postes. Quant au général en chef Menou, il ne cache pas son mécontentement.

Il se présente aux comités.

— Je suis instruit, dit-il, qu'on arme tous les bandits; je vous déclare formellement que je n'en veux ni sous mes ordres ni dans mon armée, ni marcher avec un tas de scélérats et d'assassins organisés en bataillons de patriotes de 89.

Les commissaires n'osent le heurter de front, et se bornent à lui répondre :

— Ces sincères amis de la liberté ne seront point sous

____

(1) *Manuscrit de l'an III,* par le baron FAIN.

vos ordres; ils marcheront sous ceux d'un général républicain, sous la direction des représentants du peuple, et resteront près de la Convention nationale pour la défendre (1).

Malgré cette mauvaise volonté évidente de la part de Menou, ils lui laissent son commandement et le chargent de dissiper les rassemblements armés qui se sont formés dans la rue Vivienne, à l'ancien couvent des Filles Saint-Thomas.

Une telle mission ne laissait pas d'être singulière, confiée à cet ex-baron, jadis représentant de la noblesse à l'Assemblée constituante (2), et qui avait figuré parmi les défenseurs de Louis XVI dans la nuit du 9 au 10 août. Il est vrai qu'il s'était montré assez tiède royaliste à ce moment pour éviter une destitution ou pis. Depuis, il avait été employé en Vendée, et avait gardé son grade de général de division, malgré une dénonciation de Robespierre. Au 1er prairial, remplaçant Pichegru dans le commandement de l'armée de Paris, c'est lui qui avait dirigé l'attaque contre le faubourg Saint-Antoine, le 2 prairial. Brave soldat, mais faible de caractère, Menou était avant tout un homme de plaisir; avec cela très humain, ce qui contribuait à le rendre peu propre au service qu'on exigeait de lui.

Menou, cependant, rassemble ses troupes, quelques milliers d'hommes, et se dispose à exécuter tant bien que mal l'ordre qui lui est donné; il a perdu beaucoup de temps, et la nuit est venue lorsqu'il se trouve en pré-

(1) Rapport de Barras à la Convention nationale.
(2) Il avait le premier proposé, pour le recrutement de l'armée, le système de la conscription, avec faculté de remplacement, qui fut adopté plus tard et qui est resté si longtemps en vigueur.

sence des sections confédérées. Sans aucune précaution il s'avance, et, comme s'il ne s'agissait que d'une simple démonstration, il entasse ses troupes dans la rue Vivienne, où elles ne peuvent se déployer. Dans cette situation embarrassante, il n'ose recourir à la force : il entrevoit tout ce qu'un combat nocturne, sur un espace aussi resserré, causera de meurtres. La pensée de répandre inutilement tant de sang l'emporte sur les instructions qu'il a reçues le matin, et « l'ordre de faire feu expire sur ses lèvres (1) ».

Toutefois, les deux troupes ennemies ne peuvent indéfiniment rester ainsi en présence : le moindre incident risque de faire éclater la lutte. Menou songe à se retirer, et, pour sauver les apparences, il parlemente. Il trouve en face de lui un des chefs de l'insurrection, Charles Delalot, âgé de vingt-trois ans, qui, calme et énergique, le harangue ainsi que les soldats qui ont pénétré avec lui dans la section. Le jeune homme en impose par sa fermeté au général, qui promet de se retirer, à la condition que les sectionnaires en feront autant. Delalot s'y engage, mais Menou seul tient sa promesse ; il se replie sur le Carrousel, tandis que les soldats de la section Lepeletier restent à leur poste et maintiennent leurs positions.

Ce succès les enflamme. Aucun d'eux ne doute plus du triomphe final. Et, de fait, ce triomphe tenait à bien peu de chose. Quelques instants auparavant, un jeune général, récemment mis en non-activité, sortant du théâtre Feydeau, venait examiner la position des deux partis. D'un coup d'œil, il avait vu la fausse position de Menou.

(1) *Manuscrit de l'an III.*

— Si les sections me mettaient à leur tête, dit-il à un camarade qui l'accompagnait, je répondrais bien, moi, de les mettre dans deux heures aux Tuileries, et d'en chasser tous ces misérables conventionnels (1). .

Ainsi parlait à Junot le général Bonaparte.

Quelques heures plus tard, le général était mandé aux Tuileries, tandis que les sections décernaient le commandement en chef au général Danican. Les sections avaient trouvé leur Menou, au moment où la Convention se débarrassait du sien.

Danican était, en effet, un singulier personnage qui avait plus les qualités d'un intrigant que d'un chef militaire, bien qu'il ait cru devoir donner de sa nomination les raisons suivantes : « Dans la nuit, j'avais été nommé par le Comité central commandant des sections réunies, et je ne devais cette marque d'estime et de confiance qu'à une conduite franche et à la haine que je n'ai cessé de témoigner aux massacreurs. »

D'origine inconnue, — les uns le font descendre d'une famille noble, mais pauvre, les autres le disent fils de Philidor, le compositeur, — il s'engagea de bonne heure et servit comme soldat dans le régiment de Barrois. On le retrouve, quelque temps après, gendarme à Lunéville. A la Révolution, son avancement fut rapide, grâce à la protection de Camille Desmoulins. Il fut alors employé en Vendée comme colonel de hussards, puis comme général de brigade. Battu par les royalistes, le 15 juillet 1793, près de Martigné-Briant, il se renferma dans Angers. On raconte (2) qu'un jour, « voulant diriger une

(1) *Histoire et Mémoires* de Philippe DE SÉGUR.
(2) *Histoire générale des émigrés,* par H. FORNERON.

sortie, il fut emporté par son cheval; il ne put le retenir, prit aussitôt son parti, et déclara, quand son cheval s'arrêta au milieu des royalistes, qu'il était venu s'enrôler parmi eux ». Après cette aventure, il fut destitué par le gouvernement républicain, mais il trouva moyen de se faire remettre en activité, quelque temps après, et reçut même un commandement à Rouen. C'est de là qu'il était venu à Paris, où son grade de général lui valut l'honneur du commandement des sections.

Les hasards de ces temps troublés lui permettaient de montrer ses talents, mais il n'était point un Bonaparte, pas même un Dumouriez : il ne sut montrer que son incapacité (1).

Quoi qu'il en soit, il se prépara au rôle qu'il devait jouer le lendemain et prit ses dispositions pour attaquer les troupes de la Convention et forcer cette assemblée dans son dernier asile, l'ancien palais des rois de France.

*
* *

La Convention n'était point restée inactive. Elle avait, du reste, l'habitude de ces journées, car son existence n'avait été qu'une longue suite d'agitations pareilles. Elle procédait toujours de même : se déclarant en permanence, elle centralisait en elle la chose à défendre,

---

(1) Disons, pour compléter l'idée qu'on peut se faire de « sa conduite franche », qu'après le 13 vendémiaire il se rendit à Blankenbourg, près de Louis XVIII, ce qui ne l'empêcha pas plus tard d'envoyer à M. Pasquier, préfet de police de Napoléon, des renseignements « sur l'existence en Angleterre de tous les princes français et sur celle des hommes qui les entouraient ». (*Mémoires du chancelier Pasquier.*)

comme elle centralisait en une main les moyens de défense. Irritée de la défection des généraux, de leur faiblesse et presque de leur trahison, elle destitua Desperrières, Debar et Duhoux; elle fit arrêter Menou, qu'elle garda près d'elle prisonnier aux Tuileries.

Puis, se souvenant du 9 thermidor et du rôle qu'avait joué Barras ce jour-là, elle lui confia le commandement de l'armée de Paris et de l'intérieur, et lui adjoignit trois de ses collègues, Delmas, Laporte et Goupilleau de Fontenay.

Barras était courageux, mais son mérite s'arrêtait là, et, au 9 thermidor, il avait été plus servi par les circonstances, les indécisions et la faiblesse de ses adversaires que par ses combinaisons stratégiques. Aussi, bien que flatté de la confiance que l'Assemblée lui témoignait pour la seconde fois, il ne laissait pas d'être fort embarrassé.

La situation, d'ailleurs, était fort embarrassante, et Menou lui laissait un commandement peu enviable et une position difficile, sinon compromise. Il pouvait réunir six mille hommes au plus, et les assaillants étaient plus de quarante mille. Des dispositions fort habiles pouvaient seules compenser l'infériorité numérique, et Barras ne savait trop lesquelles il devait prendre.

Cependant la nuit avançait; la première heure du 13 vendémiaire allait s'écouler : tout restait en confusion, quand le sort voulut que, dans son anxiété, il s'adressât à Carnot, qui lui conseilla de s'adjoindre un général.

— Mais lequel? demanda Barras.

— Brune, Verdière ou Bonaparte, répondit Carnot.

— Ah! celui-ci, je le connais, il a pris Toulon.

— Eh bien, repartit gaiement Carnot, il pourra peut-être bien aussi prendre le couvent des Filles Saint-Thomas, où la section Lepeletier se rassemble (1).

En ce moment, d'autres propositions furent émises par les assistants; Barras semblait préférer Bonaparte, pour cette raison qu'en cette affaire il fallait « non un général de plaine, mais un général d'artillerie ». Fréron, qui protégeait Bonaparte, insista pour qu'il fût choisi.

— Il est pourtant bien petit, ton général, répétait Barras.

Barras était fort grand : cela devait faire compensation A la fin, il se décida et manda près de lui Bonaparte.

On ne le trouva pas tout d'abord. Barras l'avait envoyé chercher « à son hôtel garni, et dans les divers cafés et chez les traiteurs qu'il fréquentait ordinairement (2) ».

Bonaparte, on l'a vu, était au théâtre Feydeau ; vers neuf heures, il rentra aux Tuileries et se rendit au cabinet topographique. C'est là que finalement on le découvrit. Barras lui offrit le commandement en second (3).

Le général qui, quelques instants auparavant, avait

(1) *Histoire et Mémoires* de Philippe DE SÉGUR.

(2) *Mémoires de Barras.*

(3) Barras, dans ses *Mémoires,* où la vérité est travestie avec autant de persistance que de maladresse souvent, dit que Bonaparte ne fut, dans cette journée, que « l'un de ses aides de camp ». Cette affirmation est bien peu vraisemblable; Bonaparte, qui ne manifesta pas un grand empressement à prendre la défense de la Convention, se serait certainement refusé à occuper une situation aussi subalterne; Barras se contredit lui-même quelques lignes plus haut, en disant qu'il choisit Bonaparte « pour remplacer Menou ». Menou n'était pas un de ses aides de camp, mais le commandant en chef de la force armée. Du reste, Barras avait pris soin de dissiper lui-même toute erreur à ce sujet dans son *Rapport officiel à la Convention* (rapport du 30 vendémiaire), dans lequel il déclare que « le général Bonaparte, connu par ses talents militaires et son attachement à la République, *fut nommé, sur sa proposition, commandant en second* ».

jugé la situation des partis aux prises en militaire, devait, en présence de cette offre, la juger en politique. Il ne se sentait pas un grand enthousiasme pour la cause de la Convention ; d'un autre côté, la victoire des sections aboutissait à une réaction qui ramenait, dans un temps plus ou moins éloigné, la monarchie avec Louis XVIII : la perspective était peu séduisante. Il hésitait donc. Il demanda un moment pour réfléchir.

— Trois minutes seulement, répliqua Barras, qui était assez intelligent pour comprendre de quel secours lui serait « ce petit officier corse », dont il avait apprécié le mérite au siège de Toulon.

Les minutes s'écoulèrent dans un silence profond. Enfin Bonaparte, relevant la tête et s'exprimant avec l'autorité d'un homme qui a conscience de sa valeur :

— Soit, dit-il, j'accepte, mais je vous préviens que, l'épée hors du fourreau, je ne la remettrai qu'après avoir rétabli l'ordre.

— Je l'entends bien ainsi moi-même, répondit Barras.

— Eh bien ! ne perdons pas de temps. Les minutes sont des heures. L'activité seule peut rendre l'influence morale qu'un premier échec a fait perdre (1).

Bonaparte, investi du commandement et chargé de la responsabilité de la défense, ne sait rien de la situation des troupes qu'il a sous ses ordres, et ne peut se renseigner auprès de Barras, qui n'en sait pas davantage. Menou seul est au courant. C'est à lui que Bonaparte s'adresse.

Le général destitué est gardé dans un cabinet des

____

(1) *Histoire et Mémoires* de Philippe DE SÉGUR. — M. de Ségur déclare tenir ces renseignements de témoins véridiques, et notamment du général Montchoisy, lequel commandait la réserve de l'armée de la Convention.

Tuileries; son successeur vient le trouver, certain que Menou est assez droit et loyal pour, malgré son arrestation, ne pas lui refuser les renseignements nécessaires.

Bonaparte entre avec vivacité dans la pièce où se trouve Menou. Celui-ci, surpris d'une pareille visite au milieu de la nuit, croit qu'on vient l'interroger, et, prenant les devants, il s'écrie « qu'il est puni de sa répugnance à verser le sang de ses concitoyens ». Bonaparte, qui a pris le commandement et qui, naturellement, ne songe pas à reculer devant la nécessité de « verser le sang de ses concitoyens », est choqué de cette leçon indirecte ; il déclare à Menou « qu'il a eu tort, que les ménagements ne valent rien où la révolte est flagrante », et traite de faiblesse ce que l'autre taxe d'humanité. La conversation s'envenime. Menou riposte qu'il n'a pas voulu « recommencer Hanriot et Santerre ; qu'au reste il est prêt, qu'on peut le conduire au tribunal ».

— Ma position n'est pas celle d'un gendarme, dit Bonaparte.

Sur ses mots, on s'explique ; la confusion cesse, et Menou, redevenu le brave soldat qu'il a été, ne se fait point prier pour instruire son remplaçant de ce qu'il lui est utile de savoir (1).

Les confidences de Menou ne présentent pas la situation sous un jour fort encourageant.

Les assaillants sont dans la proportion de huit contre un. Ce n'est pas tout : les troupes de ligne sont dans le plus grand désordre ; elles n'ont ni vivres, ni munitions, ni canons. Le général Bonaparte ne perd pas de temps, et sa redoutable activité veille à tout, répare tout. Il donne

(1) *Histoire et Mémoires* de Philippe DE SÉGUR.

l'ordre de faire fabriquer en hâte du biscuit, et, par ses soins, l'ordonnateur Lefébure apporte des rations aux troupes stationnées sur la place du Carrousel ; le général Durtubie rassemble des munitions. Quant aux canons, il y en a une trentaine au camp des Sablons, sous la garde de vingt-cinq hommes. Bonaparte charge le chef d'escadrons Murat de prendre avec lui trois cents hommes et de lui ramener au plus vite cette artillerie si nécessaire. Murat part, et arrive au camp des Sablons vers deux heures du matin ; il était temps : les sections avaient eu enfin l'idée de s'emparer de ces canons. Mais la troupe de fantassins qu'elles ont envoyée à cet effet a été devancée par les cavaliers de Murat ; elle n'ose se risquer dans une lutte en plaine, et laisse les canons, qui tout à l'heure décideront de la victoire, filer sur Paris...

Barras, accompagné de Bonaparte, passe en revue les différents postes ; la ligne de défense est rectifiée. Chacun des nombreux généraux présents à Paris, qui ont offert leurs services à la Convention, est placé à la tête d'un détachement. Au matin, tout est prêt pour repousser l'attaque, qui, toujours comme au Dix Août, sera double, par la rue Saint-Honoré et par les quais. Le rapprochement s'impose à l'esprit de Bonaparte qui, de l'appartement de Fauvelet, frère de son camarade Bourrienne, avait assisté en spectateur désintéressé aux événements de cette mémorable journée (1), et souri de pitié en constatant les ridicules dispositions prises par les défenseurs du Château ; ceux-ci, cependant, avaient sous leurs ordres une troupe nombreuse et disciplinée. Bonaparte s'apprête à recommencer cette défense, et compte tirer

(1) *Napoléon inconnu,* par Frédéric MASSON.

parti de l'étroitesse des rues pour rendre moins sensible l'infériorité numérique.

Dans ce but, il a confié la défense des débouchés du Carrousel au général Brune, aidé du général Gardanne.

« Les généraux Dupont-Chaumont et Loison, qui ont avec eux l'adjudant général Blondeau, prennent poste à la rue de l'Échelle et dans la petite rue Saint-Louis.

« Les postes de la cour du Manège (la cour du Manège se trouvait sur l'emplacement actuel de la rue de Rivoli, et communiquait avec la rue Saint-Honoré, en face de l'église Saint-Roch, par la rue de la Convention), qui donnent sur le cul-de-sac Dauphin et sur le passage des Feuillants, sont gardés par le général Berruyer, celui qui a sous ses ordres le bataillon des jacobins extraits des prisons.

« Sur les quais, un fort détachement est placé à la hauteur du Louvre. Il est commandé par le général Carteaux, qui a son avant-garde au pont Neuf. A la tête d'un autre détachement, les généraux Verdière et Lestranges ferment le pont National (aujourd'hui pont Royal) et veillent sur les débouchés de la rue du Bac et du quai Voltaire.

« La réserve, aux ordres des généraux Montchoisy et Duvigneau, est stationnée sur la place de la Révolution (place de la Concorde), couvrant le pont tournant des Tuileries, gardant le pont de la Liberté (pont de la Concorde), et observant les avenues de la place du côté des Champs-Élysées, de la rue de la Révolution (rue Royale) et de la rue Saint-Florentin (1). »

Il n'y a pas d'attaque cependant à craindre de ce côté-

(1) *Manuscrit de l'an III,* par le baron FAIN.

là, mais Bonaparte a tout prévu. Si le sort des armes le trahit, il assure ainsi une retraite à la Convention. On se rabattra sur Saint-Cloud, et, de là, on pourra recommencer la lutte avec les secours arrivés des départements.

Ces dispositions prises, reste à mettre en batterie les canons que Murat ramène du camp des Sablons. Bonaparte, en sa qualité de général d'artillerie, s'acquitte, au matin, de cette besogne, tandis que Barras fait une nouvelle visite de tous les postes. « A la tête du pont Royal, il place une batterie qui enfile la rue du Bac et bat le quai Voltaire et le quai d'Orsay. Cette batterie est soutenue par une seconde établie sur le quai du Louvre, qui, d'un côté, prend en écharpe le quai Voltaire, et, de l'autre, balaye le quai de l'École (portion du quai du Louvre entre le Louvre et le pont Neuf) jusqu'au pont Neuf. Vers la rue Saint-Honoré, on pointe à l'ouverture de chaque défilé des pièces dont la ligne de tir se prolonge jusqu'au bout des rues de Richelieu, de la Butte des Moulins et de Saint-Roch (1). »

La nuit s'est écoulée ; le temps a été très mauvais et la pluie est tombée en abondance. Au matin, les soldats sont à leurs postes ; les canonniers, la mèche allumée, auprès de leurs pièces. Tout annonce que la journée qui commence sera sanglante.

De leur côté, les sections confédérées ont achevé leurs préparatifs. Paris, sauf l'îlot qui comprend le Louvre, les Tuileries et quelques maisons adjacentes, est, pour ainsi

______

(1) *Manuscrit de l'an III.*

Dessiné par C. Monnet. Gravé par Helman.

JOURNÉE DU XIII VENDÉMIAIRE, L'AN IV

dir
et
ve
lut

éc
ne
de

ju
mi

gr

et
et
C
ti
la
m
c
s
I
d
s

c
l
c
d

dire, en leur pouvoir. La générale a retenti toute la nuit, et « les tambours sectionnaires poussent l'audace jusqu'à venir battre sur le Carrousel et sur la place de la Révolution ».

Des proclamations ont été lancées partout ; partout éclatent les menaces contre la Convention. Les ennemis ne doutent pas de la victoire, et dressent déjà des listes de proscription.

La Convention, après une séance de nuit prolongée jusqu'à cinq heures du matin, se réunit de nouveau à midi. Barras s'y montre un instant.

— Restez à votre poste, dit-il de l'air solennel des grands jours, je me rends au mien.

Cependant une commission, présidée par Cambacérès et composée des membres des Comités de salut public et de sûreté générale, auxquels se sont joints ceux du Comité militaire, siège en permanence. Mais les traditions sont changées : jadis les conventionnels ne reculaient point devant la guerre civile et se montraient sans ménagements pour l'émeute ; aujourd'hui, ce grand corps, comme s'il eût été las de tant de luttes et fatigué du sang répandu pour et contre lui, n'a plus la même ardeur. Il a peur de donner le signal de la lutte, il modère le zèle des chefs militaires, il leur enjoint de rester sur la défensive, d'attendre l'attaque pour riposter.

Cette attitude enhardit les sectionnaires ; ils s'avancent, engagent des colloques avec leurs adversaires, et leur offrent même de manger et de boire avec eux ; c'est ce qu'on appelle encore « fraterniser (1) ». Ils se flattent de les avoir gagnés...

(1) *Mémoires de Barras.*

La journée se passe ainsi. L'armée des sections, placée sous le commandement de Danican, auquel on a adjoint un ancien colonel de la garde de Louis XVI, Lafond, se partage en deux colonnes, l'une qui débouche sur la rue Saint-Honoré et le Carrousel, l'autre qui, partant du faubourg Saint-Germain, sous la direction d'un ancien émigré, Colbert de Maulévrier, se présente au pont Neuf et au pont Royal, pour attaquer la Convention à revers. Déjà cette troupe a, sans coup férir, intimidé Carteaux qui cède et recule, si bien que les sectionnaires traversent le pont Neuf et viennent s'établir jusque dans le jardin de l'Infante, au pied du Louvre. De l'autre côté, un bataillon sectionnaire s'est établi sur les marches de l'église Saint-Roch. Partout les adversaires sont à quinze pas les uns des autres.

Danican, qui prend le titre de commandant général de la force armée de Paris, croit que la victoire lui viendra sans effusion de sang, et il essaye d'une dernière tentative d'intimidation vis-à-vis de la Convention qu'il croit fort intimidée. Il envoie à la commission, présidée par Cambacérès, un parlementaire chargé de demander le retrait des troupes de ligne, le désarmement des patriotes de 89 ; pour le surplus, l'Assemblée n'a qu'à se confier aux sections.

Certains membres très modérés de la commission se déclarent prêts à entrer en pourparlers avec les sectionnaires ; mais le vieil esprit révolutionnaire se réveille, et l'heure n'est pas encore venue où les hommes de 89 et de 93 signeront leur abdication. Marie-Joseph Chénier fait entendre un langage énergique :

— Je suis étonné, s'écrie-t-il, qu'on vienne nous parler de ce que demandent des sections en révolte. Il n'y a plus pour la Convention que la victoire ou la mort. Quand l'Assemblée aura vaincu, elle saura distinguer les hommes égarés.

Lanjuinais, royaliste au fond du cœur, cherche à effrayer ses collègues à la pensée de la lutte sanglante qu'on rend ainsi inévitable.

— Mais je vois la guerre civile, réplique-t-il, elle est à nos portes !

— Ce que tu devrais voir, Lanjuinais, lui crie Garreau de Toulon, c'est qu'on veut décimer la Convention et renouveler le 31 mai dans un sens opposé (1).

Lanjuinais le voit, sans doute, aussi bien que lui, mais la perspective ne lui déplaît point.

La discussion se prolonge lorsque, tout à coup, vers quatre heures, éclatent les cris : *Aux armes!* puis le bruit des coups de fusil couvre la voix des orateurs. C'en est fait, la bataille est engagée.

— Restons en place, dit Legendre, et, s'il faut recevoir la mort, recevons-la comme il convient aux fondateurs de la République.

Les conventionnels, à cet appel si souvent entendu déjà, répondent ainsi qu'ils l'ont toujours fait. Chacun regagne sa place et attend, dans un silence recueilli et dans une attitude qui ne manque pas de grandeur, le résultat de la lutte.

D'où est parti le premier coup de feu? Qui a rompu les pourparlers et brusqué une situation trop tendue? A qui faire remonter la responsabilité de l'attaque? Sur ce point, les renseignements sont tellement contradictoires qu'il est impossible d'arriver à une certitude.

(1) *Manuscrit de l'an III.*

Lacretelle déclare que ce fut le conventionnel Dubois-Crancé qui tira un coup de feu de la maison du restaurateur Vénua ; Réal adopte l'opinion du coup de feu tiré de chez Vénua, mais il l'attribue « aux rebelles » qui s'étaient emparés des fenêtres de ce restaurant. Thibaudeau déclare que c'est dans une maison voisine : « Les coups de fusil eurent pour but de faire cesser l'irrésolution des comités et d'empêcher qu'ils consentissent à quelques transactions qui auraient évidemment assuré le triomphe des sections. En effet, ce fut le signal du combat. Bonaparte laissa même croire que c'était lui qui avait fait tirer (1). »

Le témoignage qui semble le plus précis est celui de Thiébault, bien placé pour être exactement renseigné. Voici à ce sujet un passage de ses si intéressants *Mémoires* : « Cependant on demeurait immobile, et cette immobilité provenait de la part des sectionnaires de ce qu'ils ne savaient que faire, de la part des troupes de la Convention de ce que celle-ci avait défendu de commencer le feu. Toutefois il advint que l'adjudant général Solignac, qui, avec une centaine d'hommes du bataillon des patriotes, gardait le passage de Vénua, s'impatienta de cette inaction ; poussé à bout par les bravades des sectionnaires, qui de la rue Saint-Honoré observaient cette maison, il engagea une rixe, que de suite il fit soutenir à coups de fusil. Ainsi c'est là, de chez Vénua et du fait de l'adjudant général Solignac, que le combat commença (2). »

Quoi qu'il en soit de ce point controversé, la lutte une .

---

(1) *Vie de Napoléon,* par THIBAUDEAU.
(2) *Mémoires* du général baron THIÉBAULT, t. I, p. 536-537.

fois engagée se poursuit avec vigueur. Les sectionnaires, du haut des marches de Saint-Roch, font une vive fusillade sur les troupes de ligne, qui en sont un instant ébranlées, mais les patriotes de 89 arrivent à la rescousse. Bonaparte fait pointer les canons et couvre de mitraille les assaillants; quelques décharges ont raison de leur ardeur belliqueuse, et ils cherchent un abri dans l'église : un abri d'abord, puis une retraite.

Quelques-uns des sectionnaires, voyant l'attaque manquée de ce côté, se précipitent vers la section Lepeletier pour prendre les ordres d'un comité militaire formé d'individus réunis au hasard. On y décide une attaque par les quais, et Danican, qui s'imagine avoir appris, en les combattant, le secret des Vendéens, lesquels, avec leurs faux et leurs bâtons, s'emparaient des canons de leurs ennemis, est mis à la tête de la troupe chargée de ce mouvement.

La colonne est forte d'une quinzaine de mille hommes, mais dans le nombre que de non-valeurs ! Beaucoup suivent les grenadiers d'élite qui marchent en tête, avec la pensée d'assister à leur succès plutôt qu'avec celle d'y prendre une part active.

L'incapable Danican déploie sa troupe sur les quais sans penser qu'il offre ainsi une proie facile aux coups de canon. Bonaparte, après avoir triomphé à Saint-Roch, est venu prendre la direction de la défense de ce côté-là. Il laisse les sectionnaires approcher; puis, quand ils sont à bonne portée, c'est-à-dire à soixante ou cinquante pas, il ordonne le feu.

A ce moment, Danican, plus prudent que brave, se jette, avec son état-major, dans la rue de Beaune. Les grenadiers, privés de leur chef, font cependant bonne contenance et ripostent par deux décharges dirigées sur le pont Royal; mais bientôt ils s'aperçoivent que toute la cohue qui les a suivis s'est dispersée et a disparu; ils ne sont plus que deux ou trois mille. Que faire, sans général, sans soutiens? Ils battent en retraite à leur tour (1).

Tout en se retirant, ils songent encore aux moyens de poursuivre la lutte, mais leur isolement ne tarde pas à s'accroître dans le désordre général; la multitude commence à prendre nettement parti pour les vainqueurs.

Il est six heures et demie du soir: la victoire de la Convention est complète.

Merlin de Douai monte à la tribune, et, d'une voix dont il ne peut dissimuler l'émotion :

— Le succès n'est plus douteux, dit-il. La République triomphe sur tous les points de l'attaque; mais ce n'est pas sans douleur que je puis vous le dire, puisque le sang français a coulé (2).

Et, quelques heures après, Barras, le triomphateur du jour, — car, au premier moment, tout l'honneur de la victoire lui revint, — Barras se présente à ses collègues.

— La victoire est à nous, dit-il, et les révoltés seront bientôt forcés dans les postes les plus éloignés, comme ils l'ont été dans ceux qui environnent le Palais-National (3).

« Le reste de la soirée est employé à parcourir la ville, à disperser les rassemblements; on rétablit la correspondance de la Convention avec les chefs-lieux des

(1) *Dix années d'épreuves pendant la Révolution,* par LACRETELLE, lequel faisait partie des grenadiers.
(2) *Manuscrit de l'an III.*
(3) *Essai sur les journées des 13 et 14 vendémiaire.*

sections ; on ramasse les armes dont les rues sont semées ; on lit aux flambeaux des proclamations de clémence et de concorde. Chacun se retire, et la violente commotion de la journée achève de s'amortir dans le silence de la nuit (1). »

La lutte avait fait environ quatre à cinq cents victimes, dans chacun des deux partis. Mais, cette fois, la vengeance ne suivit pas l'excitation du combat, et la Convention, qui s'était montrée impitoyable contre les derniers jacobins, fit preuve d'une grande mansuétude à l'égard des révoltés de Vendémiaire. Deux chefs seuls payèrent de la vie leur participation au mouvement : Lafond, l'ancien colonel de la garde de Louis XVI, et Lebois, l'un des présidents de la section du Théâtre-Français, furent fusillés. Les commissions militaires prononcèrent bien d'autres condamnations, mais par contumace, et l'on mit la plus grande bonne volonté à n'arrêter personne. Danican put se sauver et alla continuer à l'étranger ses louches intrigues. Beaucoup parmi ceux qui avaient été frappés ne prirent même pas la précaution de mettre la frontière entre eux et leurs juges. Il n'en résulta pour eux aucun désagrément, car on ferma les yeux sur leur présence à Paris. L'on cite même le cas du comte de Castellane, qui ne songea point à s'enfuir, pas même à se cacher. Une nuit, rencontré par une patrouille, il eut l'audace de répondre au *qui vive ?* — « Eh ! parbleu ! c'est moi, Castellane le contumace ! »

_____

(1) *Manuscrit de l'an III.*

Menou comparut devant une commission militaire présidée par le général Loison. Sa situation ne laissait pas d'être fort compromise, et, quelques mois auparavant, il eût payé de sa tête sa faiblesse et peut-être ses secrètes complaisances pour les ennemis de la Convention. Mais les gouvernements finissants n'ont point les énergies des pouvoirs à leurs débuts, et la Convention laissa les juges se prononcer avec l'esprit de modération et de clémence dont ils donnaient tant de preuves. Menou, d'ailleurs, avait de chauds protecteurs, entre autres le conventionnel Thibaudeau, et son successeur dans le commandement de l'armée, le général Bonaparte. Celui-ci ne négligea rien pour sauver Menou. Quelques jours après le 13 vendémiaire, il lui écrivit un mot destiné à le rassurer : « J'ai tout vu, on veut vous perdre, mais je ferai tout pour vous sauver, en dépit de la rage qu'ont certains représentants de faire retomber leur sottise sur la tête des généraux. »

Il tint parole, et agit avec vigueur dans cet esprit de solidarité qui unissait en quelque sorte, à ses yeux, la cause de tous les militaires contre les gouvernants civils.

Le 13 vendémiaire marque, à ce point de vue, un changement profond dans la marche de la Révolution. Jusqu'alors, c'étaient les patriotes, les gardes nationaux qui se battaient entre eux ; ce jour-là, l'armée entra dans la lice, et dorénavant tous les coups d'État qui accompagneront l'existence de la République française verront cette ingérence se produire, jusqu'au jour où l'armée chassera la représentation nationale impuissante et déconsidérée pour mettre à la tête de la nation le chef qui la commande.

En attendant ce moment, le général Bonaparte sort de

son obscurité. Dans le premier moment du triomphe, Barras a pris la part du lion, mais peu à peu la vérité se se fait jour. Le 18 vendémiaire, le nom du vrai vainqueur est prononcé à la tribune. Fréron, s'adressant à l'Assemblée, dit à ses collègues :

— N'oubliez pas que vous devez la défense de cette enceinte aux dispositions promptes, habiles et savantes qu'a su prendre ce général.

Six jours après, il est promu général de division, et dix jours ne se sont pas écoulés qu'il devient général en chef de l'armée de l'intérieur. On commence à reconnaître ses mérites et ses talents militaires, mais personne, pas même lui, ne prévoit l'avenir, ou du moins tout l'avenir. Qui aurait pu, d'ailleurs, à cette heure, deviner le futur maître de la France et du monde dans cet officier, dont le baron Fain donne ce portrait : « Il est à peine âgé de vingt-six ans ; sa taille est petite et mince ; sa figure creuse et pâle ; des cheveux longs lui tombent des deux côtés du front ; le reste de sa chevelure, sans poudre, se rattache en queue par derrière. L'uniforme de général de brigade dont il est encore revêtu *a vu le feu* plus d'une fois, et se ressent de la fatigue des bivouacs. La broderie du grade s'y trouve représentée dans toute la simplicité militaire par un galon de soie appelé *système*. Son extérieur n'aurait rien d'imposant, si ce n'était la fierté de son regard... (1). »

Le 13 vendémiaire vit le dernier assaut livré à la Convention ; quelques jours après (6 brumaire an IV- 26 octobre 1795), elle résignait ses pouvoirs. Un nouvel esprit l'animait dont elle voulut donner la preuve avant

(1) *Manuscrit de l'an III.*

de se séparer : elle proclama une amnistie, au bénéfice de laquelle, sagement, elle demanda d'être associée ; puis elle décréta que la place de la Révolution s'appellerait désormais la place de la Concorde, se flattant que la chose suivrait de près le mot.

C'était encore une illusion, mais du moins généreuse, celle-là.

LISTE

DES MEMBRES DE LA CONVENTION NATIONALE

AVEC LEURS VOTES
DANS LE PROCÈS DE LOUIS XVI

Du 15 au 17 janvier, la Convention nationale eut à délibérer sur les quatre questions suivantes :

1º Louis est-il coupable de conspiration contre la liberté de la nation et d'attentat contre la sûreté générale de l'État?

2º Y aura-t-il appel au peuple?

3º Quelle peine sera infligée à Louis?

3º Y aura-t-il sursis?

NOMS des DÉPUTÉS.	LOUIS est-il COUPABLE ?	Y AURA-T-IL appel AU PEUPLE ?	QUELLE PEINE SERA INFLIGÉE ?	Y AURA-T-IL SURSIS ?
Ain.				
DEYDIER............	Oui.	Non.	La mort.	Oui.
GAUTHIER..........	Oui.	Non.	La mort.	Oui.
ROYER.............	Oui.	Oui.	La détention et bannissement à la paix.	Oui.
JAGOT	Absent par commission aux quatre appels.			
MOLLET............	Oui.	Oui.	La détention et le bannissement quand la sûreté publique le permettra.	Oui.
MERLINOT..........	Oui.	Non.	La mort.	Non.
Aisne.				
QUINETTE (1)........	Oui.	Non.	La mort.	Non.
J. DEBRY (2):........	Oui.	Non.	La mort.	Non.
BEFFROY...........	Oui.	Oui.	La mort.	Non.
FAUCHEROT	Oui.	Non.	La mort avec sursis déterminé par la Convention (proposition indivisible).	Oui.
SAINT-JUST (3).......	Oui.	Non.	La mort.	Non.
BELIN	Oui.	Oui.	La détention.	Oui.
PETIT..............	Oui.	Oui.	La mort.	Non.
CONDORCET (4)	Oui.	Non.	La peine la plus forte qui ne soit pas celle de mort.	Ne vote pas.
FIQUET	Oui.	Oui.	La réclusion et la déportation à la paix.	Oui.
LECARLIER..........	Oui.	Non.	La mort.	Non.
LOYSEL.............	Oui.	Oui.	La mort.	Oui.
DUPIN jeune........	Oui.	Non.	La peine la plus forte qui ne soit pas celle de mort.	Non.
Allier.				
CHEVALIER..........	Oui.	Oui.	S'abstient de voter.	Ne vote pas.
MARTEL	Oui.	Non.	La mort dans les vingt-quatre heures.	Non.
PETIT-JEAN	Oui.	Non.	Id.	Non.
FORESTIER	Oui.	Non.	Id.	Non.
BEAUCHAMP	Absent par commission aux quatre appels.			
GIRAUD............	Oui.	Non.	La mort.	Absent par maladie.

(1) Livré aux Autrichiens par Dumouriez, il a été retenu prisonnier pendant deux ans, puis échangé avec la fille de Louis XVI (décembre 1795) ; plus tard membre de la commission de la revision des comptes des communes, supprimée en juin 1814.

(2) Nommé baron, commandeur de la Légion d'honneur, préfet du Doubs ; révoqué en avril 1814.

(3) Guillotiné avec Robespierre le 10 thermidor an III.

(4) Ex-marquis, secrétaire de l'Académie française, mis hors la loi après les journées de mai et juin 1793 ; arrêté à Bourg-la-Reine ; s'est empoisonné dans sa prison (mars 1794).

NOMS des DÉPUTÉS.	LOUIS est-il COUPABLE?	Y AURA-T-IL appel AU PEUPLE?	QUELLE PEINE SERA INFLIGÉE?	Y AURA-T-IL SURSIS?
VIDALIN.............	Oui.	Non.	La mort.	Absent par commission.
Hautes-Alpes.				
BARETY.............	Oui.	Oui.	La détention, exil à la paix.	Oui.
BOREL..............	Oui.	Oui.	La détention, bannissement à la paix.	Oui.
IZOARD	Oui.	S'abstient.	La détention, sauf mesures ultérieures.	Oui.
SERRES	Oui.	Oui.	La détention, bannissement à la paix.	Oui.
CASENEUVE.........	Oui.	Oui.	Id.	Oui.
Basses-Alpes.				
VIDALLIN	Oui.	Oui.	Id.	Oui.
Cl.-Louis REGNIS.....	Oui.	Oui.	La détention sous peine de mort.	Oui.
DERBEZ-LATOUR	Oui.	Non.	La mort.	Non.
MAISSE.............	Oui.	Oui.	La mort.	Absent par maladie.
PEYRE.............	Oui.	Oui.	La mort.	Non.
M.-Ant. SAVORNIN ...	Oui.	Non.	La mort.	Non.
Ardèche.				
BOISSY D'ANGLAS (1)..	Oui.	Oui.	La détention et le bannissement quand la sûreté publique le permettra.	Oui.
SAINT-PRIX.........	Oui.	Oui.	La mort.	Oui.
GAMON.............	Oui.	Oui.	La mort.	Oui.
SAINT-MARTIN.......	Oui.	Oui.	La détention et bannissement à la paix.	Oui.
GARILHE	Oui.	Oui.	Id.	Oui.
GLEIZAL	Oui.	Non.	La mort.	Oui.
COREN-FUSTIER......	Oui.	Oui.	La détention et bannissement à la paix.	Oui.
Ardennes.				
BLONDEL...........	Oui.	Oui.	La détention; la mort en cas d'invasion.	Oui.
FERRY.............	Oui.	Non.	La mort.	Non.
MENESSON	Oui.	Oui.	La détention.	Oui.
DUBOIS-CRANCÉ......	Oui.	Non.	La mort.	Non.
VERMON	Oui.	Oui.	La détention jusqu'à la paix, la mort en cas d'invasion.	Oui.

(1) Sénateur en 1804, comte et grand officier de la Légion d'honneur, pair de France sous la Restauration.

NOMS des DÉPUTÉS.	LOUIS est-il COUPABLE?	Y AURA-T-IL appel AU PEUPLE?	QUELLE PEINE SERA INFLIGÉE?	Y AURA-T-IL SURSIS?
ROBERT.............	Oui.	Non.	La mort.	Non.
BAUDIN	Oui.	Oui.	La reclusion et la déportation à la paix.	Oui.
THIERRIET	Oui.	Oui.	La détention perpétuelle.	Oui.
Ariège.				
VADIER	Oui.	Non.	La mort.	Non.
CLAUZEL............	Oui.	Non.	La mort.	Non.
CAMPMARTIN	Oui.	Non.	La mort.	Non.
ESPERT.............	Oui.	Non.	La mort.	Non.
LAKANAL (1)........	Oui.	Non.	La mort.	Non.
GASTON.............	Oui.	Non.	La mort.	Non.
Aube.				
COURTOIS	Oui.	Non.	La mort.	Non.
ROBIN	Oui.	Non.	La mort.	Non.
PERRIN	Oui.	Non.	La détention et bannissement à la paix.	Oui.
DUVAL	Oui.	Oui.	La mort.	Oui.
BONNEMAIN..........	Oui.	Oui.	La mort.	Oui.
PIERRET	Oui.	Oui.	La mort.	Oui.
DOUGE	Oui.	Oui.	La mort.	Oui.
GARNIER............	Absent.	Non.	La mort.	Non.
RABAUT (2)..........	Oui.	Oui.	La détention et bannissement à la paix.	Oui.
Aude.				
AZÉMA..............	Oui.	Non.	La mort.	Non.
BONNET.............	Oui.	Non.	La mort.	Non.
RAMEL	Oui.	Oui.	La mort.	Non.
TOURNIER	Oui.	Oui.	La détention et bannissement à la paix.	Oui.
MARRAGON	Oui.	Oui.	La mort.	Non.
PÉRIÈS jeune	Oui.	Oui.	La détention et bannissement à la paix.	Oui.
MORIN..............	Oui.	Oui.	Le bannissement.	Oui.
GIRARD.............	Oui.	Oui.	La mort.	Oui.
Aveyron.				
BO	Oui.	Non.	La mort.	Non.
SAINT-MARTIN-VALOGNE	Oui.	Oui.	La détention et bannissement à la paix.	Oui.
LOBINHES	Oui.	Oui.	Id.	Oui.

(1) Ex-vicaire, commissaire nommé pour surveiller les travaux de l'École normale.
(2) Ex-ministre protestant, guillotiné le 5 décembre 1793.

NOMS des DÉPUTÉS.	LOUIS est-il COUPABLE ?	Y AURA-T-IL appel AU PEUPLE ?	QUELLE PEINE SERA INFLIGÉE ?	Y AURA-T-IL SURSIS ?
BERNARD SAINT-AFRIQUE...............	Oui.	Non.	La détention.	Oui.
CAMBOULAS...........	Oui.	Non.	La mort.	Non.
SECONDE.............	Oui.	Non.	La mort.	Non.
Joseph LACOMBE.....	Oui.	Non.	La mort.	Non.
LOUCHET.............	Oui.	Non.	La mort dans le plus bref délai.	Non.
VALADY	S'abstient.	Oui.	La détention.	Oui.
Bouches-du-Rhône.				
J. DUPRAT (1).......	Oui.	Oui.	La mort.	Non.
REBECQUY (2)........	Oui.	Oui.	La mort.	Non.
BARBAROUX (3)......	Oui.	Oui.	La mort.	Non.
GRANET.............	Oui.	Oui.	La mort dans les vingt-quatre heures.	Non.
DURAND DE MAILLANE	Oui.	Oui.	La détention et bannissement à la paix sous peine de mort.	Absent par maladie.
GASPARIN	Oui.	Non.	La mort.	Non.
Moyse BAYLE........	Oui.	Non.	La mort dans les vingt-quatre heures.	Non.
DEPERRET (4)........	Oui.	Oui.	Réclusion et bannissement à la paix.	Oui.
BAILLE (5)...........	Oui.	Non.	La mort.	Non.
ROVÈRE	Oui.	Non.	La mort.	Non.
PÉLISSIER...........	Oui.	Non.	La mort.	Non.
LAURENT............	Oui.	Non.	La mort.	Non.
Calvados.				
FAUCHET (6)........	Oui.	Oui.	La détention, bannissement à la paix.	Oui.
DUBOIS-DUBAIS (7) ...	Oui.	Oui.	La mort.	Oui.
LOMONT	S'abstient.	Oui.	La détention, la déportation à la paix.	Oui.
Henri LARIVIÈRE.....	Id.	Oui.	La détention, exil à la paix.	Oui.
BONNET	Oui.	Non.	La mort.	Non.
VARDON	Oui.	Oui.	La détention, bannissement à la paix.	Oui.

(1) Guillotiné à Paris (novembre 1793).
(2) Mis hors la loi, s'est noyé à Marseille.
(3) Mis hors la loi, guillotiné à Bordeaux (juin 1793).
(4) Guillotiné à Paris (31 octobre 1793).
(5) Assassiné à Toulon.
(6) Ex-évêque, guillotiné à Paris (31 octobre 1793).
(7 Comte et sénateur sous l'Empire.

NOMS des DÉPUTÉS.	LOUIS est-il COUPABLE?	Y AURA-T-IL appel AU PEUPLE?	QUELLE PEINE SERA INFLIGÉE?	Y AURA-T-IL SURSIS?
DOULCET (1).........	Oui.	Non.	La détention, bannissement à la paix.	Oui.
TAVEAU.............	Oui.	Oui.	La mort.	Oui.
JOUENNE	Oui.	Non.	La mort.	Non.
DUMONT	Oui.	Non.	La réclusion.	Oui.
CUSSY (2)...........	Oui.	Oui.	La détention, bannissement à la paix.	Oui.
LEGOT.............	Oui.	Oui.	Id.	Oui.
Phil. DELLEVILLE	Oui.	Oui.	Id.	Oui.
Cantal.				
THIBAULT..........	Oui.	Oui.	La détention.	Oui.
MILHAUD	Oui.	Non.	La mort dans les vingt-quatre heures.	Non.
MÉJANSAC..........	Oui.	Oui.	La détention, bannissement à la paix.	Absent par maladie.
LACOSTE...........	Oui.	Non.	La mort dans les vingt-quatre heures.	Non.
CARRIER (3)	Oui.	Non.	La mort.	Non.
J. MAILLE..........			Absent.	
CHABANON	Oui.	Oui.	La détention, bannissement à la paix.	Oui.
PEUVERGUE	Oui.	Oui.	Id.	Oui.
Charente.				
BELLEGARDE	Oui.	Non.	La mort.	Non.
GUIMBERTEAU	Oui.	Non.	La mort.	Non.
CHAZAUD...........	Oui.	Non.	La mort.	Non.
CHÉDANEAU	Oui.	Non.	La mort.	Oui.
RIBEREAU..........	Oui.	Oui.	La mort.	Non.
DEVARS	Oui.	Oui.	La détention et le bannissement à la paix.	Oui.
BRUN..............	Oui.	Oui.	La mort.	Non.
CREVELIER	Oui.	Oui.	La mort dans les vingt-quatre heures.	Non.
MAULDE	Oui.	Oui.	La détention.	Oui.
Charente-Inférieure.				
BERNARD...........	Oui.	Non.	La mort.	Non.
BRÉART	Oui.	Non.	La mort.	Non.
ESCHASSÉRIAUX......	Oui.	Non.	La mort.	Non.

(1) Marquis de Pontécoulant, sénateur, comte et commandeur de la Légion d'honneur sous l'Empire, pair de France sous la Restauration.
(2) Guillotiné à Paris (novembre 1793).
(3) Célèbre par ses cruautés à Nantes guillotiné à Paris (décembre 1794).

NOMS des DÉPUTÉS.	LOUIS est-il COUPABLE?	Y AURA-T-IL appel AU PEUPLE?	QUELLE PEINE SERA INFLIGÉE?	Y AURA-T-IL SURSIS?
NIOU	Oui.	Non.	La mort.	Non.
RUAMPS.	Oui.	Non.	La mort.	Non.
GARNIER	Oui.	Non.	La mort.	Non.
DECHEZEAU (1)	Oui.	Non.	La détention et le bannissement quand la tranquillité publique le permettra.	Non.
DOZEAU	Oui.	Non.	La mort.	Non.
GIRAUD	Oui.	Non.	Détention, bannissement à la paix.	Oui.
VINET	Oui.	Non.	La mort.	Oui.
DAUTRICHE.	Oui.	Oui.	La détention.	
Cher.				
ALLASSŒUR.	Oui.	Oui.	Détention, bannissement à la paix.	Oui.
BAUCHETON	Oui.	Oui.	Id.	Oui.
DUGENNE	Oui.	Oui.	Id.	Oui.
FOUCHER.	Oui.	Non.	La mort.	Absent par commission.
FAUVRE-LABRUNERIE.	Oui.	Non.	La mort.	Non.
PELLETIER	Oui.	Oui.	La mort.	Oui.
Corrèze.				
BRIVAL	Oui.	Non.	La mort dans le plus bref délai.	Non.
BORIE	Oui.	Oui.	La mort.	Non.
LAFOND			Ne vote pas (2).	
CHAMBON	Oui.	Oui.	La mort.	S'abstient.
LIDON	Oui.	Oui.	La mort.	Non.
LANOT	Oui.	Non.	La mort dans les délais de la loi.	Non.
PÉNIÈRE	Oui.	Non.	La mort. Il demande pour l'avenir l'abolition de la peine de mort.	Non.
Corse.				
MOTTREDO	Oui.	Non.	La détention pendant la guerre.	Absent par maladie.
SALICETTI	Oui.	Non.	La mort.	Non.
CHIAPPE	Oui.	Oui.	La détention, déportation à la paix.	Absent par maladie.

(1) Guillotiné à Rochefort (janvier 1794).
(2) Il ne faisait partie de la Convention que depuis peu de jours, comme suppléant de feu Gémina.

NOMS des DÉPUTÉS.	LOUIS est-il COUPABLE?	Y AURA-T-IL appel AU PEUPLE?	QUELLE PEINE SERA INFLIGÉE?	Y AURA-T-IL SURSIS?
CASABIANCA.........	Oui.	Non.	La détention, sauf aux représentants du peuple à prendre des mesures suivant les circonstances.	Oui.
ANDREY............	Oui.	Oui.	La reclusion tant que le salut public l'exigera.	Oui.
BUZIO	Oui.	Oui.	La détention, bannissement à la paix.	Absent.
Côte-d'Or.				
BAZIRE (1)..........	Oui.	Non.	La mort.	Non.
GUYTON-MORVEAU (2).	Oui.	Non.	La mort.	Non.
PRIEUR	Oui.	Non.	La mort.	Non.
OUDOT (3)..........	Oui.	Non.	La mort.	Non.
GUIOT (Florent) (4)...	Oui.	Non.	La mort.	Non.
LAMBERT...........	Oui.	Oui.	La détention.	Absent par maladie.
MAREY jeune	Oui.	Oui.	La détention.	Oui.
TRULLARD	Oui.	Non.	La mort.	Non.
RAMEAU	Oui.	Non.	Bannissement perpétuel, sans préjudice des mesures à prendre contre la famille.	Oui.
BERLIER (5).........	Oui.	Non.	La mort.	Non.
Côtes-du-Nord.				
COUPPÉ............	Oui.	Non.	La détention, bannissement à la paix.	Oui.
FLEURY............	Oui.	Oui.	Id.	Oui.
GIRAULT...........	Oui.	Oui.	Id.	Oui.
CHAMPEAUX........	Oui.	Oui.	La détention.	Oui.
GAUTHIER jeune......	Oui.	Non.	La détention perpétuelle.	Oui.
GUYOMAR	Oui.	Oui.	Ne se prononce pas.	Oui.
LONCLE............	Oui.	Non.	La mort.	Non.
GOUDELIN..........	Oui.	Oui.	La détention.	Oui.
Creuse.				
HUGUET (6)	Oui.	Oui.	La mort.	Non.
DEBOURGES.........	Oui.	Oui.	Refuse de voter.	

(1) Compromis dans l'affaire de la Compagnie des Indes, guillotiné à Paris le 5 avril 1794.
(2) Baron, décoré et administrateur des Monnaies sous l'Empire, démissionnaire à la Restauration.
(3) Conseiller à la Cour de cassation, chevalier de la Légion d'honneur.
(4) Consul à Tripoli (Syrie).
(5) Comte, commandeur de la Légion d'honneur, conseiller d'Etat, président du conseil des prises sous l'Empire.
(6) Ex-évêque constitutionnel, fusillé au camp de Grenelle (octobre 1796).

NOMS des DÉPUTÉS.	LOUIS est-il COUPABLE?	Y AURA-T-IL appel AU PEUPLE?	QUELLE PEINE SERA INFLIGÉE?	Y AURA-T-IL SURSIS?
COUTISSON-DUMAS . . .	Oui.	Oui.	La reclusion.	Oui.
GUYÈS	Oui.	Oui.	La mort.	Non.
JAURAND	Oui.	Oui.	La détention, bannissement à la paix.	Non.
BARAILLON	Refuse de voter.	Oui.	La détention.	Oui.
TEXIER	Oui.	Oui.	La détention.	Non.
Dordogne.				
LAMARQUE (1)		Non.	La mort.	Non.
PINET aîné		Non.	La mort.	Non.
LACOSTE.		Non.	La mort.	Non.
ROUX - FAZILLAC.	Oui.	Non.	La mort.	Non.
TAILLEFER	Oui.	Non.	La mort.	Non.
PEYSSARD.	Oui.	Non.	La mort.	Non.
CAMBERT.	Oui.	Non.	La mort.	Absent par maladie.
ALLAFORT.	Oui.	Oui.	La mort.	Non.
MEYNARD	Refuse de voter.	Oui.	La détention.	Oui.
BOUQUIER.	Oui.	Non.	La mort.	Non.
Doubs.				
QUIROT	Oui.	Non.	La reclusion, bannissement à la paix.	Non.
MICHAUD	Oui.	Non.	La mort.	Non.
SÉGUIN	Oui.	Oui.	La détention, bannissement à la paix.	Oui.
MONNOT	Oui.	Non.	La mort.	Non.
VERNETEY.	Oui.	Non.	La mort.	Non.
BESSON	Oui.	Non.	La mort.	Non.
Drôme.				
JULLIEN.	Oui.	Non.	La mort.	Non.
SAUTEYRA.	Oui.	Non.	La mort.	Non.
GÉRENTE	Oui.	Oui.	La détention, déportation à la paix.	Oui.
MARBOZ	Oui.	Oui.	La détention.	Oui.
BOISSET.	Oui.	Non.	La mort.	Non.
COLAUD LA SALCETTE.	Oui.	Oui.	La détention.	Oui.
JACOMIN	Oui.	Non.	La mort.	Non.
FAYOLLE.	Oui.	Non.	La détention, bannissement à la paix.	Oui.
MARTINEL.	Oui.	Oui.	Id.	Oui.

(1) Livré par Dumouriez aux Autrichiens, échangé contre la fille de Louis XVI, décoré, conseiller à la Cour de cassation.

NOMS des DÉPUTÉS.	LOUIS est-il COUPABLE ?	Y AURA-T-IL appel AU PEUPLE ?	QUELLE PEINE SERA INFLIGÉE ?	Y AURA-T-IL SURSIS ?
Eure.				
Buzot (Léonard) (1)..	Oui.	Oui.	La mort.	Oui.
Duroy	Oui.	Non.	La mort, exécution sur-le-champ.	Non.
Lindet . . . . : . .	Oui.	Non.	La mort.	Non.
Richoux.	Oui.	Oui.	La détention, bannissement à la paix.	Oui.
Lemaréchal	Oui.	Oui.	Id.	Oui.
Topsent.	Absent par maladie aux quatre appels.			
Bouillerot.	Oui.	Non.	La mort.	Non.
Vallée.	Oui.	Oui.	La détention.	Oui.
Savary.	Oui.	Oui.	La détention jusqu'à la paix.	Oui.
Dubusc.		Oui.	La détention, bannissement quand la sûreté publique le permettra.	Oui.
Robert Lindet.	Oui.	Non.	La mort.	Non.
Eure-et-Loir.				
Delacroix.	Absent par congé.		La mort.	Non.
Brissot (2) . . . . ·.	Oui.	Oui.	La mort avec sursis jusqu'à la ratification de la Constitution par le peuple.	Oui.
Péthion (3)	Oui.	Oui.	La mort.	Oui.
Giroust	Oui.	Oui.	La réclusion.	Oui.
Lesage.	Oui.	Oui.	La mort.	Oui.
Loiseau	Oui.	Non.	La mort.	Non.
Bourgeois.	Oui.	Oui.	Absent par maladie.	
Chales.	Oui.	Non.	La mort.	Non.
Fremenger . . . . ·.	Oui.	Non.	La mort.	Non.
Finistère.				
Bohan.	Oui.	Oui.	La mort.	Oui.
Blad . . . . :	Oui.	Oui.	La mort avec sursis jusqu'au moment de l'expulsion des Bourbons.	Non.
Guezno	Oui.	Non.	La mort.	
Marec.	Oui.	Oui.	La détention, bannissement à la paix.	Non.
J. Quinec.	Oui.	Oui.	Id.	Oui.
Kervelegan	Oui.	Oui.	Id.	Oui.

(1) Mis hors la loi après le 31 mai 1793 ; trouvé mort dans un champ du département de la Gironde, à moitié dévoré par les oiseaux de proie.

(2) Guillotiné à Paris le 31 octobre 1793.

(3) Ex-maire de Paris, mis hors la loi après le 31 mai, trouvé mort dans un champ à côté de son collègue Buzot (Gironde).

NOMS des DÉPUTÉS.	LOUIS est-il COUPABLE?	Y AURA-T-IL appel AU PEUPLE?	QUELLE PEINE SERA INFLIGÉE?	Y AURA-T-IL SURSIS?
GUERMEUR	Oui.	Non.	La mort.	Non.
COMMAIRE	Oui.	Oui.	La détention, bannissement à la paix.	Oui.
Gard.				
LEYRIS	Oui.	Non.	La mort.	Non.
BERTHEZÈNE	Oui.	Oui.	La mort.	Oui.
Henri VOULLAND	Oui.	Non.	La mort.	Non.
AUBRY	Oui.	Non.	La mort avec sursis jusqu'après la ratification de la Constitution par le peuple.	Oui.
JAC	Oui.	Oui.	Id.	Oui.
BALLA	Oui.	Oui.	La détention, bannissement quand la sûreté publique le permettra.	Oui.
RABAUT	Oui.	Oui.	La mort.	Oui.
CHAZAL fils	Oui.	Oui.	La mort.	Oui.
Haute-Garonne.				
MAILHE	Oui.	Non.	La mort.	Oui.
DELMAS	Oui.	Non.	La mort.	Non.
PROJEAN	Oui.	Non.	La mort.	Non.
PÉRÈS	Oui.	Oui.	La reclusion, expulsion à la paix.	Oui.
ESTADINS	Oui.	Oui.	Id.	Oui.
JULIEN (1)	Oui.	Non.	La mort.	Non.
CALÈS	Oui.	Non.	La mort.	Non.
AYRAL	Oui.	Oui.	La mort.	Non.
DESASCY	Oui.	Non.	La mort.	Non.
ROUZET		Oui.	Reclusion à temps.	Oui.
DRULHE	Oui.	Oui.	La détention.	Oui.
MAZADE	Oui.	Oui.	La reclusion perpétuelle.	Oui.
Gers.				
LAPLAIGNE	Oui.	Non.	La mort.	Non.
MARIBON-MONTAUT	Oui.	Non.	La mort.	Non.
DESCAMPS	Oui.	Non.	La mort.	Non.
CAPPIN	Oui.	Oui.	La reclusion jusqu'à l'affermissement de la liberté, et bannissement ensuite.	Oui.
BARBEAU-DUBARRAN	Oui.	Non.	La mort.	Non.
LAGUIRE	Oui.	Non.	La mort.	Non.
ICHON	Oui.	Non.	La mort.	Non.

(1) Julien de Toulouse, compromis dans l'affaire de la Compagnie des Indes, s'est soustrait par la fuite à la guillotine, plus tard amnistié.

NOMS des DÉPUTÉS.	LOUIS est-il COUPABLE?	Y AURA-T-IL appel AU PEUPLE?	QUELLE PEINE SERA INFLIGÉE?	Y AURA-T-IL SURSIS?
Bousquet..........	Oui.	Non.	La mort.	Non.
Moysset..........	Oui.	Oui.	La reclusion, expulsion à la paix.	Oui.
Gironde.				
Vergniaud (1).......	Oui.	Oui.	La mort.	Non.
Gensonné (2)........	Oui.	Oui.	La mort.	Non.
Guadet (3)..........	Oui.	Oui.	La mort.	Oui.
Grangeneuve (4)....	Oui.	Oui.	La détention.	Ne vote pas.
G. de Sainte-Croix..	Oui.	Non.	La mort.	Non.
Ducos (5)..........	Oui.	Non.	La mort.	Non.
Boyer-Fonfrède (6).	Oui.	Non.	La mort.	Non.
Lacaze (7)..........	Oui.	Non.	La reclusion.	Absent par maladie.
Garraud...........	Oui.	Non.	La mort.	Non.
Duplantier (8)......	Oui.	Non.	La mort.	Non.
Deleyre	Oui.	Non.	La mort.	Non.
Bergouint..........	Oui.	Oui.	La reclusion.	Oui.
Hérault.				
Cambon............	Oui.	Non.	La mort.	Non.
Bonnier...........	Oui.	Non.	La mort.	Non.
Curée.............	Oui.	Non.	La reclusion, déportation à la paix.	Oui. Oui.
Viennet...........	Oui.	Oui.	La reclusion.	Oui.
Rouyer............	Oui.	Oui.	La mort.	Non.
Cambacérès (9)......	Oui.	Non.	La mort.	Oui.
Brunel............	Oui.	Non.		Oui.
Fabre.............	Oui.	Non.	La mort.	Non.
Castilhon	Oui.	Non.	La reclusion, bannissement à la paix.	Oui.
Ille-et-Vilaine.				
Lanjuinais (10)......	Oui.	Oui.	La reclusion, bannissement à la paix sous peine de mort.	Oui.
Defermon (11)......	Oui.	Oui.	La reclusion.	Oui.
Duval.............	Oui.	Non.	La mort.	Non.
Sevestre	Oui.	Non.	La mort.	Non.

(1 et 2) Mis hors la loi, guillotinés à Paris le 31 octobre 1793.
(3) Mis hors la loi, guillotiné à Bordeaux le 20 juin 1793.
(4, 5, 6 et 7) Mis hors la loi le 31 mai, guillotinés à Paris le 31 octobre 1793.
(8) Baron, décoré, préfet jusqu'en juin 1814.
(9) Consul, sénateur, prince, archichancelier de l'Empire.
(10) Mis hors la loi après le 31 mai, sénateur et comte sous l'Empire, pair de France sous la Restauration.
(11) Comte, conseiller d'État, ministre d'État sous l'Empire.

NOMS des DÉPUTÉS.	LOUIS est-il COUPABLE?	Y AURA-T-IL appel AU PEUPLE?	QUELLE PEINE SERA INFLIGÉE?	Y AURA-T-IL SURSIS?
CHAUMONT	Oui.	Non.	La mort.	Non.
LEBRETON	Oui.	Non.	La reclusion à perpétuité.	Non.
DUBIGNON	Oui.	Non.	La détention.	Non.
OBELIN	Oui.	Oui.	La détention, déportation à la paix.	Oui.
BEAUGEARD	Oui.	Non.	La mort.	Non.
TARDIVAUX	Oui.	Non.	La détention.	Oui.
Indre.				
PORCHER	Oui.	Oui.	La détention, bannissement à la paix.	Oui.
THABAUD	Oui.	Non.	La mort.	Non.
PÉPIN	Oui.	Non.	La détention, déportation à la paix.	Non.
BOUDIN	Oui.	Oui.	Id.	Oui.
LEJEUNE	Oui.	Non.	La mort.	Non.
DERAZEY	Oui.	Oui.	La reclusion ou la déportation suivant les circonstances.	Oui.
Indre-et-Loire.				
NIOCHE	Oui.	Non.	La mort.	Non.
J. DUPONT	Oui.	Non.	La mort.	Absent par maladie.
POTTIER	Oui.	Non.	La mort.	Non.
GARDIEN	Oui.	Oui.	La reclusion, déportation à la paix.	Oui.
RUELLE	Oui.	Non.	La mort.	Non.
CHAMPIGNY-CLÉMENT	Oui.	Non.	La mort.	Non.
YSABEAU	Oui.	Non.	La mort.	Non.
BODIN	Oui.	Non.	La reclusion, bannissement sous peine de mort un an après la paix.	Oui.
Isère.				
BAUDRAN	Oui.	Non.	La mort.	Non.
GENEVOIS	Oui.	Non.	La mort.	Non.
SERVONAT	Oui.	Oui.	La reclusion, bannissement à la paix sous peine de mort.	Oui.
AMAR	Oui.	Non.	La mort.	Non.
PRUNELLE DE LIERRE	Oui.	Non.	Bannissement sans délai avec toute sa famille sous peine de mort.	Absent par maladie.
RÉAL	Oui.	Oui.	La détention.	Non.
BOISSIEU	Oui.	Non.	La détention, bannissement à la paix,	Non.

NOMS des DÉPUTÉS.	LOUIS est-il COUPABLE?	Y AURA-T-IL appel AU PEUPLE?	QUELLE PEINE SERA INFLIGÉE?	Y AURA-T-IL SURSIS?
GÉNISSIEU............	Oui.	Non.	La mort.	Oui.
CHARREL............	Oui.	Non.	La mort.	Non.
Jura.				
VERNIER...........	Oui.	Oui.	La détention, bannissement à la paix.	Oui.
LAURENÇOT.........	Oui.	Oui.	Id.	Oui.
GRENOT............	Oui.	Oui.	La mort.	Oui.
PROST.............	Oui.	Non.	La mort.	Non.
AMYON DE POLIGNY..	Oui.	Oui.	La mort.	Non.
BABEY.............	Oui.	Oui.	La détention, bannissement à la paix sous peine de mort.	Oui.
FERROUX DE SALINS..	Oui.	Oui.	La mort.	Oui.
BONGUYODE.........	Oui.	Oui.	Détention perpétuelle, sauf à la commuer en déportation.	Oui.
Landes.				
DARTIGOYTE........	Oui.	Oui.	La mort sans délai.	Non.
LEFRANC...........	Oui.	Non.	La reclusion, bannissement à la paix.	Oui.
CADROY............	Oui.	Non.	La détention.	Oui.
DUCOS aîné.........	Oui.	Non.	La mort.	Non.
DIZÈS..............	Oui.	Non.	La mort.	Non.
SAURINE...........	Oui.	Oui.	La détention.	Oui.
Loir-et-Cher.				
GRÉGOIRE (1).......	Absent par commission.			
CHABOT (2).........	Oui.		La mort.	Non.
BRISSON...........	Oui.		La mort.	Non.
FRESSINE..........	Oui.	Non.	La mort.	Non.
LECLERC...........	Oui.	Non.	La détention perpétuelle.	Oui.
VENAILLE..........	Oui.	Non.	La mort.	Non.
FOUSSEDOIRE.......	Oui.	Non.	La mort.	Non.
Haute-Loire.				
REYNAUD...........	Oui.	Non.	La mort.	Non.
FAURE.............	Oui.	Non.	La mort, exécution dans le jour.	Non.
DELCHER...........	Oui.	Non.	La mort.	Non.
FLAGEAS...........	Oui.	Non.	La mort.	Non.
BONET fils.........	Oui.	Oui.	La mort.	Oui.
CAMUS.............	Absent par commission.			
BARTHÉLEMY........		Oui.	La mort.	Non.

1) Ex-évêque constitutionnel, comte et sénateur sous l'Empire.
(2) Compromis dans l'affaire de la Compagnie des Indes, guillotiné le 5 avril 1794.

NOMS des DÉPUTÉS.	LOUIS est-il COUPABLE?	Y AURA-T-IL appel AU PEUPLE?	QUELLE PEINE SERA INFLIGÉE?	Y AURA-T-IL SURSIS?
Loire-Inférieure.				
MEAULLE	Oui.	Non.	La mort.	Non.
LEFEBVRE	Oui.	Oui.	Reclusion et déportation à la paix.	Oui.
CHAILLON	Oui.	Oui.	Id.	Oui.
MELLINET	Oui.	Oui.	Id.	Oui.
VILLERS.	Oui.	Non.	La mort.	Non.
FOUCHÉ (1)	Oui.	Non.	La mort.	Non.
JARRY	Oui.	Oui.	Reclusion, bannissement à la paix.	Oui.
COUSTARD.	Oui.	Oui.	Id.	Oui.
Loiret.				
GENTIL	Oui.	Oui.	Détention, déportation à la paix.	
GARRAN-COULON.	Oui.	Oui.	Reclusion comme mesure de sûreté générale.	Oui.
LEPAGE.	Oui.	Oui.	La détention, bannissement à la paix.	Oui.
PELLÉ	Oui.	Non.	Id.	Oui.
LOMBARD-LACHAUX . .	Oui.	Non.	La mort.	Oui.
GUÉRIN.	Oui.	Non.	La détention, expulsion à la paix.	Oui.
DELAGUEULE	Oui.	Non.	La mort.	Non.
LOUVET (2)	Oui.	Oui.	La mort sous condition expresse de surseoir jusqu'après l'établissement de la Constitution.	Oui.
Léonard BOURDON . . .	Oui.	Non.	La mort, exécution dans les vingt-quatre heures.	Non.
Lot.				
LABOISSIÈRE	Oui.	Non.	La mort.	Oui.
CLEDEL	Oui.	Non.	La mort.	Non.
SALLÈLES	Oui.	Oui.	La reclusion, bannissement à la paix.	Oui.
Jean BON-SAINT-ANDRÉ (3)	Oui.	Non.	La mort.	Non.
MONTMAYOU.	Oui.	Non.	La mort.	Non.
CAVAIGNAC.	Oui.	Non.	La mort.	Non.
BOUYGNES	Oui.	Non.	La reclusion.	Oui.
CAYLA	Oui.	Non.	Absent par maladie.	

(1) Nommé duc d'Otrante et ministre de la police sous l'Empire, ambassadeur à Dresde sous Louis XVIII, mort exilé en 1820.
(2) Auteur du roman de *Faublas*, consul à Palerme sous l'Empire.
(3) Baron et préfet de Mayence sous l'Empire.

NOMS des DÉPUTÉS.	LOUIS est-il COUPABLE?	Y AURA-T-IL appel AU PEUPLE?	QUELLE PEINE SERA INFLIGÉE?	Y AURA-T-IL SURSIS?
DELBREL............	Oui.	Non.	La mort.	Oui.
ALBOUYS...........	Oui.	Non.	La reclusion, bannissement à la paix.	Oui.
Lot-et-Garonne.				
VIDALOT	Oui.	Non.	La mort.	Non.
LAURENT...........	Oui.	Oui.	La reclusion.	Oui.
PAGANEL...........	Oui.	Non.	La mort.	Oui.
CLAVERYE	Oui.	Oui.	La reclusion, bannissement à la paix.	Oui.
LAROCHE...........	Oui.	Oui.	Id.	Oui.
BOUSSION	Oui.	Oui.	La mort.	Non.
CUYET-LAPRADE	Oui.	Oui.	Détention, bannissement à la paix.	Oui.
FOURNEL...........	Oui.	Non.	La mort.	Oui.
NOGUER	Oui.	Oui.	La reclusion.	Oui.
Lozère.				
BARROT............	Oui.	Oui.	La déportation.	Non.
CHATEAUNEUF - RAN - DON	Oui.	Non.	La mort.	Non.
SERVIÈRE	Oui.	Non.	La détention.	Absent par maladie.
MONESTIER.........	Oui.	Non.	La mort avec sursis jusqu'à la paix.	Non.
PELET	Absent par commission.			
Maine-et-Loire.				
CHOUDIEU..........	Oui.	Non.	La mort.	Non.
DELAUNAY aîné (1)....	Oui.	Non.	La mort.	Non.
DEHOUILLÈRES.......	Oui.	Oui.	La reclusion, sa déportation à la paix avec sa famille.	Absent.
LA RÉVELLIÈRE - LÉ - PAUX (2)	Oui.	Non.	La mort.	Non.
PILASTRE	Oui.	Non.	Reclusion, bannissement à la paix.	Oui.
DAUDENAC aîné	Oui.	Oui.	Id.	Oui.
LECLERC...........	Oui.	Non.	La mort.	Non.
DELAUNAY jeune	Oui.	Non.	Reclusion, bannissement à la paix.	Oui.
PÉRARD............	Oui.	Non.	La mort.	Non.
DAUDENAC jeune	Oui.	Non.	Déportation de tous les prisonniers du Temple.	Oui.
LAMAIGNAN.........	Oui.	Non.	Détention, bannissement à la paix.	Oui.

(1) Compromis dans l'affaire de la Compagnie des Indes, guillotiné le 5 avril 1794.
(2) Membre du Directoire.

NOMS des DÉPUTÉS.	LOUIS est-il COUPABLE?	Y AURA-T-IL appel AU PEUPLE?	QUELLE PEINE SERA INFLIGÉE?	Y AURA-T-IL SURSIS?
Manche.				
GERVAIS-SAUVÉ.....	Oui.	Oui.	Reclusion, déportation à la paix.	Oui.
POISSON............	Oui.	Oui.	Id.	Oui.
LEMOINE............	Oui.	Non.	La mort.	Non.
LETOURNEUR (1).....	Oui.	Non.	La mort.	Non.
RIBET..............	Oui.	Oui.	La mort.	Oui.
PINEL..............	Oui.	Oui.	Détention, déportation à la paix.	Oui.
LECARPENTIER.......	Oui.	Non.	La mort.	Non.
HAVIN.............	Oui.	Oui.	La mort.	Oui.
BONNESŒUR.........	Oui.	Oui.	La mort.	Oui.
ENGERRAN..........	Oui.	Oui.	Détention perpétuelle.	Oui.
BRETEL............	Oui.	Non.	Détention, bannissement à le paix.	Oui.
Laurence DE VILLE-DIEU.............	Oui.	Oui.	La mort.	Oui.
Michel HUBERT......	Oui.	Oui.	La mort.	Oui.
Marne.				
PRIEUR.............	Oui.	Non.	La mort.	Non.
THURIOT...........	Oui.	Non.	La mort.	Non.
CHARLES...........	Oui.	Non.	La mort.	Non.
CHARLIER (2)........	Oui.	Non.	La mort.	Non.
DELACROIX - DECOUSTANT.............	Oui.	Non.	La mort.	Non.
DEVILLE............	Oui.	Non.	La mort.	Non.
POULAIN...........	Oui.	Oui.	La reclusion et bannissement à la paix.	Oui.
DROUET (3).........	Oui.	Absent.	La mort.	Non.
ARMONVILLE........	Oui.	Non.	La mort.	Non.
BLANC.............	Oui.	Non.	Reclusion, bannissement à la paix.	Oui.
BATTELIER.........	Oui.	Non.	La mort.	Non.
Haute-Marne.				
GUYARDIN..........	Oui.	Non.	La mort, exécution dans les vingt-quatre heures.	Non.

(1) Membre du Directoire.
(2) S'est brûlé la cervelle (janvier 1797).
(3) Ex-maître de postes à Sainte-Menehould. C'est lui qui, le 21 juin 1791, arrêta à Varennes, vers les onze heures du soir, Louis XVI et sa famille. Tombé entre les mains des Autrichiens en 1793, lors du blocus de Maubeuge, il fut détenu pendant trente-trois mois, puis échangé avec plusieurs autres contre Marie-Thérèse, fille de Louis XVI. Rentré à la Législative, il fut décrété d'accusation comme complice de Babeuf ; il s'évada de sa prison, fut acquitté par la Haute Cour, devint sous-préfet de Sainte-Menehould, fut décoré de la Légion d'honneur. Exilé à la Restauration, mort en 1824.

NOMS des DÉPUTÉS.	LOUIS est-il COUPABLE?	Y AURA-T-IL appel AU PEUPLE?	QUELLE PEINE SERA INFLIGÉE	Y AURA-T-IL SURSIS?
MONNEL	Oui.	Non.	La mort.	Non.
ROUX	Oui.	Non.	La mort.	Non.
VALDRUCHR	Oui.	Non.	La mort.	Non.
CHAUDRON	Oui.	Non.	La mort.	Non.
LALOY	Oui.	Non.	La mort.	Non.
WANDELINCOURT	S'abstient.	Non.	Le bannissement.	Oui.
Mayenne.				
BISSY jeune	Oui.	Non.	La mort.	Oui.
ESNNE (Joachim)	Oui.	Non.	La mort.	Non.
GROSSE DU ROCHER . .	Oui.	Non.	La mort.	Non.
ENJUBAULT	Oui.	Non.	La mort.	Oui.
SERVAN	Oui.	Non.	La mort.	Oui.
PLAICHARD-CHOTIÈRE.	Oui.	Non.	La détention et bannissement de Louis et de sa famille.	Oui.
VILLARS	Oui.	Non.	La détention, bannissement à la paix.	Oui.
LEJEUNE	Oui.	Non.	La détention perpétuelle.	Oui.
Meurthe.				
SALLE (1)	Oui.	Oui.	La détention, bannissement à la paix.	Oui.
MALLARMÉ	Oui.	Non.	La mort.	Non.
LEVASSEUR	Oui.	Non.	La mort.	Non.
MOLLEVAULT	Oui.	Oui.	La détention, bannissement à la paix.	Oui.
BONNEVAL	Oui.	Non.	La mort.	Non.
LALANDE	S'abstient.	Oui.	Bannissement le plus prompt.	Oui.
MICHEL	Oui.	Oui.	La détention et le bannissement à la paix.	Oui.
ZANGIACOMI fils (2) . . .	Oui.	Oui.	La détention et le bannissement quand la sûreté publique le permettra.	Oui.
Meuse.				
MOREAU	Oui.	Oui.	La détention et le bannissement à la paix.	Oui.
ROUSSEL	Oui.	Oui.	Id.	Oui.
MARQUIS	Oui.	Oui.	La détention.	Oui.
TOCQUOT	Oui.	Oui.	Id.	Oui.
PONS (3)	Oui.	Non.	La mort.	Non.
BAZOCHE	Oui.	Oui.	La détention.	Oui.

(1) Guillotiné à Bordeaux (juin 1793).
(2) Baron, chevalier de la Légion d'honneur, conseiller à la Cour de cassation.
(3) Avocat général à la Cour de cassation.

NOMS des DÉPUTÉS.	LOUIS est-il COUPABLE?	Y AURA-T-IL appel AU PEUPLE?	QUELLE PEINE SERA INFLIGÉE?	Y AURA-T-IL SURSIS?
HUMBERT..............	Oui.	Oui.	La détention et le bannissement à la paix.	Oui.
HARMAND.............	Oui.	Oui.	Bannissement immédiat.	Non.
Morbihan.				
LEMAILLAND.........	Oui.	Non.	La détention, bannissement sous peine de mort.	Non.
LEHARDY (1)...........	Oui.	Oui.	La détention.	Oui.
CORBEL..............	Oui.	Non.	La détention comme ôtage, sauf mesures ultérieures.	Non.
LEQUINIO.............	Oui.	Non.	La mort.	Non.
AUDREIN.............	Oui.	Oui.	La mort avec la condition d'examiner s'il est utile de la différer.	Oui.
GILLET..............	Oui.	Non.	La détention, bannissement à la paix et celui de sa famille.	Non.
MICHEL..............	Oui.	Non.	La détention et la déportation dès que la sûreté publique le permettra.	Oui.
ROUAULT.............	Oui.	Non.	La reclusion, expulsion à la paix.	Oui.
Moselle.				
MERLIN (2)..........	Absent par commission aux quatre appels.			
ANTHOINE...........	Oui.	Non.	La mort.	Non.
COUTURIER.........	Absent par commission aux quatre appels.			
HENTZ..............	Oui.	Non.	La mort.	Non.
BLAUX..............	Oui.	Non.	La détention, bannissement à la paix.	Oui.
THIRION.............	Oui.	Non.	La mort.	Non.
BECKER.............	Oui.	Non.	La détention perpétuelle.	Oui.
BAR................	Oui.	Non.	La mort.	Non.
Nièvre.				
SAUTERAULT.........	Oui.	Non.	La mort.	Absent.
DAMERON...........	Oui.	Non.	La mort.	Non.
LEFIOT.............	Oui.	Non.	La mort.	Non.
GUILLERAULT........	Oui.	Non.	La mort.	Non.
LEGENDRE..........	Oui.	Non.	La mort.	Non.
GOYRE LA PLANCHE..	Oui.	Non.	La mort dans le plus bref délai.	Non.
JOURDAN............	Oui.	Oui.	Le bannissement quand la sûreté publique le permettra.	Oui.

(1) Guillotiné à Paris le 31 octobre 1793.
(2) Connu sous le nom de Merlin de Thionville et surnommé Moustache.

NOMS des DÉPUTÉS.	LOUIS est-il COUPABLE?	Y AURA-T-IL appel AU PEUPLE?	QUELLE PEINE SERA INFLIGÉE?	Y AURA-T-IL SURSIS?
Nord.				
MERLIN (1)...........	Oui.	Non.	La mort.	Non.
DUHEM	Oui.	Non.	La mort.	Non.
GOSSUIN	Absent par commission aux quatre appels.			
COCHET.............	Oui.	Non.	La mort.	Non.
FOCKEDEY	Oui.	Oui.	La détention.	Non.
J. LESAGE-SENAULT..	Oui.	Non.	La mort, exécution dans les vingt-quatre heures.	Non.
CARPENTIER.........	Oui.	Non.	La mort.	Non.
SALLENGROS.........	Oui.	Non.	La mort.	Non.
POULTIER	Oui.	Non.	La mort dans les vingt-quatre heures.	Non.
J.-Marie AOUST......	Oui.	Non.	La mort.	Non.
BOYAVAL	Oui.	Non.	La mort.	Non.
BRIEZ	Oui.	Non.	La mort.	Non.
Oise.				
COUPÉ..............	Oui.	Non.	La mort.	Oui.
CALON..............	Oui.	Non.	La mort.	Non.
MASSIEU	Oui.	Non.	La mort.	Non.
Ch. VILLETTE........	Oui.	Non.	La reclusion, bannissement à la paix.	Oui.
MATHIEU............	Oui.	Non.	La mort.	Non.
Anacharsis CLOOTS (2).	Oui.	Non.	La mort.	Non.
PORTIEZ	Oui.	Non.	La mort.	Non.
GODEFROY...........	Absent par commission aux quatre appels.			
BÉZARD.............	Oui.	Non.	La mort.	Non.
ISORÉ..............	Oui.	Non.	La mort.	Non.
DELAMARE	Oui.	Oui.	La reclusion.	Oui.
BOURDON (3)........	Oui.	Oui.	La mort.	Non.
Orne.				
DUFRICHE-VALAZÉ (4).	Oui.	Oui.	La mort avec sursis jusqu'à ce que l'Assemblée ait prononcé sur le sort de la famille de Louis.	Oui.
LAHOSDINIÈRE.......	Oui.	Non.	La mort.	Non.
PLAT-BEAUPREY	Oui.	Oui.	La mort.	Oui.
DUBOË	Oui.	Oui.	La reclusion.	Oui.

(1) Merlin de Douai, ministre de la justice, comte, membre de l'Institut, décoré de plusieurs ordres, conseiller d'Etat, procureur général près la Cour de cassation. Exilé en 1815, rentré en France en 1830, mort en 1838.

(2) Surnommé l'*Orateur du genre humain.* Guillotiné à Paris le 24 mars 1794.

(3) Déporté et mort à Cayenne.

(4) Condamné à mort avec les girondins, s'est poignardé en plein tribunal (octobre 1793).

NOMS des DÉPUTÉS.	LOUIS est-il COUPABLE?	Y AURA-T-IL appel AU PEUPLE?	QUELLE PEINE SERA INFLIGÉE?	Y AURA-T-IL SURSIS?
Dugué-Dassé	Oui.	Oui.	La détention, bannissement à la paix.	Oui.
Thomas............	Oui.	Oui.	La mort avec sursis jusqu'au cas d'invasion.	Oui.
Fourney...........	Oui.	Oui.	La déportation.	Oui.
Julien Dubois........	Oui.	Non.	La mort.	Non.
Colombel	Oui.	Non.	La mort.	Non.
Deshrouas..........	Oui.		La mort.	Non.
Paris.				
Robespierre (1)	Oui.	Non.	La mort.	Non.
Danton (2)..........	Absent.		La mort.	Non.
Collot d'Herbois (3).	Absent.		La mort.	Non.
Manuel (4)	Oui.	Oui.	La détention.	
Billaud - Varen-nes (5).............	Oui.	Non.	La mort dans les vingt-quatre heures.	Non.
Camille Desmou-lins (6)............	Oui.	Non.	La mort.	Non.
Marat (7)	Oui.	Non.	La mort dans les vingt-quatre heures.	Non.
Lavicomterie.......	Oui.	Non.	La mort.	Non.
Legendre (8)........	Oui.	Non.	La mort.	Non.
Raffron	Oui.	Non.	La mort.	Non.
Panis.	Oui.	Non.	La mort.	Non.
Sergent............	Oui.	Non.	La mort.	Non.
Robert............	Oui.	Non.	La mort.	Non.
Dusaulx...........	Oui.	Oui.	Bannissement à la paix.	Oui.
Fréron	Oui.	Non.	La mort dans les vingt-quatre heures.	Non.
Beauvais..........	Oui.	Non.	La mort.	Non.
Fabre d'Eglan-tine (9)...........	Oui.	Non.	La mort.	Non.
Osselin (10)........	Oui.	Non.	La mort.	Non.
Robespierre jeu-ne (11)............	Oui.	Non.	La mort.	Non.

(1) Surnommé l'Incorruptible, mis hors la loi le 9 thermidor, guillotiné le 10 (28 juillet 1794).
(2) Guillotiné le 5 avril 1794.
(3) Condamné à la déportation, mort à la Guyane.
(4) Procureur de la commune de Paris, guillotiné (novembre 1793).
(5) Condamné à la déportation, mort à Saint-Domingue en 1819.
(6) Guillotiné le 5 avril 1794.
(7) Assassiné le 13 juillet 1793 par Charlotte Corday.
(8) Boucher, mort en 1797, a légué son corps à l'Ecole de chirurgie.
(9) Compromis, quoique innocent, dans l'affaire de la Compagnie des Indes. Guillotiné le 5 avril 1794.
(10) Guillotiné à Paris (26 juin 1794).
(11) Guillotiné à Paris le 28 juillet 1794.

NOMS des DÉPUTÉS.	LOUIS est-il COUPABLE ?	Y AURA-T-IL appel AU PEUPLE ?	QUELLE PEINE SERA INFLIGÉE ?	Y AURA-T-IL SURSIS ?
DAVID (1)	Oui.	Non.	La mort.	Non.
BOUCHER-SAINT-SAUVEUR	Oui.	Non.	La mort.	Non.
LAIGNELOT	Oui.	Non.	La mort.	Non.
THOMAS	Oui.	Non.	La détention.	Oui.
PHILIPPE-ÉGALITÉ (2)	Oui.	Non.	La mort.	Non.
Pas-de-Calais.				
DUQUESNOY (3)	Oui.	Non.	La mort.	Non.
VARLET	Oui.	Oui.	La détention, bannissement à la paix sous peine de mort.	Oui.
LEBAS (4)	Oui.	Non.	La mort.	Non.
Thomas PAYNE	Oui.	Non.	La détention, bannissement à la paix.	Oui.
MAGNIEZ	Oui.	Oui.	Id.	Oui.
PERSONNE	Oui.	Oui.	Id.	Oui.
GUFFROI	Oui.	Non.	La mort dans les vingt-quatre heures.	Non.
EULART	Oui.	Non.	La déportation.	Absent.
BOLLET	Oui.	Non.	La mort.	Non.
DAUNOU	Oui.	Non.	La détention, bannissement à la paix.	Oui.
CARNOT (5)	Oui.	Non.	La mort.	Non.
Puy-de-Dôme.				
COUTHON (6)	Oui.	Non.	La mort.	Non.
GIBERGUES	Oui.	Non.	La mort.	Non.
MAIGNET	Oui.	Non.	La mort.	Non.
ROMME (7)	Oui.	Non.	La mort.	Non.
SOUBRANY (8)	Oui.	Non.	La mort.	Non.
Henri BANCAL (9)	Oui.	Non.	La détention.	Oui.
GIROT-POUZOL	Oui.	Oui.	La détention, bannissement à la paix.	Non.

(1) Peintre célèbre, membre de l'Institut et décoré sous l'Empire.

(2) Guillotiné à Paris (6 novembre 1793).

(3) Condamné à mort (juin 1796), s'est poignardé aussitôt.

(4) Mis hors la loi le 9 thermidor, s'est suicidé le lendemain à l'Hôtel de ville.

(5) Directeur en 1795, proscrit au 18 fructidor, rappelé au 18 brumaire ; ministre de Napoléon pendant les Cent-jours. Exilé à la Restauration, mort à Magdebourg en 1823.

(6) Mis hors la loi, guillotiné le 28 juillet 1794.

(7) Rapporteur de la loi établissant le Calendrier républicain. Condamné à mort en juin 1796, s'est poignardé.

(8) Compromis avec Romme et Duquesnoy. Condamné à mort, s'est poignardé, a survécu à sa blessure et a été guillotiné (juin 1796).

(9) Livré aux Autrichiens par Dumouriez, détenu deux ans, échangé avec d'autres contre Marie-Thérèse, fille de Louis XVI.

NOMS des DÉPUTÉS.	LOUIS est-il COUPABLE?	Y AURA-T-IL appel AU PEUPLE?	QUELLE PEINE SERA INFLIGÉE?	Y AURA-T-IL SURSIS?
RUDEL...............	Oui.	Non.	La mort.	Non.
BLANVAL	Oui.	Non.	La mort.	Non.
MONESTIER..........	Oui.	Non.	La mort.	Non.
DULAURE	Oui.	Non.	La mort.	Non.
LALOUE.............	Oui.	Non.	La mort.	Non.
Hautes-Pyrénées.				
Bertrand BARRÈRE (1).	Oui.	Non.	La mort.	Non.
DUPONT.............	Oui.	Oui.	La mort avec sursis jusqu'à l'expulsion de la famille des Bourbons.	Oui.
GERTOUX	Oui.	Non.	La détention, bannissement à la paix.	Oui.
PICQUÉ	Oui.	Non.	La mort avec sursis jusqu'à la fin des hostilités.	Oui.
LACRAMPE	Oui.	Oui.	La mort.	Non.
FÉRAUD (2)..........	Oui.	Non.	La mort.	Non.
Basses-Pyrénées.				
SANADON	Oui.	Oui.	La détention.	Oui.
CONTE..............	Oui.	Oui.	La détention, bannissement à la paix sous peine de mort.	Oui.
PEMARTIN	Oui.	Non.	Détention, bannissement à la paix.	Oui.
MEILLANT	Oui.	Oui.	Détention, bannissement après l'affermissement de la République.	Oui.
CASENEUVE..........	Oui.	Oui.	La détention, bannissement à la paix.	Oui.
NEVEU..............	Oui.	Oui.	La détention, sauf à prendre des mesures ultérieures.	Oui.
Pyrénées-Orientales.				
GUITER	Oui.	Oui.	Détention et bannissement à la paix.	Oui.
FABRE..............	Absent par maladie aux quatre appels.			
BIROTTEAU (3).......	Oui.	Oui.	La mort, sursis jusqu'à la paix, et après l'expulsion des Bourbons.	Oui.

(1) Condamné à la déportation, s'est soustrait au jugement. Employé à la censure sous l'Empire, membre de la Chambre des représentants pendant les Cents-jours, exilé à la Restauration, rentré en France en 1830, mort à Tarbes en 1841.

(2) Assassiné dans la Convention le 21 mai 1795.

(3) Mis hors la loi, guillotiné à Bordeaux (octobre 1793).

NOMS des DÉPUTÉS.	LOUIS est-il COUPABLE?	Y AURA-T-IL appel AU PEUPLE?	QUELLE PEINE SERA INFLIGÉE?	Y AURA-T-IL SURSIS?
MONTÉGUT..........	Oui.	Non.	La mort.	Non.
CASSANYES..........	Oui.	Non.	La mort.	Non.
Haut-Rhin.				
REWBEL............	Absent par commission aux quatre appels.			
RITTER............	Oui.	Non.	La mort.	Non.
LAPORTE	Oui.	Non.	La mort.	Non.
JOHANOT..........	Oui.	Non.	La mort.	Oui.
PIFFILÉGER aîné	Oui.	Non.	La mort.	Non.
ALBERT aîné.........	Oui.	Oui.	La détention, bannissement à la paix.	Oui.
DUBOIS	Oui.	Non.	La détention, bannissement quand la sûreté publique le permettra.	Oui.
Bas-Rhin.				
RHUL (1)...........	Absent par commission aux quatre appels.			
LAURENT...........	Oui.	Non.	La mort.	Non.
BENTABOLE..........	Oui.	Non.	La mort.	Non.
DENTZEL...........	Absent par commission aux quatre appels.			
LOUIS..............	Oui.	Non.	La mort.	Non.
ERHMANN	Absent par maladie aux quatre appels.			
ARBOGAST..........	Oui.	Non.	La détention, bannissement à la paix.	Refuse de voter.
GHRISTIANI.........	Oui.	Non.	Id.	Oui.
Philibert SIMOND (2)..	Absent par commission aux quatre appels.			
Rhône-et-Loire.				
CHASSET...........	Oui.	Non.	La détention, bannissement à la paix.	Non.
MARCELIN - BÉRAUD ..	Oui.	Oui.	Id.	Oui.
FOREST............	Oui.	Oui.	Id.	Oui.
FOURNIER..........	Oui.	Non.	Id.	Oui.
DUPUIS fils	Oui.	Non.	La mort.	Non.
VITET	Oui.	Non.	La détention, bannissement de la race des Bourbons.	Oui.
DUBOUCHET	Oui.	Non.	La mort.	Non.
PRESSAVIN	Oui.	Non.	La mort.	Non.
PATRIN	Oui.	Oui.	La détention, bannissement à la paix.	Oui.
MOULIN............	Oui.	Non.	Mort avec sursis jusqu'après l'exil des Bourbons.	Oui.
MICHET............	Oui.	Oui.	La détention perpétuelle.	Oui.
NOEL-POINTE........	Oui.	Non.	La mort.	Non.

(1) S'est tué chez lui d'un coup de poignard après la journée du 1ᵉʳ prairial (mai 1795).
(2) Guillotiné à Paris le 13 avril 1794.

NOMS des DÉPUTÉS.	LOUIS est-il COUPABLE?	Y AURA-T-IL appel AU PEUPLE?	QUELLE PEINE SERA INFLIGÉE?	Y AURA-T-IL SURSIS?
CUSSET (1)	Oui.	Non.	La mort.	Non.
JAVOQUE fils (2)......	Oui.	Non.	La mort.	Non.
LANTHENAS	Oui.	Non.	La mort.	Non.
Haute-Saône.				
GOURDAN	Oui.	Non.	La mort.	Non.
VIGNERON	Oui.	Non.	La détention, bannissement à la paix.	Oui.
CHANVIER	Oui.	Non.	Id.	Non.
BALIVET	Oui.	Oui.	Id.	Oui.
SIBLOT..............	Oui.	Non.	La mort.	Non.
DORNIER	Oui.	Non.	La mort.	Non.
BOLOT...............	Oui.	Non.	La mort.	Non.
Saône-et-Loire.				
GELIN	Oui.	Non.	La mort.	Non.
MASUYER(3)	Oui.	Non.	La détention, bannissement à la paix et celui de sa famille.	Non.
J. CARRA (4)	Oui.	Non.	La mort.	Non.
GUILLERMAIN........	Oui.	Non.	La mort.	Non.
REVERCHON	Oui.	Non.	La mort.	Oui.
GUILLEMARDET	Oui.	Non.	La mort.	Non.
BAUDOT	Oui.	Non.	La mort.	Non.
BERTUCAT...........	Oui.	Oui.	La détention perpétuelle.	Oui.
MAILLY.............	Oui.	Non.	La mort.	Non.
MOREAU	Oui.	Non.	La mort.	Non.
MONGILBERT	Oui.	Non.	La mort.	Oui.
Sarthe.				
RICHARD...........	Oui.	Non.	La mort.	Non.
PRIMAUDIÈRE........	Oui.	Non.	La mort.	Non.
SALMON............	Oui.	Non.	La mort.	Oui.
PHÉLIPPEAUX (5)	Oui.	Non.	La mort, exécution prompte.	Non.
BOUTRONE	Oui.	Non.	La mort.	Non.
LEVASSEUR	Oui.	Non.	La mort.	Non.
CHEVALIER..........	Oui.	Oui.	S'abstient.	Oui.
FROGER	Oui.	Non.	La mort.	Non.
SIEYÈS (6)..........	Oui.	Non.	La mort.	Non.
LETOURNEUR........	Oui.	Non.	La mort.	Non.

(1 et 2) Fusillés à la tête du camp de Grenelle le 11 octobre 1796.
(3) Mis hors la loi, guillotiné à Paris (mars 1793).
(4) Guillotiné le 31 octobre 1793.
(5) Guillotiné le 5 avril 1794.
(6) Ex-abbé, comte et sénateur sous l'Empire. Exilé à la Restauration, rentré en France en 1830, mort en 1836.

NOMS des DÉPUTÉS.	LOUIS est-il COUPABLE?	Y AURA-T-IL appel AU PEUPLE?	QUELLE PEINE SERA INFLIGÉE?	Y AURA-T-IL SURSIS?
Seine-et-Oise.				
LECOINTRE..........	Oui.	Non.	La mort.	Non.
HAUSSMANN.........	Absent par commission aux quatre appels.			
BASSAL.............	Oui.	Non.	La mort.	Non.
ALQUIER (1).........	Oui.	Non.	La mort.	Oui.
GORSAS (2).........	Oui.	Oui.	La détention, bannissement à la paix sous peine de mort.	Non.
AUDOUIN...........	Oui.	Non.	La mort.	Non.
TREILHARD (3).......	Oui.	Non.	La mort.	Oui.
ROI......:.........	Oui.	Non.	La mort avec sursis jusqu'à la ratification de la Constitution par le peuple.	Oui.
TALLIEN (4).........	Oui.	Non.	La mort.	Non.
HÉRAULT (5)........	Absent par commission aux quatre appels.			
MERCIER (6).........	Oui.	Non.	La détention perpétuelle.	Oui.
KERSAINT (7)........	Oui.	Oui.	La détention.	Absent.
Marie-Joseph CHÉNIER.............	Oui.	Non.	La mort.	Non.
DUPUIS.............	Oui.	Non.	La détention.	Oui.
Seine-Inférieure.				
ALBITE.............	Oui.	Non.	La mort.	Non.
POCHOLLE..........	Oui.	Non.	La mort.	Non.
HARDY..............	Oui.	(8)	La détention, bannissement à la paix.	Oui.
YGER..............	Oui.	Oui.	Id.	Oui.
DUVAL.............	Oui.	Oui.	Id.	Oui.
HECQUET...........	Oui.	Oui.	La détention, bannissement à la paix sous peine de mort.	Oui.
VINCENT...........	Oui.	Oui.	Détention, bannissement de Louis et de sa famille quand la nation le jugera à propos.	Oui.

(1) Ambassadeur sous l'Empire.

(2) Guillotiné à Paris le 8 octobre 1793.

(3) Membre du Directoire, comte, conseiller d'Etat, décoré sous l'Empire, principal rédacteur du Code Napoléon.

(4) Secrétaire de la commune de Paris lors des massacres de Septembre. Proconsul à Bordeaux, épousa Mme de Fontenay, contribua à renverser Robespierre au 9 thermidor ; prit part au coup d'Etat du 18 fructidor. Il suivit Bonaparte en Egypte, fut pris par les Anglais ; relâché, il fut nommé consul à Alicante, poste dont il toucha les appointements sans l'occuper. Mort en 1820.

(5) Hérault de Séchelles, guillotiné avec Danton le 5 avril 1794.

(6) Homme de lettres, auteur du *Tableau de Paris*, mort en 1814.

(7) Guillotiné le 4 décembre 1793.

(8) Oui, si la peine de mort est prononcée.

NOMS des DÉPUTÉS.	LOUIS est-il COUPABLE ?	Y AURA-T-IL appel AU PEUPLE ?	QUELLE PEINE SERA INFLIGÉE ?	Y AURA-T-IL SURSIS ?
FAURE...............	Oui.	Oui.	Détention pendant la guerre.	Oui.
LEFÈVRE	Oui.	Oui.	Détention, bannissement à la paix.	Oui.
BLUTEL.............	Oui.	Oui.	Id.	Oui.
BOURGEOIS	Oui.	Oui.	Id.	Oui.
DELAHAYE...........	Oui.	Oui.	Id.	Oui.
BAILLEUL	Oui.	Oui.	La reclusion.	Absent par maladie.
MARIETTE	Oui.	Oui.	La détention.	Oui.
DOUBLET	Oui.	Oui.	La détention, bannissement jusqu'à l'affermissement de la République.	Oui.
RUBAULT	Oui.	Non.	Id.	Oui.
Seine-et-Marne.				
MAUDUYT............	Oui.	Non.	La mort.	Non.
BAILLY DU JUILLY ...	Oui.	Oui.	La détention, bannissement deux ans après la paix.	Oui.
TELLIER (1)	Oui.	Non.	La mort.	Non.
CORDIER.............	Oui.	Non.	La mort.	Non.
VIQUY	Oui.	Oui.	La détention, bannissement à la paix.	Oui.
HIMBERT	Oui.	Oui.	Id.	Absent par maladie.
DEFRANCE...........	Oui.	Non.	Id.	Oui.
GEOFFROY jeune......	Oui.	Oui.	La détention, déportation à la paix.	Oui.
Bernard DES SABLONS.	Oui.	Oui.	La mort avec sursis jusqu'à la sanction de la Constitution.	Oui.
OPOIX	Oui.	Oui.	Détention et déportation à la paix.	Oui.
BERNIER	Oui.	Oui.	La détention.	Oui.
Deux-Sèvres.				
LECOINTE-PUYRA-VEAU	Oui.	Oui.	La mort.	Non.
JARD-PANVILLIER	Oui.	Oui.	Détention, bannissement à la paix.	Oui.
AUGUIS	Oui.	Non.	Détention, bannissement à la paix sous peine de mort.	Oui.
DUCHASTEL (2)	Absent par maladie.		Le bannissement.	Absent par maladie.

(1) S'est tué à Chartres, en octobre 1795, après avoir crié : Vive le Roi ! et avoir été promené sur un âne.

(2) Guillotiné à Paris le 31 octobre 1793.

NOMS des DÉPUTÉS.	LOUIS est-il COUPABLE ?	Y AURA-T-IL appel AU PEUPLE ?	QUELLE PEINE SERA INFLIGÉE ?	Y AURA-T-IL SURSIS ?
DUBREUIL - CHAMBAR- DEL..............	Oui.	Non.	La mort.	Non.
LOFFICIAL...........	Oui.	Oui.	Détention, déportation à la paix.	Oui.
Ch. COCHON........	Oui.	Non.	La mort.	Non.
Somme.				
SALADIN............	Oui.	Non.	La mort.	Non.
RIVERY.............	Oui.	Oui.	La détention.	Oui.
GATOIS.............	Oui.	Oui.	La détention, bannissement à la paix.	Oui.
DEVÉRITÉ...........	Oui.	Oui.	Id.	Oui.
ASSELIN............	Oui.	Non.	La détention, déportation à la paix.	Oui.
DELECLOY..........	Oui.	Non.	Id.	Oui.
LOUVET............	Oui.	Oui.	La détention, bannissement à la paix.	Oui.
DUFESTEL..........	Oui.	Oui.	Id.	Oui.
Alexis SILLERY (1)....	Oui.	Oui.	La détention.	Oui.
FRANÇOIS...........	Oui.	Oui.	La mort.	Non.
J.-B. MARTIN SAINT- PRIX..............	Oui.	Oui.	La détention, bannissement à la paix.	Oui.
OURIER.............	Oui.	Non.	La mort.	Non.
André DUMONT......	Oui.	Non.	La mort.	Non.
Tarn.				
LASOURCE (2)........	Absent.		La mort.	Non.
LACOMBE SAINT-MI- CHEL..............	Oui.	Non.	La mort.	Non.
SOLIGNAC...........	Oui.	Non.	La détention, bannissement à la paix.	Oui.
MARVEJOULS........	Oui.	Oui.	Id.	Oui.
ROCHEGUDE.........	Oui.	Oui.	Id.	Oui.
CAMPNAS...........	Oui.	Non.	La mort.	Non.
DAUBERMENIL.......	Absent par maladie aux quatre appels.			
GOUZY.............	Oui.	Oui.	La mort.	Oui.
MEYER.............	Oui.	Oui.	La mort.	Non.
Var.				
ESCUDIER...........	Oui.	Non.	La mort.	Absent.
CHARBONNIER.......	Oui.	Non.	La mort.	Non.
RICORDS...........	Oui.	Non.	La mort.	Non.

(1) Mari de Mme de Genlis, guillotiné le 31 octobre 1793.
(2) Guillotiné à Paris le 31 octobre 1793.

NOMS des DÉPUTÉS.	LOUIS est-il COUPABLE ?	Y AURA-T-IL appel AU PEUPLE ?	QUELLE PEINE SERA INFLIGÉE ?	Y AURA-T-IL SURSIS ?
ISNARD	Oui.	Non.	La mort.	Non.
DESPINASSY	Oui.	Non.	La mort.	Non.
ROUBAUD	Oui.	Non.	La mort.	Non.
ANTIBOUL (1)	Oui.	Non.	La détention.	Ni oui ni non.
BARRAS (2)	Oui.	Non.	La mort.	Non.
Vendée.				
GOUPILLEAU (J.-F.)	Absent.		La mort, exécution prompte.	Non.
GOUPILLEAU (P.-C.)	Oui.	Non.	La mort.	Non.
GAUDIN	Oui.	Oui.	La détention.	Non.
MAIGNEN	Oui.	Non.	La mort.	Non.
FAYAU	Oui.	Non.	La mort.	Non.
MORISSON	Refuse de voter.			
MUSSET	Oui.	Non.	La mort.	Non.
GIRARD	Oui.	Non.	La reclusion.	Oui.
GAROS	Oui.	Non.	La mort.	Non.
Vienne.				
PIORY	Oui.	Non.	La mort.	Non.
INGRAND	Oui.	Non.	La mort.	Non.
DUTROU-BORNIER	Oui.	Oui.	Détention, bannissement à la paix.	Oui.
BION	Oui.	Oui.	Id.	Oui.
CREUZÉ-LATOUCHE	Oui.	Oui.	Id.	Oui.
CREUZÉ-PASCHAL	Oui.	Oui.	Id.	Oui.
MARTINEAU	Oui.	Non.	La mort.	Non.
THIBAUDEAU (3)	Oui.	Non.	La mort.	Non.
Haute-Vienne.				
LACROIX	Oui.	Oui.	La détention, bannissement à la paix.	Oui.
LESTERPT-BEAU-VAIS (4)	Oui.	Non.	La mort.	Oui.
BORDAS	Oui.	Non.	La détention.	Non.
GAY-VERNON	Oui.	Non.	La mort.	Non.
FAYE	Oui.	Oui.	Détention, bannissement à la paix.	Oui.
RIVAUD	Oui.	Oui.	Id.	Oui.
SOULIGNAC	Oui.	Oui.	Détention, bannissement à la paix sous peine de mort.	Oui.

(1) Guillotiné à Paris le 31 octobre 1793.
(2) Membre du Directoire, exilé sous l'Empire, mort en 1829.
(3) Comte, conseiller d'Etat, préfet sous l'Empire.
(4) Guillotiné le 31 octobre 1793.

NOMS des DÉPUTÉS.	LOUIS est-il COUPABLE?	Y AURA-T-IL appel AU PEUPLE?	QUELLE PEINE SERA INFLIGÉE?	Y AURA-T-IL SURSIS?
Vosges.				
POULAIN-GRANDPREY.	Oui.	Oui.	La mort.	Oui.
HUGO...............	Absent par maladie aux quatre appels.			
PERRIN	Oui.	Non.	La mort.	Non.
NOEL (1)............	Refuse de voter.			
Julien SOUHAIT	Oui.	Oui.	La mort.	Oui.
BRESSON	Oui.	Oui.	La détention et le bannissement quand la sûreté publique le permettra.	Oui.
COUCHEY	Oui.	Oui.	La détention. Exil après trois ans de paix sous peine de mort.	Oui.
BALLAND............	Oui.	Absent.	La détention.	Oui.
Yonne.				
MAURE aîné (2)......	Oui.	Non.	La mort.	Non.
LEPELETIER (3)......	Oui.	Non.	La mort.	Non.
TURREAU	Oui.	Non.	La mort.	Non.
J. BOILEAU (4).......	Oui.	Non.	La mort.	Non.
PRÉCY..............	Oui.	Oui.	La mort avec sursis jusqu'à l'acceptation de la Constitution.	Oui.
BOURBOTTE (5)......	Oui.	Non.	La mort.	Non.
HÉRARD	Oui.	Oui.	La mort.	Non.
FINOT	Oui.	Non.	La mort.	Non.
CHASTELIN	Oui.	Oui.	La détention, bannissement à la paix.	Oui.

(1) Guillotiné en décembre 1793.
(2) S'est tué le 2 juin 1795.
(3) Lepeletier de Saint-Fargeau, ancien président à mortier au Parlement de Paris. A été assassiné, le 20 janvier 1793, par l'ex-garde du corps Paris.
(4) Guillotiné le 31 octobre 1793.
(5) Guillotiné le 16 juin 1795.

La faculté de motiver son vote ayant été laissée aux membres de la Convention, un grand nombre en usèrent. Parmi les déclarations ainsi faites, beaucoup sont oiseuses ou insignifiantes; cependant, il en est quelques-unes qui méritent d'être reproduites, car elles jettent un jour parfois singulier sur l'état d'esprit de leurs auteurs; bien peu sont à leur honneur.

De celles-ci, il faut citer les déclarations de Lomont, de Henri Larivière, députés du Calvados, de Debourges, de Baraillon, députés de la Creuse, de Giroust, député d'Eure-et-Loir, de Wandelaincourt, député de la Haute-Marne, de Lalande, député de la Meurthe, et de Morisson, député de la Vendée, qui refusent de se prononcer sur la question de culpabilité pour la raison qu'ils se considèrent comme des législateurs et non comme des juges.

Noël, député des Vosges, les imite, mais son abstention part d'un sentiment autre, révélé en un style qui eût gagné à être moins emphatique : « Mon fils était grenadier dans un bataillon du département des Vosges; il est mort sur la frontière en défendant sa patrie. Ayant le cœur déchiré de douleur, je ne puis être juge de celui que l'on regarde comme le principal auteur de cette mort. »

Sur la question de savoir s'il y aura appel au peuple, oui ou non, Saint-Just prononce cette phrase, qu'il comprenait peut-être : « Si je ne tenais point du peuple le droit de juger le tyran, je le tiendrais de la nature. Je dis non. »

Dubois-Crancé ne semble pas avoir grande confiance dans le peuple : « L'appel au peuple est un crime de lèse-nation : non. » A quoi Vermon, député des Ardennes, qui lui succède à la tribune, répond : « La vertu est en majorité dans la République : oui. »

Mêmes divergences chez Duval, député de l'Aude : « Pour ne pas compromettre le salut de la République, non. » Et chez son collègue du même département, Bonnemain : « Pour la même raison, oui. »

La note comique ne manque pas : « Non, avec toute l'affirmation possible », s'écrie au milieu des rires de l'Assemblée Bellegarde, député de la Charente; et son collègue Brun riposte ainsi : « Je dis oui avec la même fermeté que Bellegarde a dit non. »

Cambacérès commence ses arguties de procureur : « Nous devions aussi renvoyer à la sanction du peuple le décret par lequel nous nous sommes constitués comme juges de Louis; nous ne l'avons pas fait : je dis non. »

Lanjuinais est surtout préoccupé de sauver la vie du Roi : « Je dis oui, si vous condamnez Louis à la mort; dans le cas contraire, je dis non. »

Anacharsis Cloots est solennel et ridicule : « Je ne connais d'autre souverain que le genre humain, c'est-à-dire la raison universelle. Je dis non. »

Camille Desmoulins n'est que ridicule : « Comme le roi de Pologne a été acheté par la Russie, il n'est pas étonnant que beaucoup d'entre nous, qui ne sont pas encore rois, soient vendus. » Et, pour cette mirifique raison, il vote non.

Marat est également opposé à l'appel au peuple : « Appeler le peuple à sanctionner un jugement, c'est non seulement un acte d'imbécillité, mais de démence, qui ne peut être provoqué que par les complices du tyran. »

Raffron, député de Paris, dit : « Avec assurance, tranquillité et fraternité, non. »

Levasseur, député de la Sarthe, fait, dans sa déclaration, le procès du suffrage universel : « Comme homme d'État, je ne puis renvoyer aux assemblées primaires, qui ne sont, en général, composées que de cultivateurs, d'artisans, qui ne peuvent pas avoir de connaissances politiques. Je dis non. »

Sur la troisième question : « Quelle peine infliger à Louis? » la plus grave de toutes, voici quelques-unes des déclarations apportées à la tribune :

Condorcet : « Toute différence de peines pour les mêmes crimes est un attentat contre l'égalité. La peine contre les conspirateurs est la mort; mais cette peine est contre mes principes, je ne la voterai jamais. Je ne puis voter la reclusion, car nulle loi ne m'autorise à la porter. Je vote pour la peine la plus grave dans le Code pénal, et qui ne soit pas la mort... »

Lakanal : « Un vrai républicain parle peu; les motifs de ma décision sont là (dirigeant sa main vers son cœur) : je vote pour la mort. »

Gaston : « D'après mon opinion, la raison, la justice, l'humanité, les lois, le ciel et la terre condamnent Louis à mort. »

Vergniaud : « J'ai voté pour que le décret ou jugement qui serait rendu par la Convention nationale fût soumis à la sanction du peuple ; dans mon opinion, les principes et les considérations politiques de l'intérêt le plus majeur en faisaient un devoir à la Convention ; la Convention en a décidé autrement, j'obéis ; ma conscience est acquittée. Il s'agit maintenant de statuer sur la peine à infliger à Louis ; j'ai déclaré hier que je le reconnaissais coupable de conspiration contre la liberté et la sûreté nationale ; il ne m'est pas permis aujourd'hui d'hésiter pour la peine. La loi parle, c'est la mort ; mais, en prononçant ce mot terrible, inquiet sur le sort de ma patrie, sur les dangers qui menacent la liberté, sur tout le sang qui peut être versé, j'exprime le même vœu que Mailhe, et je demande qu'il soit soumis à une délibération de l'Assemblée. » (Mailhe demandait que l'Assemblée discutât le point de savoir s'il conviendrait à l'intérêt public que l'exécution eût lieu sur-le-champ ou qu'elle fût différée.)

Gensonné cherche à pallier l'effet que produit la condamnation capitale prononcée par les Girondins : « ...Afin de prouver que l'Assemblée n'admet point de privilége entre les scélérats », il demande qu'elle « enjoigne au ministre de la justice de poursuivre par-devant les tribunaux les assassins et les brigands des 2 et 3 septembre ». L'assimilation n'avait rien de flatteur pour Louis XVI ; le ministre de la justice se garda bien de la faire.

Cambacérès : « Citoyens, si Louis eût été conduit devant le tribunal que je présidais, j'aurais ouvert le Code pénal et je l'aurais condamné aux peines établies par la loi contre les conspirateurs ; ici, j'ai d'autres devoirs à remplir.

« L'intérêt de la France, l'intérêt des nations ont déterminé la Convention à ne pas renvoyer Louis aux juges ordinaires, et à ne point assujettir son procès aux formes prescrites. Pourquoi cette distinction ? C'est qu'il a paru nécessaire de décider de son sort par un grand acte de la justice nationale ; c'est que les considérations politiques ont dû prévaloir dans cette cause sur les règles de l'ordre judiciaire ; c'est qu'on a reconnu qu'il ne fallait pas s'attacher servilement à l'application de la loi, mais chercher la mesure qui paraissait la plus utile au peuple. La mort de Louis ne nous présenterait aucun de ces avantages ; la prolongation de son existence peut au contraire nous servir. Il y aurait de l'imprudence à se dessaisir d'un ôtage qui doit contenir les ennemis intérieurs et extérieurs.

« D'après ces considérations, j'estime que la Convention nationale doit décréter que Louis a encouru les peines établies contre les conspirateurs par le Code pénal ; qu'elle doit suspendre l'exécution du décret jusqu'à la cessation des hostilités, époque à laquelle il sera définitivement prononcé par la Convention ou par le Corps législatif, sur le sort de Louis, qui demeurera jusqu'alors en état de détention ; et néanmoins, en cas d'invasion du territoire français par les ennemis de la République, le décret sera mis à exécution. »

Robespierre : « Je n'aime point les long discours dans les questions évidentes ; ils sont d'un sinistre présage pour la liberté ; ils ne peuvent suppléer à l'amour de la vérité et au patriotisme qui les rend superflus... » Après un tel début, on peut croire que Robespierre énonce brièvement son opinion ; pas du tout, il fait un « long discours » dans lequel il blâme « les distinctions logomachiques ». Et cela ne l'empêche point de prononcer des phrases de ce genre : « Le sentiment qui m'a porté à demander, mais en vain, à l'Assemblée constituante l'abolition de la peine de mort est le même qui me force aujourd'hui à demander qu'elle soit appliquée au tyran de ma patrie, et à la royauté dans sa personne... J'aurais trop de regrets si mes opinions ressemblaient à des manifestes de Pitt ou de Guillaume ; enfin, je ne sais point opposer des mots vides de sens et des distinctions inintelligibles à des principes certains et à des obligations impérieuses. Je vote pour la mort. »

Danton : « Je ne suis point de cette foule d'hommes d'État qui ignorent qu'on ne compose point avec les tyrans, qui ignorent qu'on ne frappe les rois qu'à la tête, qui ignorent qu'on ne doit rien attendre de ceux de l'Europe que par la force de nos armes. Je vote pour la mort du tyran. »

Manuel, le Manuel de la Commune, transformé et repentant de ses violences passées : « Législateur, je ne suis pas juge... Des lois de sang ne sont pas plus dans les mœurs que dans les principes d'une république... Le droit de mort n'appartient qu'à la nature ; le despotisme le lui avait pris, la liberté le lui rendra... Louis est un tyran, mais ce tyran est couché par terre ; il est trop facile à tuer pour que je le frappe... »

Camille Desmoulins, qui lui succède à la tribune, est toujours le même gamin de Paris, soucieux de faire montre d'esprit, aussi cruel que maladroit : « Manuel, dans son opinion du mois de novembre, a dit : Un roi mort, ce n'est pas un homme de moins. Je vote pour la mort, trop tard peut-être pour l'honneur de la Convention nationale. » Cette bizarre déclaration excite des murmures, et plusieurs membres demandent que Camille soit rappelé à l'ordre.

Philippe-Égalité, malgré sa parenté, ne songe point à se récuser. « Uniquement occupé de mon devoir, convaincu que tous ceux qui ont attenté ou attenteront par la suite à la souveraineté du peuple méritent la mort, je vote pour la mort. »

Barrère : « Si les mœurs des Français étaient assez douces et l'éducation publique assez perfectionnée pour recevoir de grandes institutions sociales et des lois humaines, je voterais dans cette circonstance unique pour l'abolition de la peine de mort et je porterais ici une opinion moins barbare, mais nous sommes encore loin de cet état de moralité... L'arbre de la liberté, a dit un auteur ancien, croît lorsqu'il est arrosé du sang de toute espèce de tyran. La loi dit la mort, et je ne suis ici que son organe. »

Treilhard : « Ne consultant que le plus grand intérêt de la République, je pense qu'en décrétant que Louis a mérité la peine de mort la Convention doit prononcer en même temps un sursis à l'exécution. »

RÉSUMÉ DES VOTES

Sur la première question : *Louis est-il coupable de conspiration contre la liberté publique et d'attentat contre la sûreté générale?*

Sur les 748 membres dont se composait à l'origine la Convention nationale, certains étaient absents pour divers motifs : congés, maladies, missions, etc.

Il y eut, dans ce scrutin, 683 votants.

Ont voté que Louis est coupable 683

Sur la seconde question : *Le jugement de la Convention nationale contre Louis Capet sera-t-il soumis à la ratification du peuple?*

Votants 711
Majorité absolue 356
Ont voté oui 286
Ont voté non 425

Sur la troisième question : *Quelle peine infligera-t-on à Louis Capet?*

Votants 721
Majorité absolue 361

Ont voté pour la détention 319
Ont voté pour les fers 2
Ont voté pour la mort avec réserve de la commutation de peine 2

A reporter 323

Report. 323

Ont voté pour la mort avec demande d'une discussion sur l'époque de l'exécution 23

Ont voté pour la mort avec sursis jusqu'à l'expulsion des Bourbons. 8

Ont voté pour la mort avec sursis jusqu'à la paix, sauf exécution dans les vingt-quatre heures en cas d'invasion du territoire 2
____
356

Ont voté pour la mort. 365

Quelques membres de la Convention ayant réclamé contre l'irrégularité de la première épreuve, la Convention, après débats, a décrété qu'il serait fait un second appel où chaque membre affirmerait son vote, et qu'il serait de suite procédé à un second recensement (ce qui eut lieu le 18 janvier au soir).

Votants. 721
Majorité absolue. 361

Ont voté pour les fers 2

Ont voté pour la détention et le bannissement, ou pour la mort en cas d'invasion. 286

Ont voté pour la mort avec sursis, soit à la paix, soit après l'expulsion des Bourbons, soit à la ratification de la Constitution 46
____
334

Ont voté pour la mort. 361

Ont voté pour la mort, en ajoutant une condition, mais en déclarant le vote émis indépendant de cette condition. 26
____
387

Sur la quatrième question : *Y aura-t-il sursis à l'exécution du décret qui condamne Louis Capet?*

Votants 690
Majorité absolue 346
Ont voté pour le sursis 310
Ont voté contre 380

TABLE DES MATIÈRES

PARIS

TYPOGRAPHIE DE E. PLON, NOURRIT ET Cie

8, rue Garancière